(NIE)WINNA

MARTA KIJAŃSKA

(NIE)WINNA

MELANŻ
WARSZAWA 2013

Wydaje się, że nie umiem się zwierzać.
Każde słowo jest fałszem i prawdą;
to istota słowa i kto chce wierzyć
albo wszystkiemu, albo niczemu...

Max Frisch, *Stiller*

1

Brak mi słów, aby opisać, co znaczy kochać go i być przez niego kochaną. Brak mi słów, aby opisać, co znaczy go utracić. Ale czy można coś utracić, nie posiadając?

Jak można pożegnać się z kimś, bez kogo nie można żyć? Nie można.

Nie pożegnałam się.

A przecież on był dla mnie tym, kim nie był nikt.

Może trzeba było nie ujmować miłości w słowa, głupia. Może trzeba było nie ujmować w nic.

JA: Myślę, że nie sprawdzasz już tej skrzynki mailowej, a może nawet mam taką nadzieję. Piszę więc sobie a księżycowi. Szeptem, chociaż chciałabym wykrzyczeć.

Szeptać też mi wszakże nie wolno, nic mi nie wolno, kocham cię.

Kocham cię i nie wiem, co robić, a czasami nawet jak dalej funkcjonować i czy w ogóle warto.

Niczego to nie zmieni, że teraz to napiszę, naturalnie. Może jedynie trochę sobie oczy oczyszczę, jaka ładna zbitka wyrazów. Każdego dnia.

Myślę o tobie każdego dnia.

To już tyle czasu, prawda? Wszedłeś na chwilę, chwyciłeś, puściłeś. Świat zatrzymał się nagle, a w środku ty. Było pięknie. Chcę, żebyś to wiedział. Jesteś najpiękniejszym człowiekiem, jakiego poznałam. Jesteś najpiękniejszym mężczyzną, jakiego poznałam. Odrobinę cię za to nienawidzę, bo gdybyś się nie zjawił, nie miałabym szansy wiedzieć, że tacy jak ty mogą istnieć. Życie jest takie przewrotne i ma w sobie tak wiele ironii. Każdego dnia.
Myślę o tobie każdego dnia.
Świat mija mnie leniwie i powoli, wypełniam go pisaniem, spacerami, czytaniem, gotowaniem i winem, ale wszystko to psu na budę bez miłości, jak powiedział poeta. Pustka w moim sercu.
Czemu to piszę?, nie ma nawet pełni, ja nie jestem pijana, a ta skrzynka mailowa nie istnieje.
Ale patrzę na ciebie w moim śnie i jesteś tam, blisko, bliżej moich dłoni. Słucham Mozarta. Za oknem ciemno. Za oknem jasno. Wchodzisz boso i bardzo cicho w moje sny, a niebo jeszcze bardziej wtedy niebieskie. Bo z tobą wszystko jest bardziej.
Myślę o tym, jak mogłoby być, gdyby było inaczej. I jedynie światło z naprzeciwka. Inni jedzą kolację, a może już zjedli i siedzą teraz, i nudzą się, i też myślą o tym, jak mogłoby być, gdyby było inaczej. Gdyby zawiązała się jednak inna koalicja. Gdyby ten nie przyszedł kiedyś do tamtego. Gdyby na obiad do kurczaka był ryż, a nie ziemniaki. Gdyby kupili droższy proszek, ten z reklamy, może lepszy jednak. Gdyby samolot nie spadł. Gdyby ten się nie powiesił. Gdyby pojechali tramwajem, a nie autobusem. Zdążyliby na pogodę po wiadomościach, a tak dupa. Gdyby nie padało. Gdyby

padało. Gdybyś nie wszedł, jak wszedłeś, a ja bym nie siedziała tam, tylko gdzie indziej.
A ty nagle wtargnąłeś w moją rzeczywistość i jesteś. Tak zwyczajnie. Ale nie zwyczajnie. Ty.
Niewątpliwie nie powinnam cię już spotkać, bo bez przerwy marzę jedynie o twoich ustach na moich ustach i o twoim ciele nade mną. Marzę, by położyć głowę w zagłębieniu twojej ręki. Abyś opowiedział mi o ironii, o nowym filmie, o nowej fascynującej książce albo jakąś cudowną anegdotę, tak jak to jedynie ty potrafisz.
Niewątpliwie nie powinnam cię już spotkać, bo bez przerwy marzę jedynie o twoich dłoniach na moich piersiach. Nikt nie dał mi takiej rozkoszy i nigdy więcej nie poczułam już tego, co czułam przy tobie. Przerażające, bo mam dopiero trzydzieści trzy lata i kiedy pomyślę, że już nigdy nie będzie tak dobrze...
Niewątpliwie nie powinnam cię już spotkać, bo twoje oczy i to, jak marszczysz brwi.
Niewątpliwie nie powinnam, bo twój głos.
Uszczęśliwiłeś na pewno wiele kobiet, na wiele sposobów. Przecież sama twoja obecność. A ja czuję się nawet w pewien sposób wybrana, bo wydaje się, że byłeś przez moment bardzo prawdziwie. Dziękuję.
I przepraszam za moje wszystkie za bardzo, za mocno i inne egzaltacje.
Sobie a księżycowi.
Tak mną zawładnąłeś! Piękny wspaniały mężczyzno, cudowny kochanku. Każdego dnia. Myślę o tobie każdego dnia.
Teraz już tylko niebo przekrzywione, powietrze takie ostre i ten brak pełni wściekle nade mną.

ekstaza

2

Czy wolno mi oczekiwać?

Czy od codzienności wolno oczekiwać uniesienia i fruwania kilka centymetrów nad ziemią?, czy codzienność to codzienność, a nie egzaltacja i ekstaza, a życie to nie bajka i takie tam. Czy mam przejść do porządku dziennego nad tym, że nie mogę odetchnąć głębiej, nad uczuciem niespełnienia i niedosytu. Choć w zasadzie mam wszystko i powinnam się tym zadowolić. Powinnam powiedzieć sobie, że tak ma być i nic się nie zmieni, bo tak właśnie wygląda życie. Powinnam, wszakże powinnam! Tymczasem chciałabym móc wciąż szukać niedoścignionego i gonić za nim.

Jak długo można poszukiwać? Kiedy należy, kiedy TRZEBA przestać biec i gonić za tym, co się jedynie wydaje, za ułudą? Tylko czy to na pewno ułuda? A jeśli to jest właśnie prawdziwe? Jeśli to, za czym chcę biec, jest prawdą, a rzeczywistość skazuje mnie na obcowanie z chimerami zamiast z prawdą, czy też raczej sprawia, iż to, co biorę za prawdę, jest tylko przebraną za nią chimerą?

A jeśli TO jest możliwe i znajduje się tuż za rogiem, tuż obok, niemalże na wyciągnięcie ręki? A co, jeśli już się tego dotknęło? A co, jeśli tego dotknęłam?!

Czy szuka się przez całe życie, a ci, którzy nie szukają, nie robią tego, bo znaleźli czy wydaje im się, że znaleźli, a może wmawiają sobie, że znaleźli? Kiedy mam przestać? Może jednak powinnam pogodzić się z tą duszącą mnie rzeczywistością?

Ale jak mam się pogodzić, jeśli przez chwilę mogłam zobaczyć, że istnieje coś więcej, coś ponad, że można. Przez chwilę tylko, ale widziałam, poczułam, posmakowałam. Zerwałam ten kwiat we śnie i przecież trzymałam go w dłoni po obudzeniu, cholera, trzymałam!

I co teraz? Każdy dzień to ból i płacz, bo utraciłam coś, czego nigdy nie miałam, ale zobaczyłam, że istnieje?

– A nie wydaje ci się, że ty zbyt dużo chcesz? Bardzo ładnie i literacko potrafisz to wszystko ubrać w słowa, ale to jakieś dziwne dla mnie i niezrozumiałe. Chcesz tęczy i spadających gwiazd, o co chodzi?

Pragmatyczna jak zawsze przyjaciółka pierwsza, czy też raczej druga, a właściwie żadna, ale jednak; dziewczyna, z którą rozmawiam. Chociaż nie powinnam.

Nie powinnam rozmawiać z nią o niczym, a najmniej o własnych rozterkach, ale rozmawiam, no oczywiście, jak zawsze robię rzeczy, których nie powinnam.

– Gonisz za jakąś iluzją i wyobrażeniem czegoś. Sama w dodatku chyba nie wiesz czego, tak to odbieram. Powinnaś zejść na ziemię i zająć się tym, co masz tutaj. A masz przecież wszystko.

– Ale co wszystko? Co to jest wszystko?

– Wszystko. Przecież wiesz, o co mi chodzi. A spadające gwiazdy też kiedyś widziałam. Nad jeziorem we wrześniu. Ale nie dorabiam do tego żadnej ideologii.

– Wiesz co, wydaje mi się, że mówimy o kompletnie różnych rzeczach.

Czy naprawdę jesteś ślepa i niewrażliwa, tak jak właściwie zawsze uważałam, że jesteś? Ale myślałam też głupio, że przeciwieństwa się przyciągają, więc i mnie przyciągnęło do ciebie, moja przyjaciółko pierwsza, która powinnaś być drugą, a najpewniej żadną. I już na zawsze jestem na ciebie skazana, bo znasz zbyt wiele z moich sekretów; jakie to smutne i tragiczne zarazem; uwikłanie.

Po co z tobą rozmawiam, po co zaprosiłam cię na wino i zaczęłam zwierzenia, co ja sobie myślałam, że nadal jesteśmy nastolatkami, poszczebioczemy wspólnie pod kołdrą i może nawet posikamy się ze śmiechu?

Jak zwykle mówię za dużo, po ojcu najpewniej to mam, podobnie jak egzaltację i wieczne nienasycenie.

Co ty możesz wiedzieć, ułożona, poprawna i zawsze od linijeczki? Do mojego męża może nawet pasujesz bardziej niż ja, on też mnie nie rozumie i gwiazdy widzi jedynie na fasadach hoteli. Czy raczej gwiazdki. Może trzeba było mi go wcale nie przedstawiać. Nie pasuję ani do ciebie, ani do niego, ani najpewniej do nikogo, i po co to wszystko, cały ten cyrk.

A ja przecież nie tylko widziałam te spadające gwiazdy i tęczę, ale i chodziłam po niej. Tyle że tego już ci nie powiem.

– Wiesz co, nie obraź się, ale wydaje mi się, że ty tak trochę żyjesz w innym świecie niż cała reszta ludzi. A już na pewno wszyscy, absolutnie wszyscy moi rówieśnicy.

– Twoi? Czyżbym nagle zrobiła się starsza, a może młodsza? Przypominam nieśmiało, że rok urodzenia mamy ten sam.

„I może to jedyna rzecz, jaka nas łączy"... nie powiedziałam tego na głos. Czy powiedziałam?

– Nie łap mnie za słówka. No sorry, ale to jest standard, nie wiem, przynajmniej w moim środowisku. Ludzie zapieprzają, i te durne rozterki, gwiazdy, wybory, nikt nie ma na to czasu! Wszystko podporządkowują pracy, karierze, stażowi.

– Tak jak ty, matko Polko, która tyrasz w szpitalu.

– Tak jak ja, która tyram.

– Durne rozterki...

Ironia, trudne słowo.

Dziewczyna, z którą rozmawiam, patrzy na mnie cielęcymi oczami znad kieliszka czerwonego wina, które niepotrzebnie nalałam, skoro wina nie lubi, a to naprawdę dobry rocznik. Patrzy na mnie i wiem, że nie czujemy powiewu wiatru z tej samej pustyni, czy też ona w ogóle żadnego powiewu nie czuje. I pewnie nigdy nie poczuje.

Nie można żyć jedynie marzeniami, doskonale zdaję sobie z tego sprawę, ale czy nie wolno mi oczekiwać i szukać? Nawet jeśli... nawet jeśli.

– A co ma piernik do wiatraka? Ja ci mówię o moich rozterkach i wahaniach, o moich niepewnościach, a ty mi wyjeżdżasz, że żyję w innym świecie, nie podporządkowuję życia pracy i zajmuję się durnymi sprawami. Tak, naturalnie, żyję w innym świecie i nie mam pojęcia, czym jest prawdziwe życie młodego człowieka w dzisiejszych czasach, wybacz.

– Ale nie wściekaj się, o to właśnie chodzi, prawie wszyscy chcieliby mieć tak jak ty. Że właśnie nie musisz podporządkowywać i dlatego masz czas na te wszystkie... inne sprawy... nie musisz codziennie wstawać do roboty, nie masz żadnych testów ani egzaminów, nie masz dzieci, czas poświęcasz na swoje pasje, na wyjazdy, na robienie tego, na co masz ochotę. Masz wolny zawód, robisz wszystko wtedy, kiedy chcesz, a nie kiedy musisz. Masz czas na kawki w ciągu dnia, na gotowanie, na przyjemności...

– Że nie podporządkowuję życia pracy i wszyscy by tak chcieli... Wylewasz na mnie teraz jakieś swoje żale? Proszę cię, nie próbuj robić nagle korekty mojego życia, bo akurat twoje nie ułożyło się tak, jak tego chciałaś. Bo ty podporządkowujesz? O co chodzi? O to, że mam pieniądze, że mój mąż jest przystojniejszy, że nie muszę prać pieluch czy że lepiej gotuję?

– Chodzi o to, że myślisz o niebieskich migdałach, a gdybyś zapierdalała tak jak wszyscy, to nie miałabyś na to czasu. Ani zapewne chęci. Żyjesz sobie w szklanej wieży i patrzysz na świat z wysokości. A zamiast skupiać się na problemach codzienności, nie wiem, jak to nazwać... doczesnych, to wynajdujesz sobie jakieś problemy... wyższe, że tak powiem. Wydaje ci się chyba, że życie to jakiś worek prezentów, z którego możesz sobie wyciągać coraz to nowe. Nie rozumiem, czego ci brakuje, czego jeszcze chcesz?

Aż się zachłysnęła, biedaczka.

– Tak, jestem popieprzona, patrzę na świat z góry i nie umiem inaczej, twoje zdrowie.

– Uwierz mi, mało jest ludzi, a szczególnie młodych, którzy mogą tak żyć.

– I mam za to ludzkość przepraszać? Mówisz do mnie jak do kretynki. Zupełnie jakbym nie miała kontaktu z rzeczywistością i żyła w oderwaniu od tego, co mnie otacza, no proszę cię. Czy mam przepraszać za to, że moje życie tak się ułożyło? Czy to jest moja wina? A skoro już tak właśnie żyję, to czy nie mam prawa mieć wątpliwości, niepokojów, nie mam prawa być rozdarta? Poza tym nie rozumiem, czemu znów zeszłyśmy na temat kasy, skoro mowa była o czymś zupełnie innym. Czy to jest najważniejsze? Wygląda na to, że wszystko kręci się wokół pieniędzy. Nie dla mnie! Naprawdę nie rozumiesz?

– Nie przemawia przeze mnie zazdrość. Ostatnia rzecz, jakiej bym chciała dla ciebie, to żebyś zostawiła takie życie. Jasne, że pieniądze to nie wszystko, ale to właśnie kasa dała ci możliwość życia trochę w tym innym świecie. I nie sądzę, że mogłabyś z tego zrezygnować. Ja zapieprzam i walczę o staż, właściwie wszyscy moi znajomi dookoła tak zapieprzają, a ty, sorry, ale kiedy ostatni raz pracowałaś na etacie? Fajnie, oczywiście, jesteś wolnym strzelcem, robisz zlecenia raz dla tych, raz dla innych, jestem z ciebie dumna, naprawdę, ale zrozum, możesz sobie na to pozwolić, a większość ludzi… ale to nie jest wyrzut. Po prostu ludzie nie mają czasu na twoje rozterki! Nie mają czasu na pierdoły w stylu spadających gwiazd, bo codziennie się szarpią. I z szefem w pracy, i z brakiem urlopu, z siedzeniem po godzinach, i z niewystarczającą pensją, słyszę to na co dzień, a ty? Szczęściara.

– Pierdoły…

– Okay, może jestem dziś rozgoryczona, nie wiem, może jestem zmęczona, miałam trzy dyżury z rzędu, a teraz jeszcze mały jest chory. Może źle to wszystko odebrałam, ale poczułam, jakbyśmy były z dwóch naprawdę zupełnie różnych światów, a ty z tego mniej realnego. Właściwie nie wiem kompletnie, o co ci chodzi.

Zaczęła płakać, choć do tej pory udało jej się nie płakać. Wielkie łzy matki Polki, dzielnej lekarki i dzielnej żony. Mojej przyjaciółki pierwszej. A ja. A ja co?

– No widzisz, kilkanaście lat przyjaźni, a nic, okazuje się, o sobie nie wiemy. Ale co tam. To znaczy, to źle, oczywiście. Oddaliłyśmy się od siebie, bo mężowie, bo rodziny, bo dziecko, praca, moje wyjazdy, twój szpital…

Dzielna matka-lekarka nadal płacze prosto do kieliszka z dobrym rocznikiem.

– I masz rację, na etacie pracowałam ostatnio ponad dwa lata temu i już nie pamiętam, jak to jest. To znaczy pamiętam, że to jakaś droga przez mękę była. Rzeczywiście nie mam pojęcia, jak wygląda twoje życie i życie ZWYKŁYCH ludzi. Ja jestem, mój boże, wychodzi na to, że niezwykła. Ale ty z kolei nie wiesz, czy to jest cudownie, czy nie cudownie, nie mieć nic swojego poza marzeniami i brać kasę od męża z poczuciem, że nic od ciebie nie zależy, bo wszystko zależy od niego. I że całe twoje życie podporządkowane jest mężczyźnie, którego w dodatku nie wiesz, czy kochasz. To znaczy kocham, nie patrz tak na mnie, no kocham, kocham. Ale te wyjazdy, teraz praca w innym mieście, oderwanie od tego, co mam tutaj… to zmieniło moje spojrzenie na wiele spraw, właściwie przewartościowało mi świat, przewróciło go do góry nogami. O tym chciałam ci opowiedzieć, o tym próbuję ci od godziny opowiedzieć. O tym, że już sama nie wiem, czy jestem szczęśliwa, czy też że coraz częściej wiem, że jestem zwyczajnie luksusowo nieszczęśliwa. Ale tego też nikt nie zrozumie, nieważne. Kiedyś może ci opowiem, jak to jest w tym „innym świecie" i czy bardzo oślepiająco brylantowo. Teraz wypiłyśmy za dużo. Może rzeczywiście niewiele pojmuję. Chociaż wydaje mi się, że bardzo wiele, być może nawet więcej, niż myślisz.

Ona płacze nadal, ale pomiędzy jednym szlochem a drugim udaje jej się powiedzieć, że to wszystko nie zmienia faktu, że jestem jej najlepszą przyjaciółką. Chociaż wcale przecież nie jestem i ona wie o tym najpewniej tak samo dobrze jak ja. Całe to udawanie powoli zaczyna nie mieć sensu, ale trwa, no więc bawmy się dalej, chcesz pograć w klasy czy poskakać na skakance?

– To wszystko nie zmienia faktu, że jesteś moją najlepszą przyjaciółką ze szklanej wieży i chociaż z tej wieży patrzysz na świat, jest na pewno tysiąc rzeczy, które grają ci w sercu. Poza tym ja wiem, że jesteś dobrym człowiekiem, a nie skupionym wyłącznie na sobie egoistą. Tylko chcesz... no czego ty chcesz...

– No właśnie. Czego ja chcę...

Chcę więcej i chodzić po tęczy. I tak, owszem, uważam, że życie to worek prezentów. A teraz siedzę tu z dzielną matką-polką-lekarką, patrzę na jej łzy w moim winie i myślę, że na nic to wszystko, na nic moje tłumaczenie, ja pójdę górą, a ty doliną. Co może wiedzieć o rozterkach ze szklanej wieży moja numer jeden przyjaciółka? Co ona o gwiazdach może, skoro ona, że to pierdoły.

Pierdoły na urodziny, bo to już jutro. Idź więc, przyjaciółko pierwsza, na kolejny dyżur, walcz dzielnie, jak każdego dnia. A potem zdejmij kitel i wracaj do smoczków, pieluch i mieszkania, w którym nic z nieba nie spada, a już na pewno nie gwiazdy.

Idź do swojej codzienności, bo przecież jesteś w niej szczęśliwa. I bardzo dobrze, to zupełnie tak, jak ja nie jestem w swojej. Czy też raczej nie wiem, czy jestem. Dlatego chcę szukać. Tego właśnie chcę.

Tylko jak mogę w codzienności szukać unoszenia się niczym derwisz, kiedy to wszystko trwało chwilę, ale nie tu wcale, tylko gdzie indziej, z kimś innym, w innej rzeczywistości.

Jak mam teraz wytłumaczyć sobie, że nie ma nic więcej ponad to, co jest, kiedy dobrze wiem, że jest. Położyć się i płakać? Mam udawać? Zmuszać się? Czekać bezczynnie, aż serce zupełnie pęknie?

A co, jeśli prawdziwe życie mija mnie niczym pociąg InterCity i do tego Express?

I jedynie wiatr w moich włosach.

3

Trzydzieste trzecie urodziny. Wszystkiego najlepszego, mała dziewczynko, która wyrosłaś na całkiem dużą dziewczynkę. Czas kolejnych podsumowań, bo to przecież taka świetna liczba, trzydzieści trzy, to prawie niczym czterdzieści i cztery.

Tylko czy warto robić podsumowania? Czy nie jest przypadkiem tak, że zwykle w podsumowaniach niezależnie od wieku i dokonań wypada się przed samym sobą fatalnie, jakby się przepieprzyło życie, niczego nie osiągnęło i do niczego nie doszło. Siada się przy oknie z kieliszkiem albo bez i myśli: życie przeleciało mi w pogoni za niewiadomoczym, a teraz już trochę na wszystko za późno.

Ale może w wieku trzydziestu trzech lat wcale jeszcze nie jest aż tak bardzo późno? Pytania bez odpowiedzi, wciąż jedynie: czy, dlaczego, kiedy, a może. Bez wątpienia wszystkie największe tragedie tego świata biorą początek od czydlaczegokiedyamoże. Pytania bez odpowiedzi i czemu pan też nic nie mówi, wszyscy milczycie, świat milczy, a we mnie wszystko krzyczy tak głośno, że skali brak.

Za wcześnie, za późno, a przecież w żadnym wieku nie powinno być ani za wcześnie, ani za późno. Urodziny, ten jakże fantastyczny czas na podsumowania i kolejne postanowienia. Podobnie jak każdy inny czas, tyle że urodziny to tak symbolicznie i spektakularnie. I świeczki zdmuchnąć można, a wraz ze świeczkami wszystko inne. Może upiekę nawet tort, to też sobie zdmuchnę. Wszystkiego najlepszego, mistrzyni pierwszych razów i zaczynania od nowa i od jutra.

Oto ja, mam trzydzieści trzy lata i bardzo długie rzęsy oraz uroczy dar odkładania wszystkiego na jutro.

Może widział pan te plakaty z genialnym cytatem z Mrożka: *Jutro to dziś, tyle że jutro?*, całe miasto obklejone. A ja wciąż myślę, że jutro to jakieś inne będzie i wystarczy rzecz przesunąć i da się to zrobić, napisać, wytworzyć, zacząć.

Niektórzy mają taką przewagę, że są krótko przez życie za twarz trzymani i lenią się, lenią, a potem przychodzi termin i MUSZĄ, choćby mieli umrzeć, więc robią, *vide* przyjaciółka pierwsza, dziewczyna, z którą rozmawiałam, dzielna matka-polka-lekarka. Mnie niestety życie za twarz nie trzyma, zasadniczo moja sytuacja jest więc gorsza niż w jakimś Pipidówku, bo wówczas musiałabym pełznąć do światła. Ale nie muszę, jakże piękne i niepowtarzalne są te okoliczności przyrody. Mam po prostu bogatego męża, który mnie zamknął w szklanej wieży na dwunastym piętrze, i to załatwia wszystko, mówi przyjaciółka; sztuka dla sztuki. Tylko że za chwilę będę jak ta psinka na smyczy, za to z diamencikami, albo ptaszek w klatce. Ale na pewno złotej. A że nie jestem ani ptaszkiem, ani psinką, wykończy mnie alkohol lub prochy, wszystko zresztą jedno.

(kokaina)
$C_{17}H_{21}NO_4$
może bym i wzięła
obiecuje kopa i totalny odlot
życie nie obiecywało nic
a popatrz

Ale dlaczego właściwie się panu tłumaczę. Czy może sobie tłumaczę, patrząc w lustro w dniu trzydziestych trzecich urodzin, wiek chrystusowy, jaki piękny. Jutro już nie będzie tak uroczyście. Można tylko raz założyć koronę cierniową po raz pierwszy.

Tak więc jutro od nowa, dobrze, zgadza się pan? Zmartwychwstanie i wszystko takie symboliczne. Od jutra wszystko zmienię. Przestanę palić papierosy, zacznę prowadzić zdrowy i sportowy tryb życia, od jutra będę wręcz gigantem sportu, nawet zapiszę się na tenisa! Jutro zetnę włosy, zawsze o tym marzyłam, a pan lubi długie czy krótkie? Od jutra przestanę się objadać, dziś jeszcze tylko trzy babeczki migdałowe, moje ulubione, kubełek lodów i ser pleśniowy; tak do wina pasuje. Od jutra bowiem przestanę pić alkohol. Dziś jeszcze wykończę buteleczkę, ale taką malutką bardzo, naprawdę, proszę zobaczyć. Od jutra zacznę też pisać. To najważniejsze postanowienie poza tym, że natychmiast od jutra przestanę być panem zauroczona. Ale to natychmiast później, to zaraz potem. Najpierw zacznę pisać, ale tak „na poważnie" i wreszcie o tym, o czym chcę. Koniec z pisaniem dla agencji na zlecenia, które albo są, albo ich nie ma, ileż można myśleć za kogoś? Od jutra zacznę myśleć za siebie i napiszę mnóstwo świetnych tekstów, co najmniej kilkanaście, a potem wyślę do magazynów, w których zawsze chciałam publikować. Zacznę też kończyć powieść. Nie, no w ogóle jutro ją skończę po prostu. Napiszę teksty, skończę powieść i machnę też parę wierszy, niechby uzbierał się tomik, co mi szkodzi. Życie całkiem nowe od jutra zacznę. Całkowicie. Jutro to wszystko pięknie zrobię.

Powinnam dostać za to order, za to odkładanie i wieczne zaczynanie, krzyż zasługi albo kokardkę chociaż.

Że niby od nowa... czy w wieku trzydziestu trzech lat wypada? Nic już nie wypada, krzyżować się tylko.

czy w wieku trzydziestu
trzech lat wypada powiedzieć, że
życie oszukało?
że pustka pustki jest
tak pusta, że nawet pustki
już nie ma?
czy wypada przyznać, że
to wszystko powierzchowne, płytkie takie
udawane jakby i plastikowe jest
a nie wcale ze złota jak
mówili. a kto mówił, do cholery. mama mówiła?
mówiła, ale się okazało, że szumiało
wytrawne martini
a nie te brzozy za oknem.
i co?
i co z tego i teraz czyja to wina, że.

czy w wieku trzydziestu
trzech lat wypada się
powiesić czy to
za bardzo już w ogóle
chrystusowe takie
i przez to
przekomiczne i plastikowe też
może trzeba się zapić jednak, więc dolej
mi tego wina kochanie, bo przecież bez niego
ten cały plastik nawet pusty jest
i też bez sensu

Czy to więc uczciwe – zaczynać od nowa? Kiedy się jeszcze nawet nie skończyło tego, co się przed chwilą zaczęło, kiedy się jeszcze właściwie przecież nie zdążyło zacząć.

Zjeżdżam windą ze śmieciami i płaczę. Czemu płaczę, do cholery? Bo mi go żal, że leży na kanapie i trzyma się za serce? Rany boskie, ma trzydzieści siedem lat, czemu trzyma się za serce, to jeszcze za wcześnie, żeby się trzymał. Bo przyjęcie urodzinowe się skończyło? Bo mi żal siebie? Bo mi żal lat z nim wspólnych ośmiu? A to dużo czy mało, nie doszliśmy nawet do okrągłej liczby, a ja... bo mi małżeństwa żal? Bo go kocham, bo go nie kocham, kocham, nie kocham, gałązka akacji.

I co teraz. Porzucić ten szczęśliwy i uczciwy świat, który tworzę tutaj z nim, po to aby dalej szukać? Bo się Tołstoja naczytałam, który w liście do córki każe wiecznie porzucać i wiecznie zaczynać: *Śmiech mnie ogarnia, gdy sobie przypomnę, że myślałem (...) że można sobie urządzić szczęśliwy i uczciwy światek, w którym spokojnie, bez błędów, bez skruchy żyje się pomalutku, robiąc bez pośpiechu, dokładnie tylko to, co jest dobre. Śmieszne to! N i e m o ż n a (...). Aby żyć uczciwie, trzeba się szarpać, błądzić, walczyć, mylić się, zaczynać, porzucać, znów zaczynać i znów porzucać, i wiecznie walczyć i tracić...*[1] czyli jednak wypada od nowa czy nie wypada? I kogo ja się teraz pytam: boga jakiegoś czy losu, kogo, czego, który to przypadek. Męża się pytam? Nie wiem już sama, czy powinnam jego, czy ciebie, a może żadnego z was.

A ty to który ty; TEN ty czy tamten on.

Bez sensu wszystko. Świat bez sensu, ja bez sensu, życie bez sensu. Jedynie wino ma sens, a ja po winie winna, ale jakby nie, bo przecież urodziny. I nawet kolejny wiersz można bezkarnie. Jak Osiecka, czerwonowinna poetka. Na zakręcie, proszę pana. I ja na zakręcie.

Chociaż wina zawsze jest po stronie wina, a hiszpańskie, rocznik '97 właśnie rozlało się pięknie i urodzinowo po ściance kieliszka. Moje pragnienia, tęsknoty i chcenie moje, wszystko winą podszyte, winem podlane. Czy może na los mam winę zrzucać, że to on wodził na pokuszenie? I zwiódł, bo kto kołacze do bram piekła, temu się one otworzą.

I to pan zwiódł mnie, uwiódł, powiódł... ale powiódł do ołtarza – ten inny...

Do pana teraz, tak, proszę pana, tak to właśnie wygląda, chyba nieprzyzwoicie. I to niecałe dwa lata po zawarciu małżeństwa, a wszystkie lata z nim przecież szczęśliwe. Tyle czasu i co dalej, dokąd, kretyńskie *quo vadis*.

Wspaniale, mogę więc siedzieć teraz w celi klasztornej, więziennej, jakiejkolwiek; w celi mojego domu, mojego pokoju, pokoju hotelowego, wszystko jedno, co to za cela, ważna jest cela moich uczuć, czy raczej cela, w której powinno się je zamknąć. Uczucia zamknąć, myśli zamknąć, mnie zamknąć, uśpić może najlepiej, chociaż nie, bo we śnie też przecież.

Rozdarta i niewierna.

Już niewierna, zanim coś, zanim cokolwiek, przecież nic jeszcze. A pan mnie pyta tym swoim zmysłowym głosem, czy jestem gotowa ponieść karę. Nie wiem, a za co? Czy ktoś oprócz świętych jest gotowy dobrowolnie ponosić karę? Już ich wystarczy na tym świecie, czy gdzie oni tam są, ci święci. Tam z mężem moim na pewno, chociaż on jest tu, ale święty jakiś taki niemalże, złotowłosy. Obok mnie raczej ich nie ma. Gdyby byli, może spłynęłoby na mnie trochę świętości i nie byłabym taka. A tak to…

Że chaotycznie? A jak ma być? Przecież ja jestem zbudowana z chaosu, z chaotycznej energii pełnej pasji i oczekiwań; romantyzm w stanie czystym. Mówi pan, że chaos jest niebezpieczny i nieprzewidywalny, nieujmowalny w ramy rozumu. Ale fascynujący, prawda?

Ja lubię chaos. Przecież rozkosz też leży gdzieś pomiędzy nudą a chaosem, powiedział on, czy może pan to powiedział, mówi pan tyle pięknych i mądrych rzeczy. Moje życie jest chaotyczne i zawsze takie było. A odkąd się w nim pan pojawił, zjawił, odkąd pan NASTAŁ, stało się chaosem w chaosie. Nadchaosem. Hiperchaosem.

Zimno mi. Bardzo mi zimno i wolałabym paść się teraz na łące słonecznej i ciepłej, trawą świeżą i soczystą, taką zieloną, najzieleńszą, sprężystą, twardą, której każde źdźbło ma twoje imię. Tymczasem siedzę tu i zagryzam wargi, już całe popękane.

Siedzę, czy też raczej się miotam. Nawet gdy siedzę, to się miotam, gdy leżę, to się miotam i na nic by się zdało, gdyby mnie przywiązali, a zresztą kto ma mnie przywiązać i do czego? I tak bym się miotała, muszę. Muszę się miotać, bo, właściwie nie, źle – nie muszę wcale, nikt mi nie każe, ja sama tak. Nadal bardzo mi zimno i piąta symfonia Mahlera.

Nikt również nie kazał trzepotać do pana rzęsami i rzucać tych wszystkich niebieskich spojrzeń spod półprzymkniętych powiek, co za teatr, rany boskie. A jednak stało się i teraz mi nawet trochę wstyd. Jest, będzie, było szczęśliwe małżeństwo, moje przyszłe niedoszłe szczęście i nagle pan.

W zasadzie to jednak pan winny.

Nie mam właściwie śmiałości
powiedzieć panu wprost
jak bardzo chcę zatracić się
w pana oczach.
Orzechowe są, prawda –
nie widzę z daleka.
Jak bardzo chcę poczuć pana dłoń
na moim policzku.
Pewnie ma pan gładkie dłonie.
Jak marzę o pana ustach
na moich.
Moje usta są miękkie i pełne.
A pana? Jakie są pana usta.
Taka rozmowa idiotyczna –
ja sobie do pana zdjęcia.
A pan nie ma o tym
pojęcia.

5

Wstaję rano. Nie mogę zasnąć od czwartej trzydzieści, a nawet gdy śpię, to właściwie nie śpię, bo wciąż o panu. Deszcz uderza o metalowy parapet i zastanawiam się, co za pomysł robić metalowe parapety, przecież nerwicy można dostać. Wstaję i biegnę do komputera. Wydaje mi się to trochę bez sensu, ale biegnę i potykam się o moje tęsknoty porozrzucane po pokoju. Biegnę do komputera i już z daleka go zaklinam. Czy bardziej może siebie zaklinam, żeby się nie rozczarować. Przypadkiem. Ale w razie czego? Z podniecenia trzęsą mi się kolana. A gdyby nagle właśnie dziś nie było sieci? Pluton egzekucyjny dla dostawcy. Ale sieć jest, a tęsknoty już kotłują się po podłodze jak dzikie. Może pójdę najpierw umyć zęby i się przygotuję. Na każdą ewentualność.

odpisał nie odpisał
kolorowy ekran komputera
odśwież odśwież
a może twoja broda
łaskocze
podczas pocałunków
zaklinam niebieski przycisk
odbierz
nie ma nowych
a może zdejmujesz okulary
kiedy dotykam twojej twarzy
odpisał nie odpisał
tak czekam

wpatrzona w ekran
odśwież odśwież
a może przymykasz oczy
kiedy kładę swój oddech
na twoich wargach
odśwież
pusto
odśwież odśwież
musisz napisać
żebym mogła sprawdzić
czy ten romans się zacznie

Moja wina, pana wina, nasza bardzo wielka. Nie mogę spać, nie mogę zasnąć, nie mogę się obudzić, wciąż pada deszcz, drżą mi palce. To pewnie od serca idzie tak. Serce łomocze tak mocno, że gdybym miała sąsiada, to na pewno by usłyszał. Ale nie mam, to całkiem nowy blok. I otwieram list.

I jesteś tam tak blisko i tak naocznie jesteś. A gdyby cię nie było? Moja wyobraźnia nie jest aż tak przewrotna, więc nie wymyśliłabym ciebie. Ale jesteś. Piszesz. Czytasz. Czytam.

Jesteś przy mnie myślą, niemową, przyczynkiem. Do czego? Zobaczymy. Zimno, bo wciąż nieubrana. Ale wiem, że ty i ja.

I nie musimy nic tłumaczyć, odgadujemy się nawzajem, bo spotkaliśmy się już w snach. I wiem, że dzisiaj znowu na niczym się nie skupię. A tu obiad. Kino. Matka zadzwoni na pewno. Jakoś trzeba będzie przeżyć te kilka godzin od twojego listu do twojego listu. Godzin odmierzanych tym drżeniem palców, które od serca idzie, to drżenie. A przecież nic o tobie nie wiem, nawet jaki masz kolor oczu, skąd to drżenie? Widziałam cię zaledwie dwa razy i odmierzam swój świat rymami do twojego imienia. Zrobię herbatę, opanuję palce, mąż przyjdzie, będzie chciał śniadanie, a ja wezmę nóż i w chlebie wytnę twoje inicjały.

Szeptanie, kuszenie, nęcenie, pragnienie, dręczenie, wołanie, pieszczenie, myślenie, zadurzenie, zniewolenie, zespolenie, jakie piękne rzeczowniki.

6

Niedziela dzień święty. Uświęcony kolejnymi o panu snami.

Choć znowu zasnąć nie mogłam, nie wiem – czy tak już będzie do końca i do jakiego końca, czy na końcu jest raj, czy co, i kiedy wreszcie będę spała normalnie.

I myślę, że zachowuję się niczym zadurzona nastolatka, a nastolatką dawno być przestałam. I myślę, że najpewniej nie ma sensu to, co jest między nami, a raczej we mnie, mimo iż jest takie piękne. I tak niewinnie się zaczęło, właściwie nic nie miało być dalej, a teraz chciałabym oddać panu całe swoje życie.

Dalej to miało być z moim mężem w naszym wspólnym spokojnym świecie, nic mniej, nic więcej. Pan niezaplanowany i teraz do obłędu.

Że to ja zaczęłam? Zwykle zaczynam, taka już ze mnie kusicielka, może trzeba było do klasztoru. Przepraszam, ale kocham kusić i kuszę skutecznie, nie wiem, czy już się pan boi, czy nie. Proszę się nie bać, nie ma czego, jestem w tym naprawdę dobra. Trochę we mnie dziewczynki, trochę kobiety, trochę nieśmiałości i trzepotu rzęs, które ładnie ocieniają mi policzki, a trochę uwodzicielskiego i grzesznego wampa i to ta mieszanka właśnie tak na was działa.

Nie wiem, czemu zatrzepotałam do pana, ale od pierwszej sekundy, kiedy pana zobaczyłam, wiedziałam, że będę trzepotać, i wiedziałam, że gdy zatrzepoczę, to będą kłopoty.

Deszcz przestał wreszcie padać, wyrżnięte za oknem moje miasto, ja tu, pan tam, może to i lepiej. Wezmę gorącą kąpiel, przejdzie może to drżenie, tęsknoty utopię. Kąpiel pomaga na stany melancholijne. Samotna, bo jeśli wspólna, to tylko pod prysznicem, a najlepiej pod wodospadem, skóra na opuszkach palców nie zdąży się wtedy pomarszczyć, a to bardzo brzydko wygląda; dla pana chciałabym być tylko piękna. Chociaż piękna wcale nie jestem. Och, proszę zaprzeczyć, no oczywiście, że proszę zaprzeczyć! Ale czy niepiękna grzesznica nie jest przypadkiem lepsza od pięknej cnotliwej? Na odwrót?

Nie jestem grzeczna, przepraszam, nie chcę być. Ani grzeczna, ani grzeszna, ani pana, ani jego, ani niczyja, ani swoja jedynie też nie chcę być już, jeszcze. Stoję teraz przed lustrem i patrzę na siebie pana oczyma, czy już Poświatowska to napisała?, przez pana wszystko miesza się w głowie, wszystko jest poezją, świat jest poezją.

jutro będę prozą
dziś cała jestem poezją
nie musisz mnie rozumieć
ale czytaj mnie czytaj
nieprzytomnie

Dotykam szyi i gładkiej skóry moich piersi. Mam ładne piersi, okrągłe i chciałabym, żeby to pan ich dotykał, czy to jest przestępstwo? Przecież nie robię nikomu krzywdy, prawda? Krzywda się dzieje, ponieważ pana tutaj nie ma.

A jeśli jutra nie będzie? A jeśli nie stanie się albo stanie się, beze mnie. A jeśli jutro obudzi się beze mnie?

Mają się takie piersi zmarnować?

7

Całymi dniami chodzę rozanielona i uśmiecham się jak głupia, bo chcę, bo muszę, bo pan. Wierzy pan w przeznaczenie? Czy to za bardzo egzaltacja? Ale moje drżenie jest już tak widoczne, że w sklepie przy stoisku z pomidorami pani spytała, czy ze mną wszystko w porządku. A co miałoby być nie w porządku, że się zadurzyłam niczym licealistka? Może przynajmniej parę wierszy powstanie, z książką też coś naprzód ruszy, bo można ruszyć naprzód, to nie jest pleonazm, prawda? Nie można skoczyć do góry, wiem, ale ruszyć naprzód? Według mnie można skoczyć do góry, bo przecież można też w bok albo w tył. Skoczyć w bok... à propos. Targa mną to i szamoce trochę, bardzo, niepotrzebne skreślić. Bo przecież on.

On jest.

I bardzo niby wszystko szczęśliwie i ładnie, nadaje się na sielankowy obrazek i w rzeźbione ramki. Bo to wcale nie jest tak, że jestem nieszczęśliwa w tym małżeństwie.

Że mąż mnie ignoruje, nie zauważa, jest dla mnie niedobry albo nieczuły. Jesteśmy razem od ośmiu lat, a małżeństwem niemal dwa i wszystko jest wspaniale. Jest w porządku i bywa nawet pięknie. On jest miły i kochany, daje mi poczucie bezpieczeństwa i ciepło. Może nie czyta mi na głos wierszy poetów metafizycznych, może sam ich również nie czyta, ale za to kawę mi robi codziennie rano, gdy go ładnie poproszę, a nawet gdy nie poproszę, to też robi. I nauczył się obsługi pralki, i wie, który dżem w rogalikach lubię najbardziej, chociaż wcale nie lubię rogalików. I kiedy mu obiecywałam i złote kółko mu wkładałam na palec serdeczny i teraz nawet. I teraz też dobrze mi z nim, bezpiecznie, domowo i w ogóle, a tu nagle piorun, błyskawica, grad, huragan; PAN.

I trzęsienie ziemi.

„Uśmiechasz się jak idiotka", mówi przyjaciółka druga, która powinna być pierwszą i jedyną. Siedzimy w mojej kuchni, jemy tatara, którego dla nas zrobiłam, bo ja, musi pan wiedzieć, jestem świetną kucharką, popijamy schłodzone wino, jest mi dobrze i jakoś tak miękko, bo jeszcze słyszę, jak wszeptuje pan piękne słowa do mojego ucha, chociaż przecież są jedynie listy. „Uśmiechasz się jak idiotka", zaczepia mnie ponownie moja druga przyjaciółka i wiem, że nie ucieknę. „A ty się przeprowadzasz wreszcie czy nie?", próbuję zmienić temat, ale nic z tego, uśmiecham się jak idiotka, nic nie mogę poradzić, to właśnie ten moment, to ten stan, uśmiecham się. Jest miękko... „Ale co, masz romans, tak?", pyta ona, zagryzając tatara świeżą bagietką, co wiem, przez jakie żet się pisze, wyłącznie dlatego, że powiedział pan, że lubi, kiedy je wymawiam, bo zabawnie przy tym seplenię, chociaż RZ i Ż wymawia się przecież tak samo. „No i, kochanie, bardzo dobrze, bardzo się cieszę, powinnaś mieć już dawno, tak myślałam, że powinnaś, naprawdę, nie gniewaj się, bardzo lubię twojego męża, ale, no tak czułam, tak czułam, opowiedz, jaki on jest, to ktoś z tego nowego wydawnictwa, prawda?" Oż ty wnikliwa przyjaciółko, uważaj, żebyś się nie zadławiła tym tatarem i tą świeżą przez żet bagietką, a na twarz znów wypływa mi miękki uśmiech pijanej idiotki. Życie to jednak worek prezentów. I tak minie ten wieczór znów cały o panu.

Za oknem ciemno, a z kątów zaczynają wychodzić małe pożądania. Oswajam je, a raczej próbuję oswoić. Chodzę dziś właściwie cały dzień dziwnie podniecona. Może to przez fakt, że we śnie, nad ranem, przeżyłam spełnienie z panem…

A pan mi pisze, że mruczał przez sen do mnie i śniłam się panu wilgotna, że moje ciało niczym liść mimozy, że zwijam się pod dotykiem, oddechem. I jak tu się w ogóle obudzić, jak? Kiedy prawda jest taka drżąca i mokra. Że śmiało i odważnie?, być może mama się zgorszy, bo ojciec to się na pewno ucieszy.

Na cały dzień musiałam zabronić tęsknotom wstępu do pokoju i teraz siedzą pod drzwiami i miauczą. Robi się to nie do wytrzymania. Chyba będę musiała je wpuścić. A tu wszystko w purpurowej poświacie. Z tęsknoty pisze się wiersze, nic nowego.

Nie, nie otwieraj oczu, kochany,
ja twoją dłoń poprowadzę bezpiecznie
po nagości.
Usta rozchylone, łaknące
całować można nie patrząc.

Smakować ciało można
nie patrząc i dłonie można
zanurzyć
i ciepło czuć
drżące
i oddech.

A ja cię poprowadzę;
palce, wargi, język
w piekło, w niebo,
w krągłość piersi i we wszystkie
orzechowe zakamarki.
Nie otwieraj oczu,

tak pięknie mi się śni!

8

Myśli tak mocno kołatają mi w głowie, że gdy zamykam oczy, czuję, jak uderzają od spodu w powieki. Piję piątą kawę, nie pomaga. Może to zmęczenie po wczorajszym przyjęciu, a może to zmęczenie tym zadręczeniem. Panem oczywiście, panem. Nie mogę pisać, nie mogę się skupić. Wykonuję mechanicznie różne czynności, udaję, że wszystko mnie cieszy, że życie mnie cieszy, że goście mnie cieszą. Nic mnie tymczasem nie cieszy, kurwa mać, myślę tylko o panu i jedynie to mnie cieszy. Czyli jednak coś.

Dzień minął jakiś taki bez treści, bez fabuły, bez akcji, robiłam to czy tamto, byłam tam i gdzie indziej też, chodziłam zamroczona, nawet ubrać się nie miałam ochoty. Śniadanie, czytanie, mycie, pranie, prasowanie, rodzice na herbacie, telefon do przyjaciółki, muzyka niby się sączy, ja sączę wino, chociaż nie powinnam stawać się alkoholiczką w tak relatywnie młodym wieku. Ale muszę upijać tęsknoty. Nawet przestały miauczeć, czy może to ja już ogłuszona. I niby wszystko mam, a jakby czegoś brakuje i tylko wyobraźnia. A Pałac Kultury zmienił o drugiej w nocy kolor z fioletowego na zielony, dlaczego o drugiej w nocy?

Czytałam dziś Sylvię Plath i płakałam, on pytał: „Czemu płaczesz, głupia?", a ja nie umiałam wytłumaczyć. Może to ta książka, może to drugi koncert fortepianowy A-dur Liszta, może to tęsknoty, chociaż one wyją sobie same obok mnie jakby. Świat mnie ostatnio tak wzrusza, nie wiem, co to będzie, jak wpadnę w twoje ramiona, pewnie histeria.

A gdybym spotkała cię wcześniej, wcześniej niż, wcześniej zanim. Okrutna myśl. Ale jaka przyjemna. Zadurzona kretynka, uspokoić się, do pionu postawić, trzepnąć dwa razy w policzek prawy. I w lewy też, dla porządku. Ogłuszyć, zagłuszyć. Zagłuszyć to myślenie o tobie bezustanne.

Najpewniej się łudzę, że ty coś, gdzieś, jakoś, że patrzyłeś, że ty też. Ale co „też"? Odgrywam spektakl, a ty zapewne takich na pęczki i świetna to zabawa, karuzela z konikami, a każdy konik ma w grzywę wplecione tęczowe kokardy. I wciąż nie mogę zdecydować, jak mówić, jak pisać o tobie.

O panu.

Ty czy pan? I z jednej strony nie mam śmiałości, a z drugiej strony...

Jest pan taki intrygujący, mądry, zabawny, seksowny, zmysłowy niczym czarny tulipan. I głos pana erotyczny; dziewczęta nerwowo miętoszą guziki i palce splatają, a piersi falują i warkocze.

Ja jedna z nich. A pan? Wśród milionów mężczyzn w tym kraju musiałam trafić akurat na pana! Nie znam pana przecież, więc skąd, czemu tak. Pana powierzchowność oglądam sobie na zdjęciach, próbując odczytać z nich, jaki pan może być na co dzień, na budzenie się obok i pierwszy leniwy dotyk ręki, na wspólną kawę i gazetę przy śniadaniu, czyta pan gazety przy śniadaniu? Znowu o jedną myśl za blisko czy za daleko.

Dlaczego czuję się tak, jakbym to pana zdradzała z nim? Jakbym to pana zdradzała ze swoim mężem. Przecież między nami nic. A wszystko.

A między mną a nim też wszystko. I nic?

– Wiesz, to jest nawet ciekawe. I kiedy mi to dałaś do przeczytania, tych parę kartek… trochę co prawda przeszkadza mi brak interpunkcji i że takimi ciągami pisane…

– Strumieniami świadomości, mamo.

– Słucham?

– Nie, nic, to ulubiony gatunek. Epistolograficzny.

– Czyj ulubiony gatunek?

– Niczyj, nieważne, no i co o tym myślisz?

– Mnie to się dobrze czyta. Poetyckie, ładne. Zresztą, to dla mnie bardzo interesujące. Sama tak kiedyś miałam.

– Jak miałaś?

– Wydawało mi się, że jestem zakochana w mężu, wiesz, byłam młodsza niż ty, ale to nie ma nic do rzeczy. Na swój sposób oczywiście go kochałam, żyłam przecież w tym małżeństwie i było w porządku. Wszystko wyglądało tak, jak mi się wydawało, że powinno wyglądać. I nagle grom z jasnego nieba!, pojawił się ten mężczyzna…

– Ojciec?

– Nie, to było jeszcze na studiach.

– Kto, powiedz kto?

– To bez znaczenia, mój profesor…

– Ooo! No wiesz co, mamo?! Spąsowiałaś. Nie mów jeszcze, że od chemii na przykład. Nie! Wiem! Od francuskiego!

– Tak więc ten mężczyzna, on… nic między nami nie było, do niczego nie doszło…

– To znaczy nie spałaś z nim?

– Nie, zołzo, nie spałam. Ale absolutnie uwiódł mnie swoim intelektem, mądrością, erudycją, zadurzyłam się niczym nastolatka.

– Byłaś wtedy w zasadzie nastolatką.

– No wiesz, ale byłam też żoną. Teoretycznie zakochaną w mężu.

– Teoretycznie. I co dalej?

– I nic, rozdarcie. Byłam rozdarta. Ale nie wtedy się rozwiodłam, jeśli chcesz o to zapytać. Dlatego z dużym zainteresowaniem to czytałam i jestem ciekawa, jak tę opowieść zakończysz. Pisz dalej, no właśnie, a co będzie dalej?

No właśnie, a co będzie dalej, proszę pana?

Tylko proszę przypadkiem nie przestawać do mnie pisać. Używa pan jedynie małych liter w swoich listach, co pan sobie myśli, że jest pan e.e. cummings? A pan odpowiada, że to aby sprawić wrażenie, że pisze do mnie szeptem.

Proszę szeptać zatem, zawracać mi głowę, uszy, szyję, usta, pst… proszę pisać, chociaż pewnie nie ma pan czasu na takie epistolograficzne romanse z zakochanymi dziewczętami. Napisałam ZAKOCHANYMI?

Nie, nie kocham pana, to przecież oczywiste, nie mogę pana kochać po prostu, bo. Gdyż. To powinno wystarczyć. Wystarczy?

Najpierw odwiedził pan moje sny.
Wczoraj szeptaliśmy do rana.
Pan pisał pięknie, chociaż krótko.
Dziś jestem trochę niewyspana.
– Nie, nie za szybko, poszepczmy trochę.
To bardzo ładne pana słowa.
A kawa jakby bardziej czarna
i noc bezsenna i zmysłowa.

Taki szeptany romans z panem
piękniejszy niż w rzeczywistości.
Proszę mi pisać piękne słowa,
niech pan nie skąpi mi czułości.

Będę się pieścić tym co piszesz.
Mogę cię nigdy nie zobaczyć,
lecz proszę hojnie do mnie szeptać
– to bardzo wiele dla mnie znaczy.

9

Między nami jest historia miłosna, która się dzieje i nie dzieje zarazem. Historia, która nigdy nie miała prawa się wydarzyć, która nie może się wydarzyć, która nie wydarzyła się przecież wcale, a jednak. Coś niesłychanie cichego i jednocześnie zagłuszającego wszystko. Jak to możliwe czuć z drugą osobą bliskość i intymność poprzez słowa, które niewypowiedziane, tylko wypatrzone raczej. W tym milczeniu i przestrzeni między nami więcej jest namiętności niż...

Czytam bezsennie Coleridge'a; uwielbiam go, ale nie myśl, że dzięki tobie, chociaż no tak, oczywiście, to ty przysłałeś mi książkę z wierszami angielskich poetów. Coleridge pyta mnie o ten kwiat dziwny i piękny, który zerwałabym we śnie, a po obudzeniu trzymałabym w dłoni. A to ty właśnie jesteś tym kwiatem i czemu zakwitłeś na mojej drodze, skąd się wziąłeś nagle w moim grzecznym życiu, gdzie wszystko tak już zupełnie ładnie poukładałam, zamknęłam głupie melancholie i pożądania w skrzynce, a klucz oddałam, podpisując akt ślubu piórem ze złotą stalówką, i nawet kleks się nie zrobił.

I nagle ty.

I nagle ty – kwiat. Czy raczej jesteś całe Drzewo Wiadomości Dobrego i Złego. I ja już wiem nie tylko, że zerwę to jabłko, ja już je zjadłam. Z ogryzkiem, z ogonkiem, z korzonkiem nawet!

machając bezradnie
najdłuższymi z najdłuższych rzęs,
bezsilna

(spojrzenie trwało o pół sekundy za długo)
obliczam odległość, jaką musi pokonać
mój spłoszony oddech,
zanim gładko i bezpiecznie
legnie na twoich wargach.
nerwowo splatam palce
i oblizuję spierzchnięte wargi
bezsilna,
a jeśli rozbije się po drodze
o rozwścieczone demony rozsądku?

ale nie,
dziś widać anioły też grzeszą.

Och tak, tak, oczywiście, doskonale wiem, co to jest tabu. Zakazany owoc, węże, jabłka, bla, bla, bla. I wiem też, kiedy człowiek jest winny. A ja winna jestem za same myśli moje, za same przedmyśli, za to, zanim jeszcze pomyślę, za to nawet, kiedy nie myślę, już jestem winna, bo ciągle o tobie.

I jesteś wszędzie, w moim śnie, półśnie, nieśnie, nie śpię, nie śnię, nie żyję.

Uderzam nerwowo w klawiaturę komputera i piszę do ciebie list, żeby natychmiast go skasować. Wciąż chcę powiedzieć ci coś ważnego, lecz nie wiem jak. I siadam znowu, chcę i nie umiem. Kieliszek za kieliszkiem, zamiast krwi krąży we mnie wino, nie wiem, co ze mną zrobiłeś, nie wiem, co się stało, nie rozumiem siebie ani dlaczego.

Spotkaliśmy się przecież tylko na chwilę, a we mnie wciąż ogień, pożar serca niewytłumaczalny. Doświadczam stanu, w którym szczęście i piękno łączą się z rozpaczą. I czegoś większego nawet jeszcze doświadczam, nie umiem tego nazwać, nie znajduję słów, skończyły mi się pomysły.

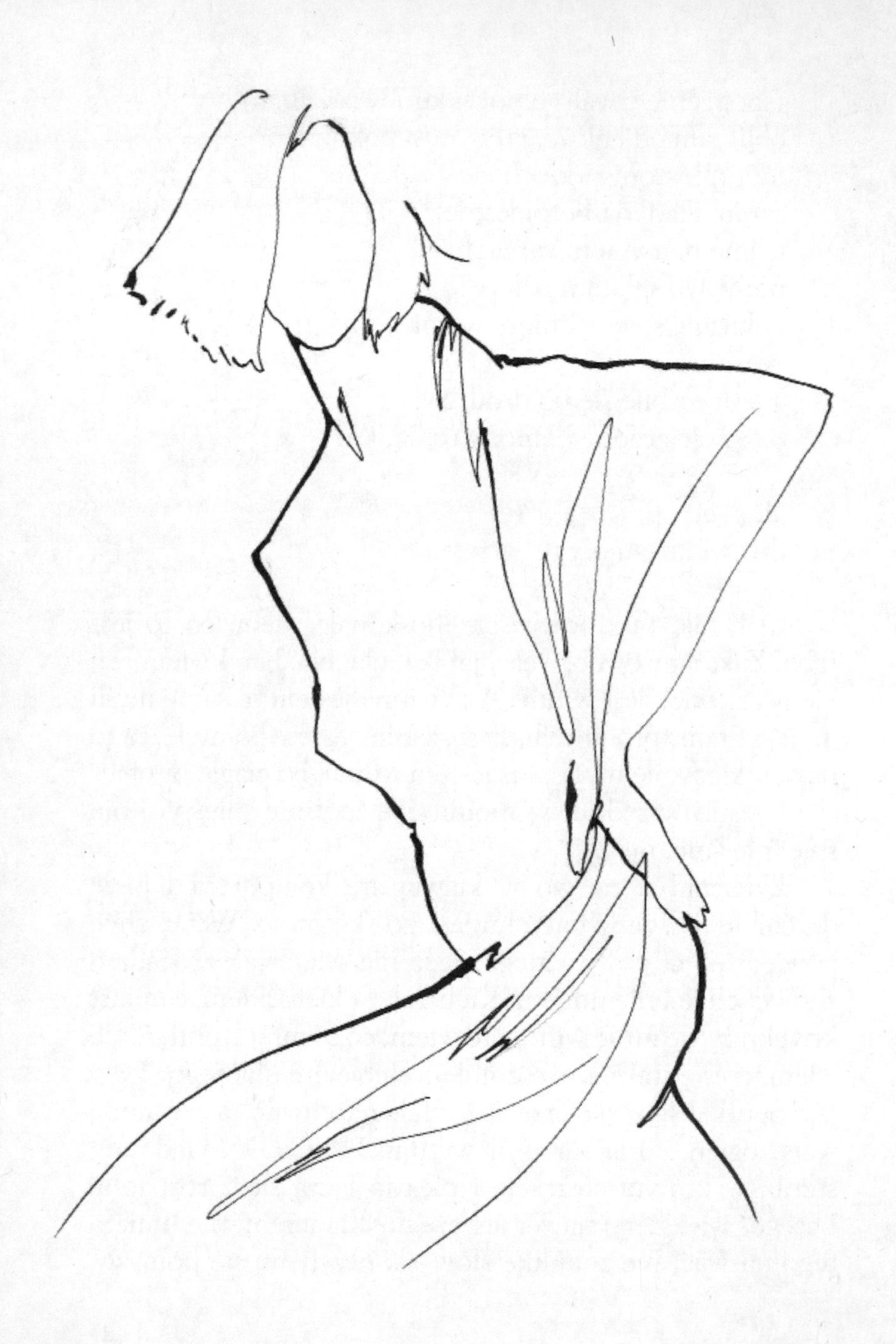

Płaczę, śmieję się, płonę, oddycham, czyli żyję, chociaż umarłam przecież pod twoim szeptem. Nie, to nieprawda, żyję bardziej i mocniej niż kiedykolwiek. I wiem, że nie powinnam ani pisać do ciebie, ani być, bo ty jesteś tam i masz swoje ja, a ja jestem tu. I mam swoje TY.

Nie mam prawa cię wołać.

Wołam cię bezprawnie.

– O niczym nie mogę myśleć, tylko o nim. Mój świat zwariował i dostał gorączki. Permanentnej. Nie wiem, co się ze mną dzieje, nigdy mi się coś takiego nie przytrafiło. Chcę go każdym fragmentem siebie, chociaż nie mogę przecież go chcieć, prawda? W zasadzie mogę, ale dlatego właśnie nie mogę...

– Moja kochana, nikt ci tego chcenia nie może zabronić. Sama powinnaś sobie zabronić, jeśli uważasz, że to złe. Może dlatego się miotasz. Osiołkowi w żłoby...

– Ale właśnie to jest największym problemem! Doskonale WIEM, że nie mogę go chcieć. Czy raczej nie powinnam. Och, to wszystko idzie za daleko, ja już widzę, że za daleko idzie.

– Z drugiej strony, osiołku, nikt poza tobą cię nie pcha w jego ramiona, prawda? Według mnie to bardzo dobrze, że się nagle pojawił, bo wydawało mi się, że tego potrzebowałaś. Flirtowania w szczególności. Jesteś beznadziejną kokietką, wszyscy to wiemy, jako twoja przyjaciółka wiem to pewnie najlepiej, i nawet się dziwiłam, że taka grzeczna byłaś ostatnio.

– I co, teraz wszystko wróciło do normy? To chcesz powiedzieć?

– Ale przecież nikt cię do tego nie nakłaniał, flirciaro, czy ja ci nakazałam rozrywać się romansem?

– Sama się rozrywaj, mądralo.
– Ale nie przejmuj się aż tak, flirtowanie nie jest jeszcze zdradą, a flirt to nie romans. Może się w niego przerodzić, wtedy robi się kłopocik. Ale chyba mi nie powiesz, że już masz jakieś wyrzuty sumienia?
– Wszystko zależy, jak daleko człowiek się posunie, prawda? A ja spotkałam kogoś, komu mimo wysiłków nie mogę się po prostu oprzeć.
– Wysiłków! Już ja widzę te twoje wysiłki!
– No wiesz! Dobrze, ale co robić? Nie mam przecież prawa go chcieć. Nie mam prawa, nie mam prawa, nie mam prawa. Może jeśli powtórzę to sto albo tysiąc razy, to zacznę w to wierzyć.
– Nie, kochanie, nie miej złudzeń. Właśnie kiedy coś powtarzasz dostatecznie długo, zaczyna to tracić znaczenie i staje się zabawnym hałasem. Wyłącznie.
– Minęłaś się chyba z powołaniem, powinnaś zostać psychologiem. Ja pierwsza oczywiście trafiłabym do ciebie na kozetkę. Póki co, może powinnam zacząć powtarzać: pragnę go, pragnę go, pragnę go, pragnę.
– Aby straciło znaczenie?
– Aby straciło znaczenie.

Na marne.

Zostaje mi chyba tylko do reszty oszaleć, zwariować, a potem już mogę umierać. To wszystko miesza mi w głowie. Ty mieszasz mi w głowie, wystarczy, że istniejesz. Zamieszałeś. Zamieszała. Ona; ta miłość.

Miłość? Czy to czuję do ciebie, do pana?

nic nie myślałam
bo tak szłam bez pamięci

i droga pusta i tylko myślałam czy on tam jest
a ty tam byłeś
świat się nie skończył i niby nic a jednak
moja skóra twoje
palce moje usta
twoja skóra moje
palce
każdy twój dotyk i niedotyk
każdy twój oddech jęk
i te oczy w których wszystko
i nic nie może być
a niby wszystko normalnie i niby
jestem sobą ale
nie jestem
i ja to ja ale już inna
i moje oczy usta i palce już
nie te same

a powietrze aż gęste od tego
co między nami niewypowiedziane

10

Powiedziałeś do mnie „kochanie". Taki banał, ale powiedziałeś, prawda?

Teraz nie piszesz, nie dzwonisz, cisza. A było „kochanie", przecież nie wymyśliłam sobie, chociaż może i tak, ciebie też. Nie ma cię, nie ma mnie, niemanie, noc zmieszana z dniem.

Jakby déjà vu, tylko że poprzednio byłam trochę młodsza, bardziej rozwydrzona, mniej poukładana i miałam krótkie blond włosy, a ty przecież nie lubisz blondynek, mówiłeś. Męczyłam się, usychając z tęsknoty, całymi godzinami zastanawiając się, co robisz, z kim, gdzie jesteś, i czemu nie tu.

Tak, tak, masz rację, to przecież nie ty byłeś wówczas. Nie ty, ale jakiś inny ty. Teraz wydaje mi się, że to zawsze byłeś ty. Przecież podobno wszystko widzieliśmy w świecie poprzednim i zawsze poznawanie jest rozpoznawaniem, więc jednak. I teraz tylko przypominam sobie ciebie. Dziwne, że mojego męża sobie nie przypominam, dlaczego sobie go nie przypominam? Przypomnij mi.

Zadręczałam się i zastanawiałam, kim dla ciebie jestem i dlaczego mam wrażenie, że to ja jedynie umieram z miłości, a ty bawisz się świetnie, grasz moim sercem w warcaby, czy napisałam Z MIŁOŚCI?

Czy to czuję do ciebie, do pana?

Ale jak widać, na nic zdaje się doświadczenie oraz fakt, że wszystko już kiedyś było. I każde następne szaleństwo widzimy w nowym świetle, i ja teraz moje szaleństwo widzę... ale to w końcu ty sam powiedziałeś do mnie „kochanie", słyszałam, widziałam to słowo namalowane na śniegu, stokrotki w środku zimy.

Piszę, czekam, nie oddycham. Uczepiłam się tego słowa, a przecież równie dobrze mogę cię już nigdy więcej nie usłyszeć, nie zobaczyć. Albo też zobaczę, ale wszystko nie tak, nie tak może być, jak to sobie wyśniłam. Gdy już upiłam tęsknoty i pożądania i nie mają siły nawet się ruszyć, to wypełzły skądś wątpliwości. Bezkształtne potwory, ohydne i śliskie. Takie... niskie. Ty – opamiętany.

Ty – przywołany do porządku. Ty – rozsądny, rozważny i odpowiedzialny. Ty – przywrócony przez rzeczywistość do rzeczywistości; twojej osobnej, odległej. I po co o tym myśleć, kiedy wszystko powinno być niczym lekki walczyk i słodkie cukierki?

Czy to czuję do ciebie, do pana?

Kończy się kolejny dzień bez ciebie, chociaż przecież każdy dzień jest takim. Jednak dziś ta pustka bez ciebie jest tak pusta, że nawet na pustkę nie ma miejsca. Dzień pełen obojętności. Bez czułości, intymności. Bez radości, zmysłowości, a we mnie cisza. Cicho jest we mnie do obłędu, życie trwa oczywiście, tak, toczy się wszystko spokojnym szarym torem. Ale gdzie deszcz gwiezdny, gdzie poezja, gdzie piosenka, gdzie słońce, nie ma, zgasło, wypaliło się.

Za oknem szaro, we mnie szaro, twoje oczy szare, już pamiętam, szaroniebieskie. Z drżeniem serca czekam na wiadomość, na znak od ciebie, na rajskiego ptaka. Wiem, jestem zachłanna, przepraszam, ale ciągle mi mało, wciąż mało, nic nie mogę poradzić. I nawet pąki kasztanowców takie soczyste i nabrzmiałe wczoraj w parku.

o jezus no dobrze jestem zachłanna ale co
a jeśli jutro mnie tramwaj
rozjedzie albo żona się dowie albo
no strasznie mi przykro rzeczywiście
jak ci się nie podoba
to mi po prostu
powiedz nie wiem walnij
może być młotkiem
może być słowem jednakowo
przyjmę
ale mnie nie karz tak strasznie tym czekaniem

bo mi tęczówki wyjdą na zewnątrz i już nie będę
miała takich ślicznych błękitnych oczu

Cisza aż boli i mam wrażenie, że za chwilę pękną mi bębenki. A każdy dzwonek telefonu wyrywa mi odrobinę serca. To nie możesz być ty, wiem doskonale. Ale gdybyś to jednak był. Wyznaczam sobie małe kary za te myśli, kiedy to on dzwoni, a ja nie jego chcę słyszeć po drugiej stronie. A przecież do tej pory tak się cieszyłam. I on mówi do mnie z tą czułością, i przecież ja do niego też niby z czułością.

Otwieram i zamykam skrzynkę mailową, gdzie zostawiłeś mnie na pastwę mnie... mechanicznie naciskam palcem wskazującym przycisk F5, nie ma, nie ma, nie ma. W nocy przemykam się bezsennie po mieszkaniu naszym. Nie twoim i moim – naszym, tylko naszym – moim i jego mieszkaniu. Spiskowiec, partyzant obłąkany.

Odkąd o nim zaczęłam mówić ON, a o tobie TY? Do cholery, do zwariowania to wszystko!

11

Czy wiesz, że jeszcze ani razu nie powiedziałeś do mnie po imieniu? Może to wyższy stopień wtajemniczenia. Swoją drogą to interesujące, czuję jeszcze twoje palce na mojej koronkowej bieliźnie, a nie słyszałam swojego imienia z twoich ust. Nie powiedzieliśmy do siebie ani razu po imieniu, w wołaczu, bo byliśmy tylko my. I wołaliśmy tylko do siebie.

To niemówienie po imieniu jest jak wszystkie rzeczy, które ciebie dotyczą, niezwykle podniecające. Jak same myśli o tobie. Nie czułam tak nigdy. Jestem pewna, że coś takiego, jeżeli w ogóle się przytrafia, to jedynie raz i nielicznym szczęściarzom. Muszę nauczyć się jakiejś modlitwy dziękczynnej; do kogo, do ciebie?

Zastanawiam się, czemu z nim tego nie czuję. Przecież powinnam, prawda? Ale co ty możesz o tym wiedzieć. Do ciebie za to czuję, och, czuję. Dużo więcej, niż mi wolno.

Dziś, kiedy spotkaliśmy się na chwilę, uwierzyłam, że potrafisz doprowadzić mnie do najwyższej rozkoszy jedynie słowami, po prostu wiem, że to możliwe. Nie, nie, jeszcze nie, ale...

I kiedy dotykałeś mojej twarzy i szeptałeś do mnie... i twoje słowa... szaleję, nawet gdy gryziesz moje włosy.

na moim ciele narysuj mapę
dłonią, językiem, palcami
wyznacz drogi i skróty
do rozkoszy. zwłaszcza skróty.
a potem pędź nimi.
nierozważnie.

Próbuję przywołać twój zapach, ale znikł gdzieś w codzienności, która z hukiem uderzyła mnie w głowę mniej więcej cztery sekundy po tym, jak wysiadłeś z samochodu. I tylko twoja ręka na szybie. Tak bardzo chciałam otworzyć drzwi, biec za tobą, rzucić się na ciebie, wtulić i już nigdy nie wypaść z twoich objęć.

A przecież nie z twoich powinnam nie chcieć wypadać, tylko z objęć tego, któremu wcale nie tak dawno przysięgałam. I miałam nawet ładną sukienkę, spodobałaby ci się, w kolorze herbacianych róż, długą do samej ziemi, on mówił: „Wyglądasz jak królewna". I róże też były. I Mendelssohn-Bartholdy. I tort, i wianek na głowie. I choć w ręku nie było badylka, a przede mną baranka, to on był, jest i róże są też w naszym wspólnym domu, w wysokim kryształowym wazonie. Moje róże małżeńskie. I to z jego objęć. Z jego objęć chcę wypaść, chociaż różane i piękne, do cholery.

Przytulam się w nocy do jego pleców, wyobrażając sobie, że to twoje plecy. Czy mam kupić mu perfumy, których używasz, żeby przynajmniej po ciemku oszukiwał mnie pięknie?

Nienawidzę się za te myśli. Wcale się nie nienawidzę, nie kłam, obłudna.

Bo przecież ty.

Ty i ten twój zapach. Ty i kształt twoich ust i oczy badawcze i przenikliwe, do samego wnętrza mnie patrzące. I język twój zachłanny, palce, oddech, który parzy. To, jak reagujesz, gdy dotykam twojego policzka, i sposób, w jaki mówisz do mnie, można oszaleć, mówię ci. Być może ty tego nie wiesz, ale ja ci mówię, że można spalić się z rozkoszy, stopić się i nigdy już nie wrócić do stałej postaci, już nigdy.

Ale to tylko fizyczność. Chociaż pisać „tylko" w wypadku opisywania ciebie to jakby nie pisać wcale.

Ale przecież nie o fizyczność chodzi. Chodzi o twoje wnętrze i o to, co robisz z moim umysłem. Ta twoja umiejętność czytania we mnie i rozumienia wszystkiego tak, że nie muszę w ogóle nic mówić, jak to się stało. Przecież prawie cię nie znam, prawie mnie nie znasz.

Ty uwiodłeś mnie i uwodzisz nadal, rozmową. Znalazłeś słowa tylko dla mnie. Słowa, które nie istnieją, które nawet nie śniły się nikomu, nie śniły się największym poetom.

To, jak piszesz do mnie, wszystko, co jest w twoich listach, i wszystko, czego w nich nie ma; w jaki sposób działają na mój umysł. Bo najbardziej podniecasz mnie intelektualnie, rozumiesz, po prostu pieprzysz mój mózg i to jest dopiero orgazm wielokrotny!

I nawet jeśli miałoby już nic więcej, i nawet jeśli miałoby się zaraz skończyć. To, co się wydarzyło, było warte całych trzydziestu trzech lat, warto było na to czekać.

bądź czuły
całuj mnie
sennie, delikatnie
(łaskotanie rzęs)
pieść mnie wzrokiem i szepcz,
szepcz łagodnie.

bądź lubieżny
odkrywaj mnie
zachłannie
lepko. rozpustnie.
usta łaknące rozchylone.
i mów, mów mi brzydkie rzeczy.

bądź brutalny
rozrywaj mnie. rozdzieraj
smagaj mnie sobą. rozszarpuj
gryź do bólu, do krwi i krzycz,
krzycz nieprzytomnie.

bądź bardziej
bądź

Czytałeś ten mój wiersz niedługo po tym, gdy go napisałam na pogniecionej serwetce. Niechlujnie i drżącą ręką. Przy tobie bez przerwy drżą mi ręce, zauważyłeś?

– Czytając go, pokryłem się kropelkami twojego potu – powiedziałeś później.

– Chodzi o seks.

– Nie chodzi o żaden seks. Nie kombinuj, przyjaciółko droga.

– Nie „droga", tylko proszę się szybciutko przyznać!

– Przysięgam. Poza tym seksu nie było, więc jak może o niego chodzić?

– Jakoś nie chce mi się wierzyć, zawsze chodzi o seks.

– Ty, pani psycholog od siedmiu boleści. Więcej ci powiem, to wcale nie jest tak, że na to czekam i że wszystko jakby, wiesz, zmierzało do tego. Właśnie nie! Ja nie potrzebuję iść z nim do łóżka, naprawdę. Nie patrz na mnie z takim politowaniem. Wystarcza mi, że... on pieprzy mój mózg, rozumiesz.

– Nie jestem pewna, czy rozumiem.

– Kiedy jestem przy nim... wszystko naraz się dzieje, jakaś magia w tym, chemia, ale nie tylko fizyczna.

– Chemia fizyczna. Ty słyszysz siebie w ogóle?

– Nie umiem tego wytłumaczyć. Ale gdy mówisz: powietrze jest gęste między nami, myślisz: tandeta, fraza z taniego romansidła. A powietrze jest gęste. Jest między nami gęste, nawet kiedy nie jesteśmy razem, jak mam to wyjaśnić? Wystarczają mi jego listy. Wystarcza mi nasze pisanie. Wystarcza mi to, jak działa na moją głowę.

– Ale nie mów, że nie chcesz go widywać. I że nie chciałabyś czegoś więcej poza pisaniem, bo w to naprawdę nie uwierzę.

– Chcę, pragnę, oczywiście, pewnie tak, ale słowo – on może siedzieć po przeciwnej stronie stołu, może mnie nie dotykać, wystarczy, że mówi do mnie, że coś opowiada i patrzy, tak patrzy... Te jego oczy przenikające do środka mnie, jego głos... To, co mówi, w jaki sposób... to znaczy tak, to JEST seks. To właśnie jest seks.

– Ty jesteś jednak lekko nienormalna, wiesz o tym?

– Wiem. I chyba się zakochałam.

13

Życie bez ciebie, wyjazd bez ciebie, niby nic. A wstrząsające.

Tuzin znajomych; mąż, przyjaciółka pierwsza, przyjaciółka druga, mężowie przyjaciółek, tylko dzieci brakuje, a i tak oszaleć można. Niczym na koloniach, radośnie, razem, hałaśliwie. Za chwilę będą tańczyć mazurka, a najpewniej oberka, kiedy ja potrzebuję wyciszenia, bo wszystko krzyczy we mnie w środku i już jest ogłuszająco. Bo ty!

Absurdalny pomysł, ten wyjazd przedwakacyjny. Ale że niby co, chcemy odgonić wczesnowiosenną depresję, lata nie możemy się doczekać, KTO nie może się doczekać, po cholerę mi lato, kiedy we mnie wszystkie pory roku.

Jak mam w tym hałasie przetrwać tę pierwszą noc po tobie. PO TOBIE, bo chociaż poprawnie byłoby napisać „bez ciebie", ona właśnie jest po. Od wczorajszego wieczoru czas zaczął się dla mnie inaczej odmierzać. Ten wieczór jest tak nierealny i odległy, jak gdyby nie było go wcale. A był wczoraj, prawda?

Jest gorzej, niż myślałam.

Prowadziłam samochód o wiele za szybko. Chciałam jak najprędzej dojechać do słońca, drzew zielonych, zieleńszych niż u nas, do morza skrzącego się pięknie, białego wina i ciepłych wieczorów z cykadami i światełkami kołyszących się na falach łódek. Bzdura, chciałam uciec od myśli o tobie!

Nie uciekłam.

Chciałam uciec od myśli o wczorajszym wieczorze, na który przecież niby wcale nie czekałam. A jednak cała byłam czekaniem.

Wiesz, noc zaczęła się i skończyła punktualnie o dwudziestej trzeciej dziewiętnaście, gdy zamknęłam za sobą drzwi twojego hotelowego pokoju. Zamknęłam i na moment wszystko się urwało, aby powrócić falą zapachu, smaku i poczucia, że jeszcze przed chwilą. A potem bezsenność i radosny wyjazd o świcie, z wesołą gromadką przyjaciół; jaki przewyborny kontrast.

Napisałeś, że mój zapach został ci w szaliku, coraz słabszy, i mój kształt pod powiekami, coraz wyrazistszy. Mnie zostało pod powiekami nasze pierwsze kochanie się; metafizyczne i metaracjonalne.

Jechaliśmy siedemnaście godzin, a ja przez te siedemnaście godzin myślami przy tobie, rozpamiętując każdy gest, dotyk i niedotyk; jak to możliwe, że to było wczoraj. Wszystko stało się naraz. Czas, kiedy ważne było wszystko i nic.

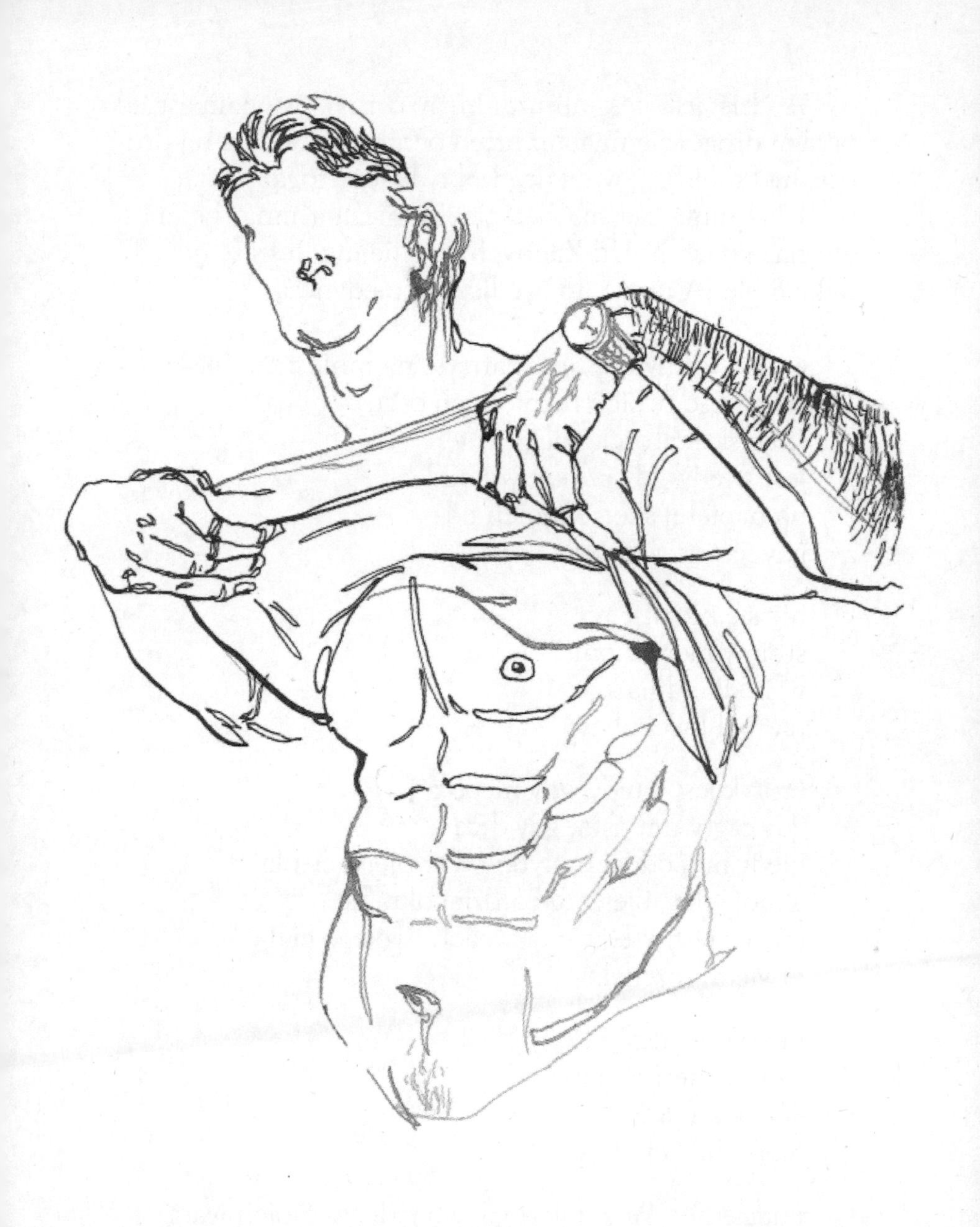

A dziś jest tak absurdalnym dzisiaj. Miałam przed oczami drogę, ale miałam przed oczami ciebie, na tej drodze, nad tą drogą, w tej drodze, ty byłeś drogą.

I już mnie nie ma bez ciebie, nie ma mnie bez nas, chociaż jakich NAS? Żadnych nas nie ma. Jeszcze, już. To tylko moje JA przestało być liczbą pojedynczą.

erotyk jest wtedy, gdy patrzysz na mnie z tak bliska
że szarość twoich niebieskich oczu
staje się szarością nieba
jest wtedy, gdy czuję twój oddech
na napiętej skórze moich ud
gdy jestem wilgocią

nic się nie dzieje
stoimy nieruchomi
w środku dnia
na ruchliwej ulicy

erotyk jest wtedy, gdy niepokój
gdy zagryzam usta, gdy drżę
kiedy mój oddech płytki od twojego ciepła
a moje piersi jeszcze bardziej okrągłe
erotyk jest wtedy, gdy zapach twojego ciała
otwiera, rozchyla

nic się nie dzieje
stoimy nieruchomi
w środku dnia
na ruchliwej ulicy

i nagle dotykasz wskazującym palcem moich warg
i wtedy to już tylko jest śmierć

14

Niedziela obudziła mnie twoim imieniem na moich ustach. Śniłam o tobie całą noc, a przynajmniej jej świadomą część. Podejrzewam, że tę nieświadomą jeszcze bardziej. Wschód słońca – ty, piękne obłoki – ty, zachwycające krajobrazy – ty, świat – ty. A we mnie bezwład, bezruch, bezdech, bezświat. I ja bez ja. A za oknem tak pięknie. Wszystko tutaj jest takie uporządkowane, jak ja przez ciebie rozbałaganiona. I wciąż ciebie głodna. Od czasu do czasu mam przebłyski tego, co wydarzyło się między nami; palące błyskawice. Nagle widzę ciebie pomiędzy moimi udami. Błysk! Nagle słyszę ciebie, twój oddech, błysk!, czuję go niemal na skórze moich nagich ramion, błysk! Czuję cię nieustannie. Gdzieś w tej drugiej rzeczywistości. Bo mam teraz dwie – naszą i tę codzienną, której nie chcę wcale, czy to okrutne? Czy jestem okrutna? A czy to moja wina?

słyszę pana usta gdzieś obok
pana gorący oddech
czuję pana ciężar nad sobą
pana tu nie ma. **jest** obłęd!

Co ty mi zrobiłeś, to znaczy ja to sobie sama, ale przez ciebie. Ledwo utrzymuję łzy na końcówkach rzęs, a przecież nie mogę sobie na to pozwolić, mam tu świat, w którym trzeba ładnie funkcjonować i założyć kostium kąpielowy z frędzelkami. Tęsknię do ciebie i co mam z tą tęsknotą teraz zrobić w tych oliwkach i cykadach?! A co mam zrobić z mężem? W tych oliwkach i cykadach!

Proszę pana, ja już nawet nie na zakręcie, tylko na pieprzonym wielkim skrzyżowaniu i nie działa sygnalizacja. A wszędzie tylko znaki zakazu, nakazu.

I czas biegnie tak cholernie wolno w tej cholernej Chorwacji.

Siedzę w barze, marne światło, marne warunki, fioletowe stoliki, roześmiany tłum podnieconych ludzi, a co oni wiedzą o podnieceniu, nie znają cię, to cóż oni mogą wiedzieć?!

Mój kochanek ma zmysłowe usta.
Mój kochanek gorące ma ciało.
Mój kochanek wie, co to rozpusta
i że ciągle mi mało, wciąż mało.

Mój kochanek potrafi mnie pieścić.
Jego dłonie stworzone są po to,
żeby mógł ciało moje w nich zmieścić;
każdy dotyk się staje pieszczotą.

Czuję w sobie już światło księżyca,
gdy mnie całą kochanek wypełnia.
Gdy przeze mnie gwiazd płynie mgławica,
to już śmiercią być może ta pełnia.

Więc umieram pod ciałem kochanka,
po co wracać do rzeczywistości.
Pełnia znika przy świetle poranka
i poranek nic wart bez miłości.

Ale że co, że za słodkie?, on mi powiedział, że banalne i różowa landrynka, no może i tak, odczepcie się wszyscy.

Może i banalne, ale jak mam opisać, jak ubrać w słowa coś, czego opisać w ogóle się nie da.

Próbuję skupić się na czytaniu, na książce, na gazecie, na czymkolwiek, kimkolwiek, niemożliwe. Mąż śpiewa do mnie piosenkę miłosną na karaoke, nawet nie fałszuje, wino w kieliszku jest dobre, przyjaciółki szczebioczą, a pogoda była dziś piękna. Ale co ja ci będę o pogodzie, chciałabym ci tylko o miłości. Nie mogę ci wcale o miłości.

To nie może tak trwać, bo prowadzi donikąd.

To nie może nie trwać, choć prowadzi donikąd.

15

Kolejny dzień w pokoju z widokiem na morze, z myślami, czy jesteś realny, czy jedynie tworem mojej rozdygotanej wyobraźni. Z radia sączy się koncert Czajkowskiego, nie wiem który, a wiatr wieje jakoś tak smutno i zupełnie bez związku. Wszyscy poszli na plażę. Zostałam sama pod pretekstem czegoś. Zjadłam ostatnią przemyconą miętową czekoladkę od ciebie, po tobie, po naszym wieczorze, a więc nie wymyśliłam cię.

Po naszej miłości zostały
miętowe czekoladki,
korek szampana Moët
i wspomnienie pana rąk;
gładkich.

Miętowe czekoladki zupełnie
są bez smaku bez pana,
a pustkę w sercu zatkam
tym korkiem od szampana…

Nie napisałeś wczoraj do mnie, a przynajmniej nie dopóki siedziałam w barze. Internet tam jest chyba po to, abym mogła się nad nim smętnie upijać, czytając twoje listy od nowa i od nowa, już znam je na pamięć.

I dobrze, bardzo dobrze, że nie napisałeś. Miewać, a nie mieć, naucz się tego, dziewczynko, na pamięć. Przecież mam swoje życie w szklanej wieży, męża, przyjaciół, dom, pracę i rodzinę, swój mały światek. Ty masz tam u siebie swoje wszystko: żonę, w dodatku bardzo piękną i znaną, córkę, kolacje i śniadania, kawę i sok mieszany pomarańczowo-grejpfrutowy, taki jaki lubisz najbardziej, widzisz, już wiem. I nagle w tym wszystkim napatoczyłam się ja, zupełnie bez sensu, bez ładu i składu, bez celu, bez przyszłości żadnej, jakiejkolwiek, bez granic cię pragnąc, cholernie niedobrze mi po ostrygach.

I do tego przyjaciółka pierwsza.

Ale to przez ten żółty księżyc, naprawdę. No niedobrze, niedobrze; powiedziałam jej, niestety. Przyjaciółce numer jeden, która powinna być przyjaciółką numer dwa albo w ogóle nie być, tak jak bardzo jest, swoim dzielnym ciałem matki-polki-lekarki i wiecznie zdziwionymi oczami.

Powiedziałam jej o tobie, nie wiem dlaczego, przepraszam. I nikt mnie nie powstrzymał, ani przyjaciółka druga, ani mój własny zdrowy rozsądek. Może to przez tę noc czarną, chorwacką, może przez wino, może przez tęsknotę, a może przez morze, które szumiało zbyt głośno i zbyt otwarcie. I ja otworzyłam się przed nią bezmyślnie, kompletnie

bez zastanowienia. A ty rozmawiasz z kimś o r
nie spytałam.

Przyjaciółka numer jeden, której nie pov
go mówić, żadnych procentów ani nawet pı
w prawdzie, jest teraz przerażona i oczy ma jeszcze bardziej zdziwione. Bo co to będzie dalej z moim małżeństwem? Co to będzie dalej z moim biedniutkim mężusiem i jego imię do tego tak idiotycznie zdrabnia, że jeszcze bardziej kuriozalnie to wszystko brzmi!

Napisałam do niej po tej naszej nocnej rozwinnionej rozmowie, przecież pisanie tak świetnie mi idzie, prawda? Czasami łatwiej napisać niż próbować wyjaśniać osobiście, zresztą co tu wyjaśniać. A skoro ty nie napisałeś i nie miałam na co odpisywać, to napisałam do niej. Liścik lukrowany, od którego zbiera mi się na wymioty, chociaż się niczym nie strułam, a może właśnie jednak tak. Tylko już nie wiem, czy to na pewno ostrygi, czy ta przyjaźń mi się odbija.

A ona, matka-lekarka, spokoju mi nie da, wiem, że nie da. I pomimo tego liściku, który zaniosłam jej do pokoju, zacznie już jutro przy śniadaniu, przy arbuzie najpewniej albo zielonym melonie.

JA: Nie mogę zasnąć po naszej rozmowie. Dlatego piszę. Chciałabym wyjaśnić i chciałabym, żeby było dobrze i normalnie i żeby ten wyjazd minął nam raczej bananowo-ananasowo i wesoło, a wczoraj rozstałyśmy się w smętnych nastrojach. Niepotrzebnie. Wiesz, że cię uwielbiam i jesteś moją najlepszą przyjaciółką, ale zrobiło mi się dziwnie i dlatego uciekłam.
Naturalnie, to nie jest żadna pretensja, nie pomyśl tak, z pewnością zaraz tak pomyślisz. Ale gdy opowiedziałam ci o moim zakochaniu, zafascynowaniu, o moim

szaleństwie, tęsknocie i romansie, jeśli tak chcesz to nazwać, aczkolwiek brzydkie to słowo i nie mówi niczego o tym, co czuję, to najgorsze było dla ciebie – a tak przynajmniej wyglądało, przysięgam – że teraz najbardziej biedny jest mój mąż. I co będzie z naszym małżeństwem. Że jak teraz będzie z mężem i że ty nie wyobrażasz sobie bez niego.
Ty nie wyobrażasz sobie bez niego, przyjaciółko najsłodsza, kurwa mać, moja! Jesteś MOJĄ przyjaciółką, a nie, z całym szacunkiem, mojego męża. Chciałabym, abyś powiedziała: „Szalenie lubię twojego mężusia, jest świetny, ale ciebie kocham najbardziej na świecie i zawsze będę ZA TOBĄ, niezależnie od wszystkiego i od okoliczności wszelkich". Trochę czegoś takiego oczekiwałam, wiesz? Że powiesz niewątpliwie coś w stylu „ale co teraz będzie" – bo to takie bardzo twoje i uwielbiasz się zamartwiać – ale raczej co teraz będzie z twoją przyjaciółką i czy ona będzie szczęśliwa, bo ewidentnie spieprzony ma obecnie czas, wyłączając nieliczne chwile uniesień.
Nie bardzo chciałam usłyszeć, że masz nadzieję, że to moje zakochanie jakoś się rozmyje, a my nadal będziemy szczęśliwym małżeństwem, nie po to ci to wszystko powiedziałam.
Rozumiesz, ja nie chcę myśleć, że to się musi rozmyć. Jestem rozdarta. Nie wiem, co się wydarzy. A może właśnie się rozwiodę. Chociaż przecież kocham męża. A może czas sprawi, że to szalone nagłe zakochanie mi przejdzie, że wszystko minie i będę do końca życia miała jedynie wspomnienie czegoś najpiękniejszego? Bo to już na zawsze we mnie zostanie, czy to się podoba tobie, mojej mamie, mojemu mężowi czy mnie samej.

Ale ostatnią rzeczą, jaką chciałam usłyszeć po tym, kiedy powiedziałam ci o mojej rozpaczy w szczęściu czy też na odwrót, było, że masz nadzieję, że to się rozpieprzy. Bo tutaj z mężusiem przecież jest cudownie.
Nie mam do ciebie żalu, ale muszę to szczerze napisać.
W innym wypadku co to byłaby za przyjaźń.

Oczywiście, że mam żal, i oczywiście, że co to jest za przyjaźń. Po raz kolejny się przekonuję, że to raczej zależność jakaś przyczynowo-skutkowa, z której wyplątać się nie mogę i już nie zdołam. Kolejna tajemnica, którą związałam się z tobą na zawsze. I mam wrażenie, a właściwie wiem, nie pytaj skąd, że wydałabyś mnie w trzy sekundy, nawet byś się nie zastanowiła, prawda?, ty też to wiesz. Największe przyjaciółki, bzdura wszech czasów. Może kiedyś, w szkole, ale teraz? Nasze życia tak bardzo osobne i tak bardzo, bardzo różne. A powinnam to już wiedzieć po rozmowie o rozterkach i szukaniu spadających gwiazd, pamiętasz? Naturalnie, że pamiętasz.

Co to za fraza – rozmyje się? Ale co ma się rozmyć, moje uczucia mają się rozmyć, tak jak fale rozmywały drobne kamyki na plaży, stąd wzięłaś pomysł?

Jestem wściekła na siebie za tę rozmowę, za to moje gadulstwo. Dlaczego! Dlaczego pakuję się w związki, w których muszę trwać, chociaż nie chcę. Co jest we mnie takiego, tyle mówię o odwadze do zmian, o tym, że nie wolno tkwić w rzeczywistości, która dusi, a sama grzęznę w takowej. I już żadnej liny, aby się uchwycić.

Trzeba było alkoholu nie pić, nie zapraszać cię wcale na spacer. Mało to spacerów odbyliśmy wszyscy na tych wakacjach przedwakacyjnych? Wiedziałam, że bez sensu, zebrało mi się nagle na babskie ploteczki, a przecież już

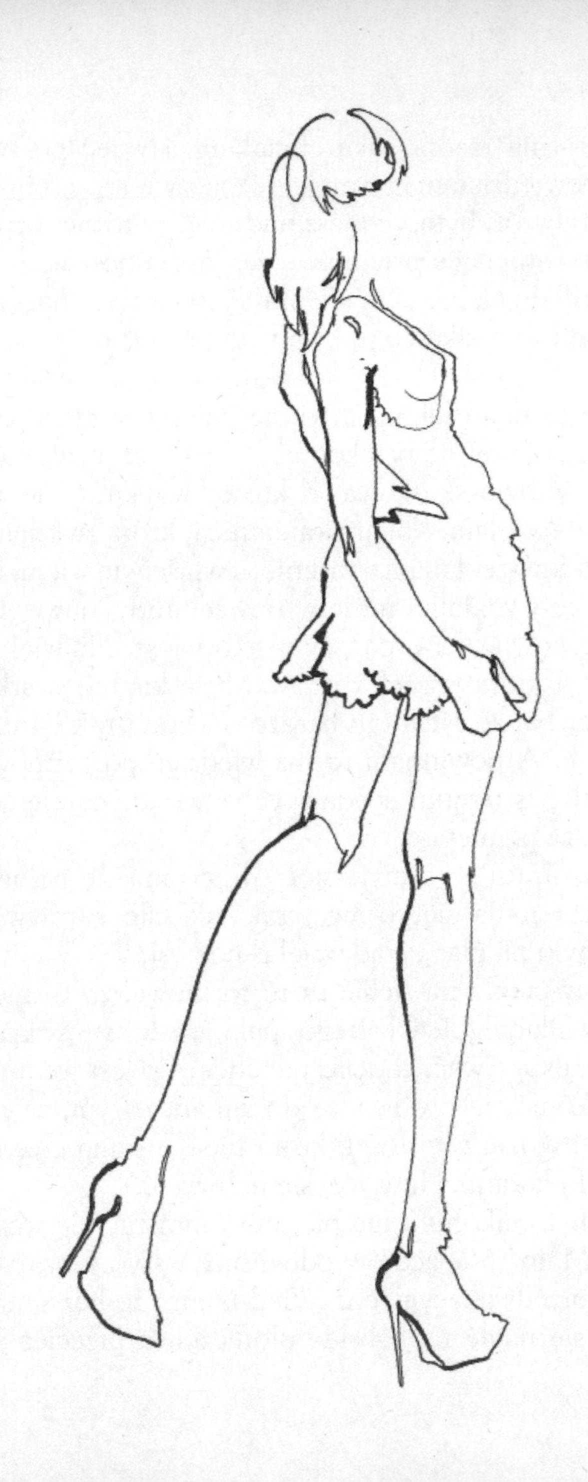

poprzednie skończyły się twoimi łzami w winie i moim wielkim kacem wcale nie z powodu alkoholu. I na siłę znów chciałam wczoraj cię uszczęśliwić. A wszystko, co na siłę, jest do dupy.

JA: Oczywiście, nie pomyśl, że żałuję teraz, że o wszystkim ci opowiedziałam. Tak naprawdę chciałam to zrobić już jakiś czas temu, potrzebowałam się z tobą podzielić, z kim mam się dzielić, jeśli nie z przyjaciółką. Ale troszkę jednak pragnęłam potwierdzenia, że dla ciebie nie jest ważne, co się wydarzy, co będzie, ale żebym ja była szczęśliwa. W takiej czy innej konfiguracji.

Naturalnie, że żałuję, przyjaciółko pierwsza, która jesteś pierwszą jedynie ze względu na chronologię, a ta przyjaźń powinna się skończyć wraz ze zdanym egzaminem maturalnym. Niepotrzebne słowo: romans – brzydkie słowo, a mówiłam, że brzydkie! Niepotrzebne słowa: inny mężczyzna. Niepotrzebne słowa: rozdarcie i tęsknota. Tyle niepotrzebnych słów ujrzało światło dzienne, czy raczej wieczorne. Naturalnie, że żałuję, jestem taka głupia!

Och, no dobrze, może i na początku chciałam, bo nie dość, że wino się rozlało ładnie i ten uśmiech na mojej twarzy zupełnie bez związku czy też w związku właśnie, to jeszcze on zadzwonił, a ja niczym spłoszona nastolatka... Co miałam powiedzieć, że to matka dzwoni, że to mąż dzwoni z sąsiedniej plaży? Nie umiałam skłamać, JA nie umiałam skłamać, do czego to doszło. Być może przez chwilę chciałam powiedzieć, podzielić się szczęściem, nieszczęściem, ale o jedno słowo za dużo, o jeden kieliszek za daleko, o jedno zdanie za. I to jeszcze z tobą, dlaczego z tobą, kiedy wiem, że spokoju mi teraz nie dasz, wścibska aferzystko, kiedy wiem, że mężowi wypaplasz, bo wszystko mu paplasz jak na spowiedzi, a kto wie, może i klęczysz przed nim wtedy.

JA: Gdybyś to ty przyszła do mnie i powiedziała, że twój mąż owszem jest cudowny i dobrze ci z nim, ale jesteś rozdarta, bo pojawił się ten czy inny tamten, w głowie ci zawrócił, twój świat zawirował, zwariował, kochasz i nie wiesz, co robić, i masz poczucie, że być może utracisz coś największego, jeśli nie zrobisz nic... to myślę, że mimo iż naprawdę lubię twojego męża i nadzwyczaj kibicuję waszemu związkowi, powiedziałabym ci: pieprzyć męża, jeśli masz znaleźć spełnienie i szczęście gdzie indziej, z kim innym. Bo TWOJE szczęście jest dla mnie najważniejsze. I twoje życie. A nie twój mąż. Ludzie się rozstają, rozwodzą i pobierają ponownie, spójrz na trzy czwarte naszych znajomych. Oczywiście to są drastyczne kroki, nie mówię, że to zrobię, ale myślałam o tym i nie chciałam, abyś była zdziwiona, gdyby tak się właśnie stało. Co byś wtedy pomyślała, gdybym nic ci nie powiedziała?
Czasem dzieje się coś, co przytrafia się tylko nielicznym, a mnie przytrafiło się właśnie teraz. Tego nie da się opisać podczas jednego spotkania przy winku, więc być może nie do końca dobrze potrafiłam to przedstawić, ale prawda jest taka, że jestem rozbita i nie wiem, co robić. Chociaż stając się mężatką, miałam nadzieję nigdy więcej rozbitą nie być. Miałam nadzieję, że nie przytrafi mi się już więcej zakochanie. Zakochanie! Miłość! I to TAKA miłość! Taka miłość, że mój świat dygocze, że gryzę palce i skowyczę, rozumiesz? Nie chciałam już tego. Mam przecież świetnego męża!

Ale to wszystko nic. Poradzę sobie. Poradzimy sobie, wszystko będzie dobrze. I nie martw się, zrzuć to na moją chorą egzaltację oraz zapędy literackie. A ja postaram się to jakoś ładnie poukładać, dobrze? Wszystko będzie dobrze.

Nic nie będzie dobrze.

Potrzebowałam wsparcia, przyjaciółko, do cholery, pierwsza, a nie moralnego rozliczania i analizowania, czy to dobrze, że jestem niewierna, czy nie dobrze. Ty i twoje pragmatyczne spojrzenie na świat, ze szpitalnych obchodów je wynosisz czy skąd? I odpisujesz mi teraz, że kochasz mnie, a mojego męża, którego imię idiotycznie zdrabniasz, lubisz nadzwyczaj i bliski jest ci jedynie dlatego, że to ja, jako twoja przyjaciółka jestem ci tak bliska. Oczywiście. Dlatego całkiem niedawno siedziałaś mu na kolanach, bezwstydnie się do niego wdzięcząc i całując go w usta. Bo tak bardzo jest ci bliski.

ONA: To oczywiste, że ciebie kocham najbardziej, a męża twojego lubię nadzwyczaj i bliski jest mi jedynie dlatego, że to ty, jako moja przyjaciółka, jesteś mi tak bliska. To jest nowe bardzo dla mnie wszystko. Mówiłaś kiedyś o tęczy i gwiazdach, czy to właśnie wtedy się zaczęło?

Nie chcę cię oceniać, nie wiem, dlaczego tak wyszło. Kocham cię za to, że ty nigdy mnie nie oceniałaś i rozumiałaś moje różne zachowania. I nigdy nie zapomnę ci wsparcia, które mi okazałaś, kiedy w moim małżeństwie było źle. I chociaż wtedy często burzyłaś się przeciwko zachowaniu mojego męża i pisałaś mi, że sama chyba byś tego nie wytrzymała, to ja jednak cały czas

miałam wrażenie, że nam dopingujesz. NAM. Że nam się uda i pokonamy to wszystko.
Ja teraz mam to samo: kibicuję wam. WAM OBOJGU. Mimo wszystkich trudności i mimo że wyda ci się to głupie i może nielojalne wobec ciebie. Ja doskonale cię rozumiem, że sytuacja jest trudna i bardzo specyficzna, jest mi strasznie przykro, że tak jest, i boli mnie to. Ale po prostu nie potrafię cię zobaczyć z nikim innym poza twoim mężem.
Może dlatego, że wiem o wszystkim dopiero od paru godzin, jeszcze tego nie ogarniam, nie zdążyłam sobie poukładać. Ale chciałabym, żebyś odnalazła porozumienie, więź, przyjaźń i wszystko inne z mężem, a nie z jakimś obcym facetem.
I mam nadzieję, że ta niewątpliwie piękna rzecz, która się dzieje teraz poza twoim małżeństwem, paradoksalnie i po jakimś czasie pozwoli ci wrócić mentalnie do męża. Wręcz wydaje mi się, że nie byłabym przyjaciółką, gdybym euforycznie zareagowała na twoje uniesienia z kimś innym. Muszę i chcę patrzeć na to z boku. Muszę i chcę zakładać, że ta przygoda nie dokona rewolucji w twoim życiu. To porozumienie z innym mężczyzną, jak też euforia i całe uniesienie, które z nim przeżywasz, są na pewno bardzo silne i prawdziwe, tylko na razie wciąż bardzo świeże i trochę chyba płyną na fali tej świeżości. I choć on na pewno nie przestanie być z upływem czasu ani mniej inteligentny, ani mniej wartościowy, może ty zaczniesz to wszystko trochę bardziej bilansować i kalkulować.
Ciesz się teraz może tym, że dzieje się coś pięknego, choć trudnego. To na pewno dużo ci powie – o tobie samej, o mężu, o was. A przede wszystkim o tym, gdzie

jest miłość, a gdzie zakochanie, gdzie przyjaźń, a gdzie jedynie chwilowa fascynacja.

Nie chcę dawać ci żadnych rad. Pewnie jedyne, co można zrobić, to przeczekać. I zobaczyć, co się rozwali, a co przetrwa próbę czasu. I nic na to nie poradzę, że chciałabym, aby przetrwało twoje małżeństwo.

Ten twój mentorski ton. Nie znoszę, kiedy mówisz mi, co mam robić, nie jestem twoim dzieckiem. Mam czekać? Czekać, ale na co czekać, do cholery! Aż przejdzie, aż szczęście odjedzie na karym koniku i tylko ślady kopyt zostaną, a ja tępo w te ślady wpatrzona?

Nie, naturalnie, że nie oczekiwałam, że euforycznie zareagujesz na moje uniesienia z kimś innym.

Z kimś innym. A wiesz, że ten inny to właśnie TEN? Nie wiem już teraz sama, czego oczekiwałam. Niczego. Wszystko przez ten żółty księżyc, szlag by trafił. Jestem taka głupia.

– A ona to jest twoją przyjaciółką czy przyjaciółką męża? – pyta druga przyjaciółka, chociaż to ona powinna być tą pierwszą; w moim życiu wszystko jest nie tak, jak być powinno, i nie w tej kolejności.

– Wychodzi na to, że męża. Nie, nie męża; MĘŻUSIA, jak go nazywa. Srusia. Jeśli tak go uwielbia, to mogła mnie z nim nie poznawać! Słuchała z otwartymi ustami, dosłownie padła, kiedy powiedziałam, że mam romans.

– Romans! Po cholerę mówiłaś. Wypytywała?

– Oczywiście. Od kiedy i czy od wtedy, skąd, gdzie, jak, kim jest. Oczekiwała najdrobniejszych szczegółów, czekałam, aż zapyta o rozmiar jego buta!

– Buta?!

– Taaak... Buta. Fatalnie to wszystko wyszło...

– Możesz to jeszcze jakoś odkręcić? W sensie, wiesz, powiedzieć jej, że to nieprawda, że tak ją tylko niby sprawdzałaś, że wakacyjny dowcip, no nie wiem. A sama mówiłaś, że jej nie ufasz do końca.

– Nie ufam, mówiłam. Bo nie mogę jej ufać, tak czuję. I zawsze, cokolwiek jej powiem, to natychmiast wie jej mąż. A jak on, to wiadomo, czyj jeszcze może się dowiedzieć? On taki sam aferzysta. Głupia jestem po prostu, niby to wiem, a mówię. Z tym zaufaniem w ogóle problem, zbyt wielu osobom zaufałam i zbyt wiele osób za dużo o mnie wie. Opowiadałam o tylu sprawach, które powinny być przecież tylko moje, bez sensu, kompletnie bez sensu. Wściekam się na siebie, ale na kogo mam się wściekać! Byłam taka naiwna, a nawet nie naiwna, tylko durna, zwyczajnie durna, niczego mnie to nie nauczyło. Na nic się zdaje doświadczenie, jak widać. Jestem niereformowalną kretynką. Znów to samo. I ona, z tymi cielęcymi oczami...

– Ale robiła jakieś aluzje? Myślisz, że komuś powie?

– Mężowi powie bankowo. Wszystko mu mówi.

– A on powie twojemu?

– Nie. Chyba. Nie wiem. Może. W końcu mają wspólną kancelarię, są ze sobą bez przerwy. Ale zresztą nie o to chodzi, ja i tak się wyłgam. Boję się, że mogłaby zaszkodzić komuś innemu. Nawet przypadkowo.

– Że jemu…

– Nawet nie chcę o tym myśleć. Ale przeszło mi to przez głowę. Tyle że po fakcie! Mogłaby zniszczyć wszystko. Nigdy wcześniej, nawet jak się pokłóciłyśmy, nie zagroziła wyjawieniem naszych tajemnic, no ale bo to wiadomo? Pieprzona wścibska wścipa.

– To po cholerę się nadal z nią przyjaźnisz, po cholerę nadal z nią rozmawiasz o takich rzeczach, rzeczywiście głupia jesteś!

– Wiem. Ale nie da rady się nie przyjaźnić, te nasze powiązania, tak jakoś to od początku… Przecież znamy się od przedszkola, wszystko razem, szkoła, liceum, nawet chłopcy. A teraz mężowie wspólnikami, kancelaria… jesteśmy chrzestnymi ich syna, no w ogóle nie da rady, nie ma opcji. Poza tym ja się jej teraz po prostu boję. Muszę się z nią przyjaźnić. Mogłaby zniszczyć tyle osób. I wszystko przeze mnie.

– To rzeczywiście chore. „Muszę się z nią przyjaźnić" brzmi strasznie.

– Całe moje życie oparte na tego typu chorych zależnościach. Z mężem zależność, chociaż przecież się go kocha, z kochankiem zależność, chociaż w ogóle nie wiadomo, czy można go nazwać kochankiem… a niby jestem taka niezależna, paranoja jakaś.

– Ale nic się na razie nie dzieje, prawda? Jesteście w tej nibyprzyjaźni i wszystko super.

– Nic się na razie na szczęście nie dzieje. No trudno, muszę pić to piwo, którego sobie nawarzyłam, przyjaźnić się, być miłą, zapraszać na kolacyjki i coś rzucić jej czasami, jakąś ploteczkę.

– Nie zazdroszczę ci tej relacji. Chociaż sama się w nią wpakowałaś, więc nie do końca mi cię żal.

Wszystkie moje piękne zależności. Uwikłania i uzależnienia. Od miłości, od przyjaźni i od wina też zależność, teraz to już tylko Haendel i otworzyć butelkę. I wcale nie z radości i żadne tam hallelujah.

17

Rozkosznych wakacji ciąg dalszy. Przez ciebie mam wrażenie, jakby trwały wieczność.

Przyjaciółka-matka-polka-lekarka z niepotrzebną wiedzą o naszym związku-niezwiązku szczęśliwie dała mi spokój po wymianie obłudnych listów. Chociaż czuję podskórnie, że to tylko pozory. Ale nie będę o tym teraz myśleć, chcę myśleć jedynie o rzeczach pięknych, czyli na przykład o tobie, dobrze?

Jest bezchmurny wieczór, a morze zlewa się z niebem albo na odwrót, ale na pewno na pomarańczowo i kiczowato. Kochanie. To słowo nabrało zupełnie nowego znaczenia, odkąd się pojawiłeś. A jeszcze innego, odkąd tak do mnie powiedziałeś. Ten wieczór dzisiejszy z rogalikiem księżyca i jedną gwiazdą – widzę jedną tylko – dopiero byłby piękny, gdybyś był obok. Jestem szczęśliwa i nieszczęśliwa jednocześnie, wiesz, że to możliwe?

Obiecałam, że opowiem ci jak
przyszedłeś.
Tak jak się spodziewałam.

Gdy tylko.
Na granicy snu i śmierci
czy może to było już po drugiej stronie.

Obiecałam, że opowiem ci jak
stałam się
wilgotnym oddechem.
Zmysłowym szeptem.
Kroplą potu na twoim nagim ramieniu.
Wzlotem. Nieistnieniem.

Obudziłam się.
Ale wciąż jestem krzykiem
i nie mogę mówić.

Nalałam sobie kieliszek wina i powoli rozwinniam się w tęsknocie, a ty każesz pisać do siebie wierszem i do tego erotyki. Nie, wcale nie jest tak, że tęsknię do ciebie jedynie fizycznie, obudziłeś we mnie tyle rzeczy poza fizycznością. Byłoby o wiele prościej, gdyby chodziło jedynie o cielesność, prawda?

Oczywiście, że tęsknię fizycznie, przecież dzięki tobie rozkwitam. Jesteś cudownym kochankiem, wiesz? Mąsz ciało, które zawsze chciałam, żeby było twoje, i usta specjalnie dla mnie stworzone, a zapach i smak twojej skóry… druga lampka wina. Dotykasz mnie tak, jak chcę być dotykana. Całujesz tak, jak chcę, byś całował, mówisz to, co chcę słyszeć, czy jesteś stworzony po to, aby dawać rozkosz? To nieujmowalne w słowa. Aż strach, że może już nigdy nie być tak dobrze, aż strach. Twoja twarz, cała twoja postać, kiedy patrzysz na mnie i szepczesz mi do ucha: „Masz wypieki, pragniesz mnie…”.

Mam wypieki, pragnę cię, trzecia lampka wina. Pragnę twojego ciała, pragnę twoich dłoni, abyś był, abyś wziął, abyś sobą wypełnił, pragnę twojej bliskości, byś do mnie mówił, pisał, szeptał, krzyczał, czy wiesz, jak bardzo podniecający jest twój jęk, kiedy mnie dotykasz? Mów do mnie, milcz do mnie, czy to się właśnie nazywa miłość?, potrzebna czwarta lampka wina, desperacko.

Piję codziennie, zgroza, co by moja mama powiedziała? Upijam się winem, a powinnam upijać się tobą, przepraszam.

Dlaczego tęsknię tak mocno, przecież widziałam cię zaledwie pięć, może sześć razy. Czy to naprawdę możliwe? Jak można miłość liczyć w godzinach?, jak można miłość mierzyć w zdaniach, które układasz, a one potem wyszeptane wypełniają moją głowę i powodują nieustającą eksplozję. Jeden miłosny wieczór, parę rozmów przez telefon, parędziesiąt listów, a ja od zmysłów odchodzę i wyję bezgłośnie.

Aż strach, że może już nigdy nie być tak dobrze, aż strach.

Czy oglądam rozgwiazdy żółte, piję mocne chorwackie espresso, czy zasypiam i tylko cykady, czy tańczę w klubie, pływam, biorę prysznic, jem krewetki, wystawiam twarz do słońca, gdy się budzę, to widzę, jak rozpinasz guziki mojej koszuli i rozwiązując kokardkę przy kołnierzyku, mówisz: „niczym prezent”… jakże mocno cię chcę! Nie, nie jestem opętana seksem. Tak, jestem opętana seksem. Z tobą.

Trudno.

Jestem opętana, otumaniona myślami o tobie. Jak to jest zasypiać i budzić się z twoją ręką na swoim sercu, to chyba aż boli, prawda?

Kochaj mnie. Wiem, że to do niczego nie prowadzi.

czuję bicie twojego serca
pomiędzy moimi udami
ale czekaj, czekaj
może to jest moje serce
które wyskoczyło a ty
przeniosłeś je tam
na swoich ustach

A tutaj morze z wodą ciepłą i tak przezroczystą, że widać przez nią małe czarne rybki. A tutaj skały białe, prześwietlone słońcem, poskręcane drzewa oliwne i kiście winogron, jeszcze niedojrzałych, niewinnych swoją wypukłością, ale już winność obiecujące; raj. Gówno, nie raj. I chociaż wszystko wokół nakazuje: podziwiaj mnie!, i powinno być pięknie, bo przecież jest pięknie, nagle całkowicie zwątpiłam w sens. Siebie, życia, instytucji małżeństwa, tych kiści winogron nawet.

Aż strach, że może już nigdy nie być tak dobrze, aż strach.

A gdybym spotkała cię w jakimś innym DZISIAJ, czy zakochalibyśmy się w sobie? Tylko że innego dzisiaj nie ma, jest jedno TERAZ.

Czy MY to jest w ogóle możliwe? Och, wyobrażasz sobie, jakie mielibyśmy mądre i piękne dzieci. Jak by to było, gdyby moja krew zmieszała się z twoją? Jaką masz grupę krwi? Ja mam najlepszą, mogę ci oddać. Całą ci oddam. Bo cóż mogę ci ofiarować poza tym, że chciałabym wszystko. Parę chwil uniesienia; cielesnego, intelektualnego, być może. Ból mięśni, o których w ogóle nie wiedziałeś, że istnieją, ładnie powiedziałeś. Może wiersz, piosenkę nawet i parę uśmiechów, trochę wzruszeń, trochę beztroski i radości; jakie to przy wyliczaniu wydaje się trywialne. Ale tyle właśnie mogę.

Moją bezgraniczną czułość, choć to i tak za mało. Moją pieszczotę, moje usta również, podobają ci się, ładne – mówisz, weź. Moje dłonie, moje piersi, niezbyt duże, ale okrągłe, moje rumieńce i łoskot serca. Krzyk mój, kiedy mnie kochasz, i szept. Słowa mogę ci dać te najpiękniejsze, które chowam głęboko, ale weź. Moje pisanie i moje sny i myśli. I to wszystko tak niewiele, nic.

Oparcia ci nie dam, stałości, codzienności, pewności jutra, pewności przyszłości, domowego ciepła, stabilności, stabilizacji, nie zaopiekuję się tobą. I chociażbym miała umrzeć z tęsknoty i pragnienia, aby ci to ofiarować… to miejsce w twoim życiu jest zajęte. Mimo iż, jak sam mówisz, mamy tak bardzo wysoki stopień zestrojenia i że być może bardziej się już nie da.

I choć nawet grupę krwi masz tę samą. *I przecież nie mogą być rozłączeni, w których jedna krew płynie.*

Za-ję-te.

patrzę na zdjęcia
tej kobiety
w okularach słonecznych
szukam w nich
odbicia
twojej sylwetki

a kiedy znajduję
popełniam kolejne
zupełnie bezbolesne
samobójstwo

od nowa i od nowa
tyle zdjęć
jedno zdjęcie

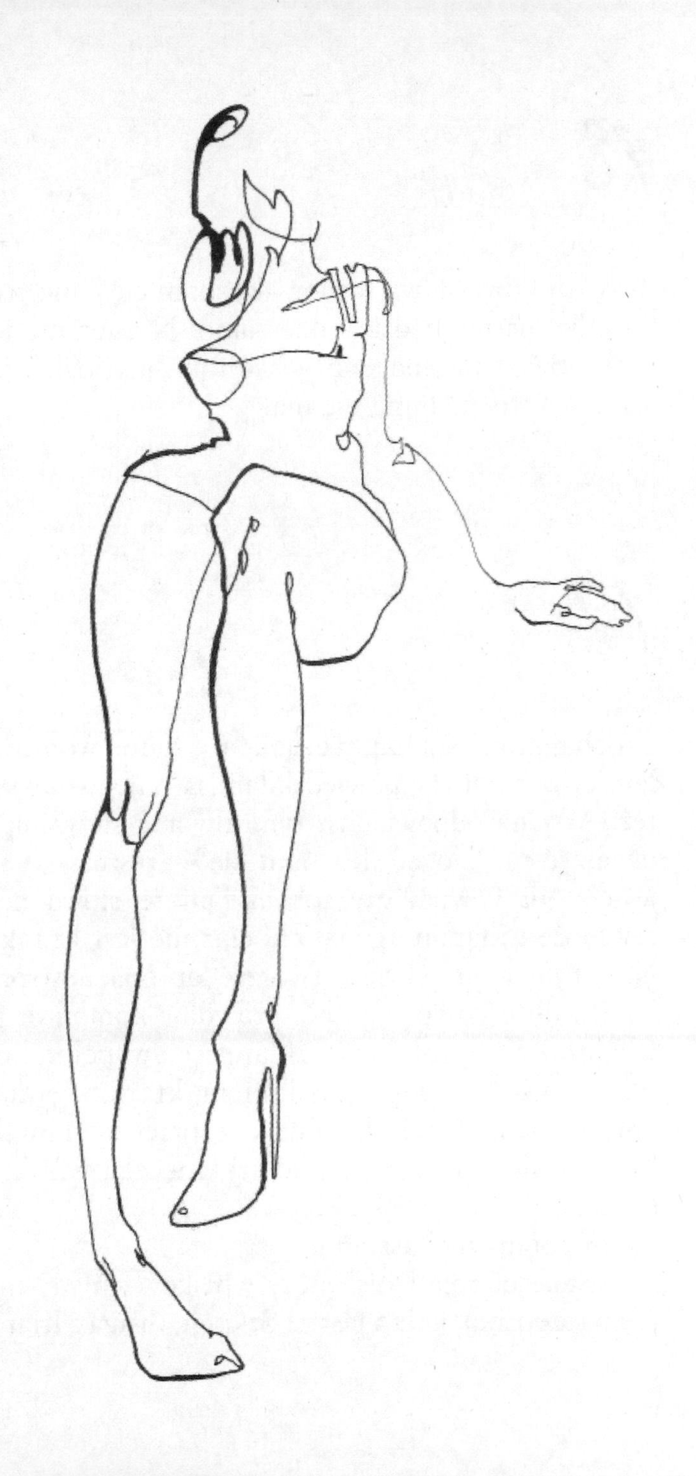

18

Twój list i dwa słowa w nim, „kocham cię", nic poza tym.
Nic już nie będzie takie samo. Nic już nie jest takie samo. Świat nie ma prawa być taki, jaki był. I ja trochę jestem, a trochę mnie nie ma.

19

„Kochaj mnie, kochaj, pierdolić to, że nie wolno", napisałam ci wczoraj czy powiedziałam, a najpewniej wyśniłam też. A ty mi odpowiadasz tymi dwoma słowami, w które uwierzyć nie mogę. „Kocham cię" – piszesz – i teraz nie jestem już pewna, czy zobaczyłam te słowa naprawdę, czy może to fatamorgana, chociaż nie jest aż tak gorąco. Nawet nie mam odwagi otworzyć laptopa, aby sprawdzić.

To dość łatwo napisać, prawda?, komputer przyjmie wszystko. Szczególnie po szklaneczce wypełnionej pomarańczowożółtym gęstym trunkiem, który odgania smutki i przygania melancholie, uczucia sprzeczne i myśli zdradliwe. Pisałeś, że siedzisz nad szklaneczką whiskey, a potem…

A potem kochasz mnie.

Ja nie cierpię whisky, czy whiskey – nigdy nie wiem, czym się różnią; jedna jest ze Szkocji, druga z Irlandii, tak?

Napisałeś „kocham cię", po czym najpewniej spojrzałeś na siebie, postukałeś się palcem w czoło i opadły cię wątpliwości. Dziesiątki małych brzęczących muszek. Dziesiątki pytań, bo jakże, skąd, po co, dlaczego, po jaką cholerę i o co chodzi. Kim jest ta dziewczyna, przecież na dobrą sprawę już nie bardzo pamiętam nawet, jak wygląda, kocham cię? Czy uśmiech ma ładny, zdaje się, że ma kształtne usta, takie do całowania nawet być może, ale czyż setki dziewcząt… i oczy koloru zupełnie nieokreślonego, figlarne czy kuszące? Co właściwie w niej zobaczyłem, nie wiem już, czy cokolwiek, kocham cię? Omotała mnie czarodziejsko tym spojrzeniem spod rzęs, dekoltem, w końcu jestem mężczyzną, ten sposób gładzenia się po szyi… co mogło mnie w niej zauroczyć, cóż to było, chemia, nie chemia, lubię, jak lekko sepleni, kiedy wymawia „żet", i podoba mi się, jak brwi podnosi, ale to chyba odrobinę za mało, aby. I po cholerę od razu wyznawać, po cholerę wielkie słowa, mało mam zagmatwania w życiu, żeby jeszcze taka. Skąd się ona wzięła w ogóle.

Kochasz?

I kolejny dzień z rozwłóczoną tęsknotą, nie wiadomo skąd wziętą, niepotrzebną, ale nieodzowną. Próbuję analizować, ale co tu analizować, że kusicielsko wpatrywałam się w ciebie podczas pierwszych spotkań? Że specjalnie założyłam granatową sukienkę z dużym dekoltem i bawiłam się szalikiem, rozwiązując go i zawiązując? Dwa dni zastanawiałam się, w co się ubrać, żeby było grzecznie i niegrzecznie, co tu analizować. Analizować to, że potem napisałam do ciebie: k o c h a m p a t r z e ć, j a k p a t r z y s z, c z y p a t r z ę? Nie znając cię przecież wcale, nie wiedząc, czy to prawda, co poczułam przez tę chwilę, kiedy nasze spojrzenia się skrzyżowały i zanim choć słowo z tobą zamieniłam. I enigmatyczne moje później tłumaczenie, że to po winie napisałam, że wstyd mi teraz i przepraszam. Odpisałeś, żebym nie przepraszała, bo to ładny początek, jeśli nie wiersza, to przynajmniej piosenki. A miłości? Czy to ładny początek miłości?

Kochasz...?

A później nasza randka pierwsza, och, jak walczyłam z sobą, aby być grzeczną dziewczynką, chociaż i tak najpewniej w oczach miałam wszystko to, czego nie miałam na ustach, prawda?

Randka z żarówką okropną niczym na przesłuchaniu, nad stolikiem, co zbyt wysoki był, szampan za słodki i za ciepły; ohydny, a w restauracji duszno.

Przez całe spotkanie mówiliśmy sobie na pan i pani, a żarówka w oczy. Już nie pamiętam, o czym rozmawialiśmy; pan i ja, choć właściwie w ogóle pana nie słuchałam. To znaczy słuchałam, ale nie słyszałam słów.

Nie było czym oddychać, tylko twoje oczy, usta i głos, który mnie oczarował. A ja marzyłam, by znikł dzielący nas stolik i ta żarówka, i kelner, i ludzie, i świat, aby przestał być naokoło i tylko ty i ja. Ty i ja, nami, sami.

Nasze spotkanie było zupełnie pozbawione znaczenia, jeśli chodzi o wypowiedziane przez nas słowa.

Kocham patrzeć, jak patrzysz, czy patrzę.

Nie liczyło się nic, że kradzione, tajne, że złe... złe? Ale jak coś, co jest piękne, może być złe? A potem zetknęły się nasze dłonie, naturalnie przypadkiem, proszę pana.

I spacer po parku, i ławka, i gałęzie drzew nad nami, i ty nade mną, i księżyc pochylony, wieczność w ułamku chwili. Wszystko jakieś takie zupełnie fantastyczne. I nic się niby nie działo, a wszystko było erotykiem.

Ty jesteś jak erotyk. Sposób, w jaki poprawiasz kołnierzyk, jak się uśmiechasz, marszczysz nos i mrużysz oczy. Jak trzymasz kieliszek, jak mówisz i co mówisz – czyli jednak cię słucham – wszystko to erotyki.

A potem wieczór, którego tak się bałam, kiedy powoli odwijałeś szalik z mojej szyi i rozpinałeś moją koszulę guzik po guziku. Bardzo, bardzo powoli. Tak cię chciałam, tak cię chcę, nic się nie zmieniło, nic mi nie minęło, ale czy miało minąć?

Kochasz...?

20

Wreszcie powrót z wakacji; tak oczekiwany, ale wciąż setki kilometrów do ciebie, wszystko stoi, korek, oszaleć można. A tu mąż. A tu auto coraz weselsze, ktoś otworzył butelkę, może to i sposób. Muzyka coraz głośniejsza, a za oknem coraz pochmurniej, ale mimo wszystko już bliżej ciebie, więc zaraz wiosna.

Czy mogę być twoją wiosenną dziewczyną? Jesienną miał już Przybora, zimowa jest zimna i krótka, jakaś zbyt smutna. Letnia trywialna i banalna, zupełnie do mnie nie pasuje. Czy mogę być więc wiosenną? Wiosenna – musisz wiedzieć – przynosi sporo zamętu. Ale wszystko rozkwita! Nie wiadomo o co chodzi, ale jakoś tak cieplej na sercu i wszędzie.

Ponad tysiąc kilometrów zostało w twoim kierunku, w twoją najsłodszą stronę. Byle szybciej, prędzej, chociaż to jeszcze dwa dni, zanim.

Po drodze minęliśmy zgnieciony samochód w rowie. Jakże tragicznie byłoby znaleźć się w rowie, zanim w oczy ci się nie powie, że się ciebie kocha.

Chce mi się jednocześnie śmiać i płakać. A noc dziś znów będzie czarna, przepastna i samotna. I świt zupełnie bezradny. Jaki byłby z tobą? Czy istnieją jakieś przymiotniki, które mogą go opisać, taki świt? Czy będzie mi dane je poznać?

21

– Ona mnie jednak zamęczy. Przyjaciółko moja najdroższa, mój ty psychologu bez papierka, co robić, co robić?! A myślałam, że po wymianie listów da spokój i jakoś to wszystko przycichnie. Ale wróciliśmy, i ona zaczyna bez przerwy zadawać pytania, rozumiesz. Pyta mnie za każdym razem, gdy się widzimy. I gdy się nie widzimy, to też pyta, esemesy wysyła, zwariuję.

– O niego pyta czy o to, co teraz z mężusiem będzie...?

– Oż kurwa, o wszystko. O to, co jest teraz, o to, jak się czuję, o to, co zrobię i na jakim jesteśmy etapie. Na jakim etapie, do cholery jasnej! I co ja mam zrobić, jak mam z nią teraz? Przychodzą do nas na kolację, już pomijam, że wkurza mnie sam fakt, że przychodzą, w sensie, że bez przerwy do nas. Ale może dlatego, że u nich można zęby wybić, potykając się o traktorki i smoczki, i że gotować nie potrafi. Przynajmniej w jednej rzeczy jest ode mnie gorsza, dzięki bogu. Wypindrzona do tego jak zwykle, na niebotycznym obcasie, nibyprzyjaciółka! Przecież wie doskonale, że nie będę w kuchni na obcasach, raz w życiu mogłaby pomyśleć, jak ja się z tym czuję. Coraz częściej mam wrażenie, że jej chodzi o mojego męża, żeby go poderwać. A niechby i poderwała, może to byłoby nawet jakieś rozwiązanie. Ale to nieistotne teraz, czuję się przy niej jak kuchta i ona musi to wiedzieć. Może dlatego nigdy nie chodzimy do nich, bo gdyby ją w tych pieluchach... I do tego jeszcze mój mąż zabijający się wzrokiem o te jej nogi w szpilach, zdzierających lakier z naszej podłogi...

– Suka.

– Suka. A ja, gosposia, biegam spocona, żeby podać wszystkim zupkę w tym samym czasie! I właśnie ostatnio... nalewam tę zupę, gorąco mi, wszystko w pośpiechu, a ona pyta mnie nad parującymi garami konspiracyjnym szeptem: „Jak tam?". No SRAKTAM!

– Ale co, oczekiwała, że jej będziesz opowiadać?

– Chyba tak, wiesz. A mężowie tuż obok w jadalni. Pojebana.

– „Jak tam"... no słaba jest?

– Teraz to rzeczywiście przeszła samą siebie. Ale zawsze tak jest. Nieważne, o co chodzi: czy jej wcześniej powiem, że pokłóciłam się z mężem, czy że z mamą, czy cokolwiek. I nieważne, czy jesteśmy w tłumie, czy siedzimy we czwórkę, za każdym razem złapie mnie za rękę i będzie niby szeptem próbowała się natychmiast dowiedzieć szczegółów, nienawidzę tego. Mam wrażenie, że generalnie jest zainteresowana tylko wtedy, kiedy jest jakaś mniejsza lub większa afera. Inaczej cisza.

– Tak, też znam parę takich osób, rzeczywiście. A może książkę pisze?

– Ja jej napiszę!

– Szlag by trafił. Nawet nie wiem, co ci poradzić.

– Tak żałuję, że jej to wszystko opowiedziałam. Pod wpływem debilnego impulsu, dlaczego nie poszłaś wtedy z nami na tę plażę! Kolejna tajemnica, która wiąże mnie z nią na zawsze. To właściwie smutne, że tak jestem z nią związana, a nie mogę na niej polegać. I nie chodzi nawet o to, czy czuję, że oddałaby za mnie rękę. Sama za niewiele osób oddałabym rękę, szczerze mówiąc, nie jestem pewna, czy za kogokolwiek, no, za niego, wybacz... ale jestem przekonana, że gdyby przyszło co do czego, nie zastanawiałaby się, czy mnie wydać, czy nie.

– Nie wiem, co mam ci powiedzieć, kotuś. Ale też sama jesteś trochę sobie winna z tym opowiadaniem. Przyznaj, lubisz urządzać takie małe przedstawienia. Nie gniewaj się, że to mówię, ale tak przecież jest. Zawsze lubiłaś i nie mogłaś się powstrzymać, taka już jesteś. Jesteś moją kochaną, spontaniczną, w gorącej wodzie kąpaną wariatką i kochasz być w centrum uwagi. Nie wiem, co teraz z nią akurat zrobić, ale następnym razem może zamiast opowiadać, lepiej się powstrzymaj i wylej na papier! Przecież i tak piszesz.

– Piszę, piszę. Może powinnam zacząć wreszcie na poważnie, rzeczywiście. Obiecuję to sobie przecież od dawna.

– To do dzieła! No, tylko sporo tłumaczenia może być potem.

– Ale że niby czemu, przecież to wszystko fikcja, życie jest, psia mać, fikcją.

– Taaak, a jak cię złapią za rękę, mów, że to nie twoja ręka...

– Bez przesady, nikt nie pomyśli, że jestem aż tak głupia, żeby pisać o sobie. Nikt zresztą nie będzie wiedział do końca, co jest tą prawdziwą prawdą w prawdzie...

– I czy ukradłaś stanik na sobie i wyszłaś w nim ze sklepu...
– Pamiętasz to!
– Ze mną też musisz się przyjaźnić już do końca życia!

Z tobą chcę się przyjaźnić do końca życia, taka różnica.

Ile procent prawdy w prawdzie, a kto to będzie wiedział, nikt nigdy przecież do końca nie wie wszystkiego; czy miałam romans z szefem i z którym, czy rzeczywiście nie lubię swojego ojca i czy moja mama przespała się z kolegą, czy to ja się z nim przespałam. W końcu *każde słowo jest fałszem i prawdą; to istota słowa i kto chce wierzyć albo wszystkiemu, albo niczemu...*[2]

Można też sto procent, tylko tak podać, żeby nikt nie uwierzył, prawda? Tak jak wtedy... pamiętasz, przyjaciółko pierwsza, kolejna tajemnica, która wiąże mnie z tobą. Moja wina, jak zwykle, bo to ja miałam wówczas narzeczonego. Chociaż w studenckich czasach to jakoś więcej przecież wolno. Ty nie byłaś jeszcze wtedy matką-polką-lekarką i to mój z Ameryki narzeczony wyjechał na jeden dzień w delegację. A ty bardzo chciałaś iść na kolację z moim przystojnym kolegą z roku.

No i poszłyśmy, pamiętasz, na kolację z kolegą z roku. Legalnie. Oficjalnie wszystko, krewetki jadłaś.

Kolacja pyszna, wino leje się czerwone z białym naprzemiennie. To może drink u mnie, skoro przyjaciółka i tak u mnie nocuje. Świetnie. Muzyka, świece, kanapa, znalazł się nie wiadomo skąd pornosik. Pornosik więc sobie, my sobie, baju-baju-baju, gadu-gadu nocą, drink się wlewa jeden za drugim, czy mogę cię pocałować, możesz, a może wy się pocałujcie, dziewczynki, a może, to zupełnie jak w filmie. Od całowania do całowania, on puka ją, ja pukam ją, ona puka mnie, drineczki rozlane.

Procenty prawdy w prawdzie ujrzały światło dzienne następnego dnia, kiedy narzeczony wrócił z konferencji. Czekając na niego, piekłyśmy indyka, bo to Święto Dziękczynienia było, a chłopak przecież ze Stanów. On pyta, jak spędziłyśmy wieczór, a ja odpowiadam z uśmiechem: „Darling, niesamowita orgia była u nas w domu, rżnięcie roku!". „Ty to masz wyobraźnię" – mówi on z podziwem, po czym we trójkę siadamy do upieczonego ptaka i jest tak miło i dziękczynnie, że aż drineczek się czkawką odbija.

Pukajcie, a będzie wam dane. Nawet nie można powiedzieć, że minęłam się wtedy z prawdą, prawda?

– Z tobą chcę się przyjaźnić do końca życia, głupia. I masz rację, piszący nie może przecież tłumaczyć się ze swojego pisania, bzdura.

– I tak będziesz się tłumaczyć, bo wmówią ci wszystko.

– Tak, *piszę fikcję, a mówią mi, że to autobiografia. Piszę autobiografię, a mówią mi, że to fikcja...*[3]

– O, rewelacyjne! Nie mów, że sama to wymyśliłaś na swoje usprawiedliwienie.

– Niestety. Ale kiedyś dojdę i do takich mądrości. Póki co to Roth, który za mnie bardzo często pięknie wszystko tłumaczy.

– Świetny tekst. Tylko pomimo tych tłumaczeń wszyscy mogą zacząć na siebie podejrzliwie patrzeć. A na ciebie naturalnie najbardziej.

– A wiesz, gdzie to mam? Nawet ojciec mi kiedyś powiedział, że pisząc, trzeba łamać obłudę i wszystkich powinnam mieć w głębokim poważaniu. Cała literatura to zresztą kłamstwo. Już nie chcę rzucać cytatami, ale jest dokładnie tak, jak Nabokov, mistrz mój, powiedział: wszyscy pisarze są wielkimi oszustami. Co prawda dodał tam chyba „wielcy"...

– Oj tam, oj tam...

– Rozterki pisarskie, rozterki małżeńskie, rozterki miłosne... Ale mogłam nie iść na polonistykę, prawda? Mogłam zostać kelnerką, nieźle mi szło.

– I tak cokolwiek powiesz czy napiszesz, każdy będzie myślał swoje. Zawsze tak jest.

– Tak, mimo że niewielu ma klucz do tej prawdziwej prawdy... Niektórzy mają może jakieś tam zaledwie wytryszki.

– Nooo, ja mam, kochanie, w twoim przypadku cały profesjonalny zestaw wytrychów!

22

Znowu piję, winna jednak; rozterki pisarskie, rozterki małżeńskie, rozterki miłosne. Teraz jedynie miłosne, bo tęsknię za tobą, aż boli. Przede mną kieliszek na smukłej nóżce, wypełniony czerwoną melancholią; jak łatwo grzecznej dziewczynce stać się niegrzeczną dziewczynką. Moje wino, nasze zdrowie.

Wyobrażam sobie wiele niemożliwych możliwości bycia z tobą, a jedna piękniejsza jest od drugiej i każda następna bardziej niemożliwa od tej poprzedniej. Życie z tobą, możliwość niemożliwa.

Wiesz, myślę, że zá bardzo cię chwalę i zbyt wiele wyznaję. Za bardzo się przed tobą otwieram i za bardzo uwielbiam. Jak mogę uwielbiać, skoro znam cię tak krótko? Nie mogę. A jednak. Za dużo mówię ci miłych rzeczy, za bardzo w ciebie wpatrzona. Za dużo o tobie myślę, za często śnię. Powinnam uwielbiać mojego męża, który jest obok tutaj i dba o mnie. To w niego powinnam być wpatrzona. A tymczasem ja w niego wcale.

I ta moja wspólna z nim droga, którą sama wybrałam, z radością przecież! Nasze życie połączone, obiecane, wyznane, przysięgane. To o nim powinnam myśleć i śnić, do niego pisać wiersze. Zbyt wiele wierszy dla ciebie napisałam, zbyt mało wierszy dla ciebie napisałam. Zbyt wiele razy płakałam, ponieważ ty. A raczej ciebie brak. O wiele za często pojawia się ten uśmiech rozanielonego szczęścia na mojej twarzy, gdy tylko o tobie. I oczy natychmiast mi lśnią, wystarczy, że ledwie się odezwiesz, napiszesz, zadzwonisz. Już nie mam jak tego ukrywać, za chwilę nie tylko przyjaciółki pierwszej będę się bała, ale samej siebie zacznę się bać, bo to moje zakochanie jak na dłoni.

Za bardzo zawładnąłeś moimi myślami, za bardzo zawładnąłeś moim ciałem, zupełnie jakby było wcześniej martwe lub półuśpione. Nagle obudziłeś wszystko. Bez przerwy czuję niezdrowe podniecenie, z samych jedynie myśli. Bo nigdy wcześniej w takiej esencji. Zbyt często patrzę na siebie twoimi oczyma i zastanawiam się nad krągłością moich pośladków i napięciem skóry na udach i brzuchu. Zbyt często patrzę na swoje piersi, czując na nich twoje wargi. Te usta, uzależnienie od nich jakieś! Za często przywołuję twój głos, który doprowadza mnie do ekstazy. Nigdy mi się coś takiego nie zdarzyło i to, do cholery, stało się tak nagle! Jestem tak nieszczęśliwa, tak nieprzyzwoicie luksusowo nieszczęśliwa bez ciebie!

23

Tak długo czekałam. Ale wreszcie jestem, wreszcie jesteś. I walc Szostakowicza. Szłam do ciebie tanecznym krokiem, a ty już coraz bliżej moich dłoni. Walc grał we mnie i chciało mi się śmiać i krzyczeć z radości. Uśmiechałam się nawet do chmur. Musiałam wyglądać jak wariatka, ale czułam w sobie tę muzykę i naprawdę miałam wrażenie, że tańczę, gdy tak biegłam w twoje ramiona, które już za chwilę miały się zamknąć nade mną.

A potem się zamknęły i wszystko umilkło. I świat jakby nie istniał, jedynie nasza niby-planeta. Nasza; jakie piękne słowo.

Zamknąłeś nade mną niebo i piekło. Były tylko twoje dłonie, usta, smak, głos, jęk, łuk twoich pleców. Tylko my. Na końcach naszych języków, w naszej zeroerhaplus. Przeżyłam chwile, których nie było.

Teraz już wszystko inaczej i śnieg pada, chociaż przecież jest środek wiosny. A może to nie śnieg, tylko płatki jabłoni, które rozkwitły jednocześnie i w ciągu tej jednej zaledwie nocy? Tylko że jabłonie kwitły już przecież dawno...

Szukam twojego zapachu w zakamarkach mojego ciała, w pościeli, we wszystkich zagięciach i zagłębieniach. Niknie, ale ja i tak chcę tańczyć, bo to się przecież nie zdarza, nie trafia, normalni ludzie nie mają prawa przeżywać takiego szczęścia. Nie ma tutaj miejsca na smutek, więc skąd te płatki śniegu czy jabłoni. Skąd ten chłód. Wiem przecież, że nie mogę zasypiać i budzić się z tobą, wiem. Dlaczego więc jest mi zimno?

Pochyliłeś nade mną usta gorące
mój kochanku ze snów.
Moje usta tak krwiste jak maki na łące,
chcą byś całował znów.

Ty nade mną w zachwycie,
ja pod tobą w rozkwicie.

Gdy mnie brałeś w objęcia
cała drżałam z przejęcia
niczym czuły jabłoni kwiat.
Twoje ręce natchnione,
moje ciało złaknione;
może już skończył się świat?

Drżałam z zimna, z rozkoszy?
Sama nie wiem dlaczego;
czemu drżałam, skąd zimno i chłód.
Płatki na nas spadały
niczym śnieg świeży biały;
może stąd w twoich dłoniach ten lód...

Ty nade mną w zachwycie,
ja pod tobą w rozkwicie...

24

Przedział pociągu, którym wracam na spotkanie mojej rzeczywistości, jest zatłoczony i gwarny. To właściwie nawet lepiej, bo nie mam jak skupić się na tym smutku, który jednak nadszedł wczoraj, gdy wyszedłeś z mojego pokoju. Wpełzł najpewniej przez szparę w drzwiach, a może nie zamknęłam na noc okna. A przecież nie powinnam się smucić, nie wolno mi. Jesteś i to jest piękne. Chociaż kradzione, bo przecież ty kradniesz mnie, a ja ciebie. Obok siedzi ksiądz, może to znak, zaraz zacznę skwierczeć i dymić; złodziejka, winna, niewierna.

Powiedziałeś, że najbardziej boisz się tego, że możemy się strasznie sponiewierać i potem nie poskładać, nie pozbierać. A więc to już się dzieje? I ta nasza miłość na godziny i bez dachu nad głową... *Miłość bez dachu nad głową, znamy to, miłość bez podstaw codzienności, miłość zdana na godziny uniesienia, jak wiadomo, prędzej czy później staje się rozpaczliwym przedsięwzięciem, jest skazana na zagładę*[4]. Ale mówią też, że miłość niespełniona bogatsza jest i piękniejsza od tej spełnionej.

Od kiedy zamknęły się za tobą drzwi, mam wrażenie, że się roztłukę, jak lusterko się rozpęknę, siedem lat nieszczęścia. A przecież niby nic się nie stało, po prostu wyszedłeś. Przespałam resztę nocy, wpatrując się w sufit szeroko otwartymi oczami. A ty przecież tylko wróciłeś do swojego życia. To jedynie rzeczywistość spoliczkowała mnie na pożegnanie.

Ale jednocześnie jestem też najszczęśliwsza na świecie! Nie pojmuję, skąd ten chłód i smutek. Przywołuję sobie słowa poety, które ty szeptałeś do mnie wczoraj, zanim wyszedłeś: *i przecież choć gorączka nie jest w stanie władać tobą bez końca, rozumiem ją przecie: bo i ja wolę godzinę posiadać ciebie, niż wiecznie – wszystko inne w świecie…*[5] Teraz ja szepczę to do ciebie, czy raczej do siebie szepczę, aby wytłumaczyć sobie, że nie powinnam się smucić, tylko cieszyć. Cieszyć, bo przecież *całą wieczność mieści kochanków godzina*[6]. Ale jednak *konam zawsze, ilekroć od ciebie odchodzę…* Może i zbyt wzniośle, ale pięknie. Wszystko to John Donne, którego mi wczoraj recytowałeś, i już wiem, dlaczego Hemingway wybrał jego słowa jako motto do swojej największej powieści. Ale teraz już nie będzie tak literacko, angielska poezja metafizyczna zostaje z tobą, a ja wracam do rzeczywistości.

A w tej rzeczywistości, do której pędzę zatłoczonym pociągiem, niech żyje bal! Mąż wygrał dużą sprawę w sądzie, więc w domu przyjęcie. Imprezka! Imprezka! Imprezka! Głośna muzyka i dużo, dużo alkoholu. Aby się cieszyć, aby szaleć.

Ale powinnam być z niego dumna, prawda?

Każde z nas upije się tym samym winem z innego powodu.

Pociąg nie uległ katastrofie. Zupełnie nie rozumiem dlaczego.

tych parę kropel szczęścia,
które mam
dzięki twojemu istnieniu
są warte całego
nieszczęścia,
które niechybnie
kiedyś musi nadejść

Napisałeś, że grasz epizod partyzanta zamaskowanego moim zapachem. Nie grasz żadnego epizodu. Chciałabym powiedzieć ci: „Kochanie, jesteś wszystkim!".

Ale w mojej sztuce główna rola jest już obsadzona. W naszym przypadku wielkie słowa i deklaracje nie mają sensu. W twojej sztuce główna rola też jest już obsadzona, prawda?

Czy KOCHAM CIĘ to wielkie słowa? Czy „rzuciłabym dla ciebie całe swoje poukładane życie" to wielkie słowa? Czy „oddałabym wszystko, aby stworzyć z tobą coś nowego" to wielkie słowa? Ale co nowego! Co nowego? Nowe życie, nową rodzinę? Właśnie, właśnie. Myślisz, że łatwo to pisać? Niełatwo. Nie pisałam tego do nikogo i uwierz mi – naprawdę miałam nadzieję, że już nigdy nie będę.

Układałam sobie tu wszystko tak zupełnie ładnie, malowałam kwiatki na ścianach i sadziłam je również w doniczkach. Planowałam, budowałam, budowaliśmy. I bliźniak z przyjaciółmi miał być. Ma. I dzieci w tym samym czasie, bo tak najłatwiej i cudownie, jakże cudownie. I wakacje na wyspach pełnych kolibrów i rajskich pieprzonych ptaków. I przyszłość i starość wspólna; bajkowa niczym te wyspy szczęśliwe, na które miał mnie zawieźć mąż. I nagle pojawiłeś się. Upatrzyłam, osaczyłam. V*eni*, *vidi*, zwyciężyłam?

Wcale! Zwyciężył mnie ogrom uczuć, które uwolnił twój wzrok i słowa. Chociaż to i tak niczego nie zmieni, bo nie możemy się mieć, możemy się miewać, tak powiedziałeś. I że powinniśmy powiedzieć sobie, że tak jest lepiej.

Powinniśmy, tak, oczywiście. No to mów.

Nie, nie oczekuję wcale, abyś czuł podobnie, niczego nie oczekuję, nie czuj się zobowiązany, nie musisz niczego odwzajemniać.

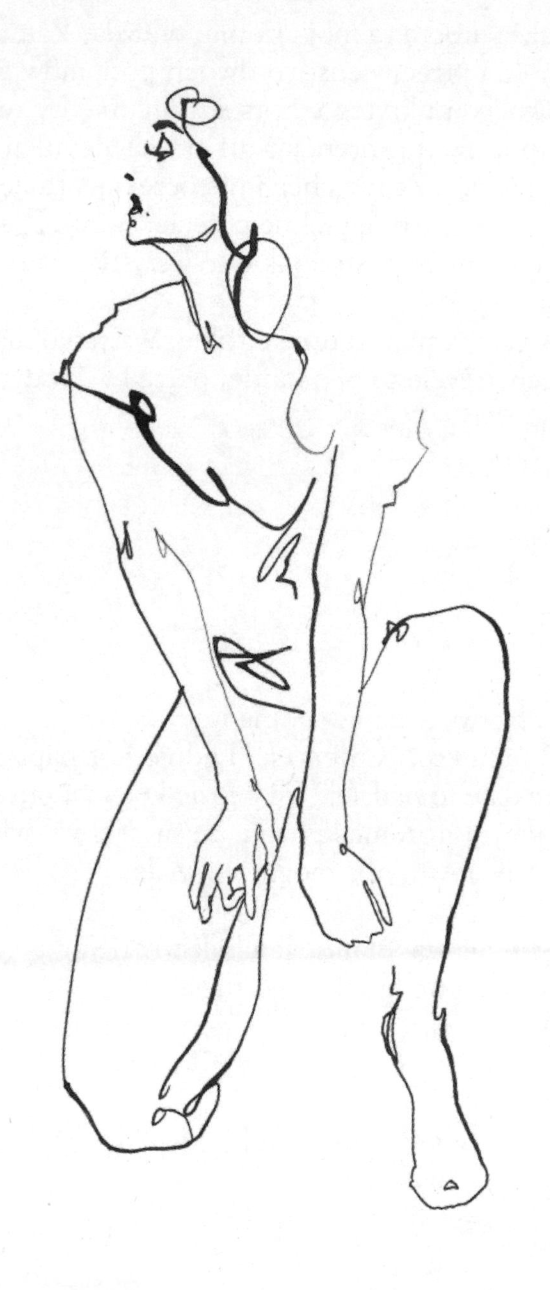

Jakże urocza ta moja ironia, prawda? Zamierzona niezgodność i przeciwieństwo dwóch poziomów wypowiedzi, dosłownego i ukrytego. Sprzeczność między zewnętrznym sensem a ukrytą intencją; już nawet definicji nauczyłam się na pamięć. Że nie chcę i nie oczekuję, zdaję sobie sprawę, sratatata, cóż za piękne pojęcie. A ironia jest podobno potwierdzeniem pustki, jakie to wszystko, kurwa mać, ironiczne!

A ja i tak nieustannie o tobie. Wszystko ma twój smak i zapach, a życie to ty o każdej porze i w każdym miejscu.

25

Nasza pierwsza cała wspólna noc.

Pomimo że, pomimo iż. Ładnie jest napisać pierwsza, zawsze daje to nadzieję, że będzie kolejna, prawda?

Jakbym zrozumiała nagle, że świat trwał tylko i wyłącznie po to, aby ta noc mogła się wydarzyć.

gdy ciało zachłanne pochylisz nade mną
gdy całą mnie sobą ogarniesz
spadnę gdzieś na dno, w noc czarną i ciemną
ty – razem ze mną tam spadniesz

gdzieś w tej nocy, w otchłani
tobą ja, nami sami
gdzieś spleceni, stargani i w dół

gdy się ciemność otwiera
ja pod tobą zamieram
ty i noc mnie przecina na pół

A potem niemal jak w kadrach z *Casablanki* i wszystko takie filmowe: siedzieli w kawiarni nad szklaneczkami Jamesona, czekając na pociąg, który miał odwieźć go do jego miasta i jego życia. Nie ma jeszcze południa, a Jameson jest bez lodu i szczypie w gardło. Mimo to zamówił, bo miało pomóc, tylko w czym i komu?

Ona nie lubi whiskey, która pali, jak palił jego dotyk jeszcze przed chwilą, jeszcze tak niedawno, podczas pierwszej wspólnej nocy. Ale on ją nauczy. Tak jak nauczył już wielu nowych smaków, nowych rzeczy, pokazał wiele nowych uczuć. Jak to możliwe?, znają się przecież kilka chwil i do tego skradzionych uciekającemu czasowi.

Spadnę gdzieś na dno, w noc czarną i ciemną, ty – razem ze mną tam spadniesz.

Nagle on poważnieje, a jego oczy stają się jeszcze bardziej szare. I te poważne szare oczy pytają, a usta zaraz potem.

– Uciekłabyś ze mną? Naprawdę?

Cisza drażni niczym ten alkohol, a może jeszcze nawet bardziej. Nie odpowiada, chociaż chciałaby wykrzyczeć. Po co pytać, kiedy jedyną odpowiedzią jest TAK.

Whiskey kończy się kiedyś, nawet podwójna, a jego powrotny pociąg nie poczeka, więc do zobaczenia, wymuszony uśmiech, choć pod powiekami fontanny. Nie odwrócił się ani razu. Względy strategiczne nie pozwoliły mu się odwrócić. Mężczyźni się przecież nie odwracają.

Spadnę gdzieś na dno, w noc czarną i ciemną.

A ona? Napisała mu „tak” i poszła w swoją codzienność. Wyszło słońce, rozbrzmiewa Rachmaninow, rapsodia opus czterdzieste trzecie. I ona idzie w tym blasku, swoim tanecznym, trochę kocim krokiem, który on tak lubi. A wokół tłum spieszących dokądś ludzi.

I nagle w kadrze on. Biegnie za nią, a wszystko w zwolnionym tempie. I w tym tłumie łapie ją za rękę, teraz, właśnie teraz, minuta i trzydziesta siódma sekunda utworu!

Łapie ją za rękę.

Jaka piękna, ckliwa scena. W jej wyobraźni i snach. Niewyśnionych nigdy do końca. Ale wszystko takie ładne i kolorowe.

W wyobraźni też na zawsze jej obraz pod jego powiekami. Obraz, który jedzie teraz pociągiem sto osiemnaście kilometrów na godzinę w kierunku przeciwnym, bo każdy kierunek jest tym przeciwnym.

Obraz oprawiony w ramę drzwi pokoju hotelowego, w którym zasnęli i obudzili się razem. Jej kształt rysujący się pod czarną, lekko prześwitującą sukienką. Dla niego. Jej jeszcze dłuższe nogi w pończochach i wysokich szpilkach. Dla niego. I dwa kieliszki do szampana w drżącej dłoni, dlaczego drżała? Szampan o lekko orzechowym posmaku – jak jej skóra, mówił. To naprawdę dobra scena. Dobrze zaświecona i dobrze nakręcona. Świetnie zmontowana.

On na kanapie w czerni pokoju, w ciemności. Siedział i czekał w ciemności, zupełnie jakby wiedział, jakby przeczuwał, że ona szykuje dla niego taką scenkę. I potem pojawia się w tej sukience i szpilkach w jasnym prostokącie drzwi.

– Zamawiał pan szampana?

A potem bezruch, bezdech, bezsłów, czy może krzyk właśnie.

Ty – razem ze mną tam spadniesz.

Dlaczego za nią nie pobiegł. Co go zatrzymało. Za dorosły jest, za odpowiedzialny? Czy nie chciał wcale za nią biec. A jeżeli nie biegnąc, rezygnuje z czegoś pięknego? Z czegoś ważnego, co nigdy więcej może nie mieć szansy się zdarzyć? Nie wierzy w NICH, w nią. Nie wierzy, że MOŻNA, bo ludzie zwykle nie wierzą. *Nie wierzą i uśmiechają się, mówiąc o miłości, bo myślą o miłostkach. Myślą o swoim życiu i o tym, jak je zmarnowali, bo nie dostrzegli obok siebie drugiego człowieka, który może naprawdę ich kochał... Dlatego się uśmiechają. Chcą oszukać swoją inteligencję, która im wmawia: „W porządku, ty nie spotkałeś nigdy takiego kogoś. To ta frajerka, naiwna frajerka wierzy w coś takiego jak miłość". I uśmiechają się...*[7] Być może on nie wierzy w nich...

Nie pobiegł za nią i wciąż huśtawka – uniesienie, ból, uniesienie, pustka, uniesienie, upojenie, co dalej. Bo za wcześnie na obietnice, na deklaracje? A kto ma decydować o tym, kiedy jest ten właściwy czas? A co, jeśli przegapią ten czas? Bo on nie wierzy, bo się nie odwrócił, bo nie pobiegł? A przecież *jeśli przegapi się właściwy czas, jeśli za długo się przed czymś wzbrania, (...) potem przychodzi to zawsze za późno*[8]. Czy dla nich będzie w ogóle jakiekolwiek późno, które przecież i tak lepsze jest niż nigdy?

Może trzeba czasu, czas jest dobry, on potrafi. Potrafi wiele wytłumaczyć, wyciszyć, pomóc przetrwać, wymazać. Miłosne siniaki zbledną, ugryzienia znikną, zapach się ulotni, ciało zregeneruje. A umysł... czy umysł też się zregeneruje? Wypali, zapomni? Lobotomia?

Przecież to nie o siniaki i zapach chodzi, nie o fizyczność.

Wszystko byłoby proste, gdyby połączyła ich jedynie fizyczność. Fizyczność, która nie pozwala spać, nie pozwala dotknąć się obojętnie. Która każe jęczeć i drżeć. Która każe zaciskać palce, aż bieleją kostki, i wargi zagryzać do krwi. Fizyczność, która rozrywa od środka, pragnie coraz więcej i więcej, jest nienasycona i chociaż boli, to chce, żąda więcej. Fizyczność, która każe otwierać się drzwiom dotąd nieotwartym, która pcha w najbardziej wyuzdane nieznane – aż do granic, która balansuje na granicy. Która nie wie, co to granice.

Połączyła ich przecież psychika, umysł, ta „chemia mózgu", która się nie tafia. To, że ona nie nudzi się przy nim ani przez chwilę, że zaraz po wspaniałym spełnieniu chłonie jego opowieści, jego małe wykłady; tylko dla niej. To, że on z zamkniętymi oczami, nagi i spocony jeszcze, opowiada jej zabawne historie, anegdoty o artystach, mówi o literaturze, filmach, muzyce i o tym, co widać w kropli rosy. To, że mają o czym rozmawiać, że tyle jest tematów; jeden się nie kończy, a już zaczyna się następny. Że wiersze, piosenki, on czyta jej poezję, uczy, imponuje, „zaraża ją" wiedzą, a ona dla niego chce być jeszcze lepsza, dzięki niemu chce być jeszcze lepsza dla samej siebie. To, że mają śmiech wspólny, chociaż tak niewiele czasu dla siebie. Dzielą pasje, smutki i radości. To, że dzięki niemu poczuła się piękna, poczuła się chciana. Że poczuła się dzięki niemu kobietą.

Dlaczego za nią nie pobiegł?

Cała ta historia wydarzyła się przez przypadek? To przypadek, że on wszedł, a ona tam była? Że ich spojrzenia się skrzyżowały? Wszystkie elementy układanki, wszystkie te puzzle tak pasują, i to ma nie być TA układanka? Bo co, bo jednakowa grupa krwi wszystko tłumaczy?

Tak, ona niby wie, przecież nie jest naiwną frajerką; jutro już wszystko będzie bardziej odległe, rozmyte. Musi starać się cieszyć codziennością, przecież była w jakimś kolorze. Może nie różowym, ale jednak miała jakiś kolor.

Rzeczywistość PRZED nim i rzeczywistość PO nim. Musi nauczyć się znów cieszyć, inaczej oszaleje. Nie może żyć od wielkiego wtorku do wielkiego wtorku, od spotkania do spotkania, od listu do listu, od szeptu do krzyku. Nie może żyć, szukając jego zapachu na ulicy, w sklepie, w metrze. Czy gdy nauczy się ładnie rozdzielać te dwie rzeczywistości, to nagle wszystko stanie się proste? Ale przecież jej świat bez niego nagle wydał się całkowicie pozbawiony sensu. Przecież to on dopiero *stał się dla niej źródłem natchnienia. Odkąd go poznała, świat stał się pusty. Właśnie dlatego, że pełno w nim idei, talentu, fantazji, nie jest pełnym światem. On dopiero uzupełnia go o piękne rozżarzone ciało, olśniewający głos, przepastne oczy, narkotyczne gesty, zniewalające kształty… A świat bez niego? Zabrakłoby piękna, głosu, cielesności. Czymże byłaby cała napisana poezja, wszelkie wyobrażenia erotyczne, obsesje, mrzonki, koszmary, manie, gdyby zabrakło jego…*[9] Czy ma to utracić? Musi to utracić?

Czy muszę cię utracić? Ponoć natura życia jest tak groteskowa, że dopiero strata nadaje mu sens. W takim razie ja chcę żyć bez sensu.

Ale jak mogę cię utracić, skoro cię wcale nie posiadam? Zresztą powiedziałeś, że na tym właśnie polega miłość: mieć najważniejszą rzecz na świecie, ale jej nie posiadać. Mieć, ale nie posiadać… Najważniejsza rzecz na świecie, jakie to patetyczne jednak. A co jest dla ciebie najważniejsze na świecie, bo nie ja przecież, nie jestem aż tak nieskromna. Tak naprawdę to w ogóle w siebie nie wierzę i nie rozumiem czemu ty, czemu tak.

Dla mnie do tej pory całym światem był mąż; on był w centrum, co było dobre i nawet miało jakiś sens. Teraz mój świat nie ma centrum. Kiedy to się zmieniło? Czy to ty zmieniłeś? A przecież on, a przecież jemu jeszcze tak niedawno.

I niby noszę na ręku bransoletkę ze złotym Małym Księciem, symbol mojej miłości. Symbol mojej miłości do ciebie. Kogo oszukuję? Jego oczywiście, bo on myśli, że to dla niego. Ciebie oczywiście, bo tego nie wiesz. Siebie, bo wiem.

A on przecież zasługuje, by być w czyimś centrum. Jest dobry i miły. Ale do znudzenia zwyczajny przy tobie, cóż mam powiedzieć? A jeszcze do niedawna był niemal fascynujący. Mój poukładany i wygładzony, wyprasowany pan mąż mecenas, robiący karierę, w tych swoich garniturkach szytych na miarę, ze skórzaną teczką, w szybkim aucie. A przecież jego kariera imponowała mi kiedyś, a może tylko wydawało mi się, że imponuje? Ale chce dawać i daje mi wszystko. Jest w tym takim twoim przeciwieństwem!

I mnie chce i nasze dzieci mieć, a najpewniej i wnuki, i dom ze mną, i na obiad dziś pójść do romantycznej restauracji w centrum miasta. I ma złote loki i smukłe palce pianisty, w tych dłoniach zadurzyć się można, w tych dłoniach się zadurzyłam. I chciałam jeszcze tak niedawno, wczoraj właściwie prawie.

Lecz mnie rozdarłeś, czy sama się rozdarłam, czy wy mnie przedarliście na pół; ty i on, chociaż nieświadomie. Tylko te połówki nawet równe nie są, życie to nie matematyka, chociaż podobno tak, i software wszechświata pisany jest jej językiem.

Więc jak to jest z tymi moimi częściami? Która należy do którego z was, czy któraś w ogóle należy do mnie? Czy ja należę do siebie, czy do ciebie już cała?

Tak, wiem, czas i te różne bzdury, że wszystko minie, przyjdzie opanowanie i tak dalej. Pieprzę opanowanie, nie chcę, żeby mijało. Czas nie odtworzy tego, co utracę, nie ja to wymyśliłam.

Napisałeś mi kiedyś: „Jeśli będziesz chciała, abym zniknął, zniknę". Nie chcę. Chociaż to wszystko coraz bardziej skomplikowane.

A teraz przyszła wiadomość od ciebie, z twojej odległej rzeczywistości. Miga czerwona ikonka na ekranie komputera. Czy wierzysz w nas w tym liście? Czy pobiegłeś za mną? Czy odwróciłeś się i odszedłeś… rozsądny, dojrzały, odpowiedzialny. Ucisz serce, uciszam, otwieram, jesteś, chcesz. Och, kochasz!

Ale świat nie kręci się przecież wokół mnie, nie jestem omfalosem.

piszę ten wiersz kolejny raz
ciągle jest zły, ciągle nie nasz
wciąż coś nie tak, wciąż rym jest zły
bo w życiu brak rymu do „my"
jest rym do ja i rym do ty
lecz zły ten rym i złe są sny
i zła jest noc i złe są dni
źle gdy się nie śni, źle gdy się śni

nie rymujesz się ze mną, choć chcę znaleźć te rymy,
choć ich szukam co noc i za dnia,
chociaż sny są bez treści, jak w tandetnej powieści
i bez rymu, bez treści też ja
tańczyć z tobą walczyka! czas – jak rym – nam umyka,
nie rymuje się dobrze ten czas,
gdy się „my" nie rymuje, walc bez rymu się snuje
i brak treści, brak sensu, brak nas

jest rym do ja i rym do ty
lecz zły ten rym i złe są sny
i zła jest noc i złe są dni
źle gdy się nie śni, źle gdy się śni
i znowu zgrzyt, i akcent źle
i nic na tak, wszystko na nie
jak ty i ja – brak sensu w tym
nie ma tu nas, bo gdzie jest rym!

nie rymujesz się ze mną, choć chcę znaleźć te rymy,
bo bez rymów bez sensu jest świat,
nawet sny są bez treści, jak z tandetnej powieści,
jak ten walczyk, co w ucho mi wpadł,
ale słów nie pamiętam, moc jest w rymach zamknięta
i bez rymów nie klei się tekst
nie zatańczę walczyka, bo bez rymu takt znika
i ten walczyk bez sensu też jest

26

– Ale co, zakochałaś się, tak? Cierpisz?

Nie patrzy mi w oczy, dlaczego nie patrzy mi w oczy, boi się, że odpowiem nie tak, jak by tego oczekiwała? A co byś chciała usłyszeć, mamo?

Nie odpowiedziałam. Czy brak odpowiedzi oznacza odpowiedź twierdzącą?

– A czy on też się zakochał?

– Mamo, nie wiem. Chyba tak.

– Cierpi? Rzuciłby wszystko? Też?

Skąd pomysł, że ja rzuciłabym wszystko TEŻ?

Oczywiście, rzuciłabym, ale nic przecież nie powiedziałam, czy ty czytasz w moich myślach?

– Nie rzuciłby.

Zła odpowiedź. Jednocześnie wiem, że takiej dokładnie odpowiedzi się spodziewała.

– No. To się zastanów.

Sama się zastanów. Jakie wszystkie jesteście mądre. Załóż, mamo, klub z moją przyjaciółką numer jeden. No to się zastanów, no to się zastanawiam właśnie od tygodni, co mam ci jeszcze powiedzieć?

– Zastanów się. Ochłoń. Przemyśl. Co jest warte, a co niewarte. A czy on ma żonę, dzieci?

Przemyśl to takie miasto, mamo.

– Ma. Wszystko.

– Tak…

Co tak. Nie. Właśnie nie!

27

Oczywiście, że uciekłabym z tobą, co za głupie pytanie. Tak, zostawiłabym dotychczasowe życie i przeprowadziłabym się do innego miasta, na drugi koniec Polski, do innego kraju, na drugi koniec świata, na inną planetę.

Walczyk niby ciągle we mnie, ale nie tak radosny jak kiedyś. Co się zepsuło, czy to ja się zepsułam, dlaczego? Przecież mam wszystko i nawet ciebie miewam, to takie piękne.

Piszę o tych ucieczkach odważnie, ale nie dlatego, że wiem, że i tak mnie o to na poważnie nie zapytasz, nawet po kilku podwójnych whiskey. Piszę, ponieważ bezsennie w bezsenne noce o niczym innym przecież. Ja i moje tęsknoty. Tak. Im bardziej cię znam, tym bardziej tak. Im więcej o tobie wiem, tym bardziej tak, jestem twoja, ulepiona od nowa twoimi dłońmi, i *kocham to, co obiecujesz, lękam się tego, czym grozisz, nienawidzę, co ganisz, przyjmuję, co zalecasz, będę opłakiwać, nad czym wymownie ubolewasz, będę się cieszyć tym, co ukazujesz jako przedmiot radości*[10], czy to naprawdę jedynie święty Augustyn, czy jesteś po prostu całym moim światem?

Jak to się stało i gdzie w tym wszystkim zagubiło się moje uczucie do tego, który dzieli ze mną życie i dla którego nie muszę nigdzie uciekać, zmieniać miast, planet. Gdzie się podział w tej opowieści. Dlaczego nagle zniknął, rozpłynął się niczym mgła nadranna, rozpuścił się, nawet nie jak tabletka Alka-Seltzer rozpuszcza się w wodzie, bo bąbelków nie było, a kac jest.

Oddycham głęboko, patrzę na ślad po obrączce na serdecznym palcu lewej ręki – nawet obrączkę nosimy; ty i ja, na tym samym ręku. Chociaż to podobno niewłaściwa ręka. Patrzę i nie widzę śladu.

Nie widzę śladu po obrączce, bo widzę obrączkę. Jest złota, jak była złota, ma trzy różowe kamyki, jak miała trzy różowe kamyki, i kiedy ją zdejmę, zobaczę wygrawerowaną wewnątrz datę i jego imię. Jego imię wyrżnięte na tej obrączce, jak twoje wyrżnięte na moim sercu. Nie ma śladu po obrączce, bo nikt jej nie zdjął, nie odłożył do pudełka, nie uciekam z tobą, nie uciekam od niego, jestem, on jest, ty jesteś, jesteśmy, będziemy.

Będziemy; my czy MY?

Nie chcę myśleć o tym, czy ta opowieść jakoś się kończy. Na razie wciąż się pisze i nie wiem, jaka będzie puenta. Ale posłuchaj, proszę, bo to ładna historia.

Spotkałam mężczyznę, który zawrócił mi w głowie, przewrócił mój świat do góry nogami; to truizm, być może, ale tak właśnie się stało. Spotkałam mężczyznę, którego powierzchowność mnie zelektryzowała, bo przecież najpierw wzrok, a dopiero potem.

Weszłam do pokoju i on tam był, czy może odwrotnie, ale był, pachniał, ogarniał, wypełniał przestrzeń, zabrakło mi tchu i choć nie byliśmy sami, to jakby nikogo.

Był tam i zobaczyłam tylko jego, a on zmrużył oczy i wydął usta. Trzy sekundy. Wszystko to trwało trzy sekundy. I zmiękły mi kolana, a nawet łydki, i cała zmiękłam niczym plastelina, niczym ciasto, niechby je lepił teraz, niechby mnie czynił, na swoją potrzebę.

Potem przemówił i ciarki przeszły mi po plecach, a wszystkie włoski na karku stanęły naelektryzowane. Odezwałam się w odpowiedzi kokieteryjnie, zaczepnie, bezczelnie, a on zatrzymał spojrzenie na mnie trochę dłużej. Trochę za długo. I wówczas wiedziałam – w tym dokładnie momencie, że zrobię absolutnie wszystko, aby te usta dotknęły moich. I nie liczyło się już nic poza tym, wyłączyło mi się myślenie o czymkolwiek.

Powoli zaczęłam go poznawać: jego pasje, zainteresowania, pracę, co czyta, czego słucha, czym się fascynuje. Ten mężczyzna zauroczył mnie wszystkim. Szalenie mi imponuje i podziwiam go. To, co robi, co osiągnął, jego fascynacje oraz to, w jaki sposób o nich opowiada. Czego chce, jak myśli, mówi, jak czyni świat dookoła siebie. Tworzy piękny świat i on sam w tym świecie jest piękny, tak jak piękny może być mężczyzna; naprawdę o niewielu można tak powiedzieć.

To mężczyzna, przy którym się nie nudzę. Tak, wiem, wiem – mało i krótko z nim jestem i te chwile w dużej części poświęcone są zdobywaniu wiedzy na temat jego ciała, ale uwierz – nawet wtedy można się nudzić, ja się nie nudzę. W przerwach między czwartym a piątym spełnieniem można się nudzić; ja się nie nudzę.

Fascynuje mnie nieustannie. Jest dojrzały i mądry, ale jest też trochę Małym Księciem, chociaż bardzo się przed tym broni, a może trochę kokietuje. Jest w nim niesłychanie urocza mieszanka chłopca i mężczyzny, i w tym wszystkim jest też odrobinę kobiecy, to piękne. To niezwykłe.

Niezwykłym jest też kochankiem, a odkąd go poznałam, to słowo powinnam zacząć pisać wielką literą. Jest doskonałym kochankiem. Jego usta i język stworzone są do całowania. On i jego usta perfekcyjne, wykrojone po to, aby dawać rozkosz i całować wszystkie zakamarki. I oczy. Gdy mnie kocha, jego oczy składają się z samych źrenic.

i będzie tak chwycisz mnie a ja
nie oprę się ulegnę
za włosy i mokra i libertango
scałowanie zlizywanie
i palce do krwi
złączenie splecenie splątanie lepko
i trzęsienie ziemi i ty we mnie
i wszechświat we mnie i pot i z rozkoszy

i będzie tak bezsłów bezruch
bez tchu do utraty tchu
pieprz mnie
bez końca

Nikt mnie tak nie pieścił, nikt tak nie dotykał, nikt w taki sposób nie całował. Słowo „fizyczność" nabrało nagle zupełnie nowego znaczenia. Ten mężczyzna jednocześnie kocha się z moją głową. On pieprzy mój mózg i to jest dopiero rozkosz ostateczna!

Wystarczy, że patrzy na mnie.

Wystarczy, że podchodzi do mnie.

A potem zdejmuje ze mnie ubranie i kciukiem dotyka mojej skóry. I przestaję istnieć. Pogrzebana pod opuszkiem jego palca. To, w jaki sposób on reaguje na moje pocałunki, pieszczoty i dotyk; dawać jest tak samo cudownie, jak brać, ale nigdy nikt nie brał ode mnie tak pięknie.

On otwiera drzwi nieotwarte, on robi ze mną takie rzeczy… kocha mnie delikatnie i jedynie palców niczym rzęs łaskotanie, kocha mnie gwałtownie i za każdym razem, kiedy wchodzi we mnie, och, kiedy wchodzi we mnie… gdy zamykam oczy, widzę jego nagie ciało, jak pochyla się nad moim, jak trzyma moje ręce nad głową, jak jego ciepło… chcę robić z nim wszystko! Chcę robić z nim rzeczy, których nie robiłam nigdy. Jestem przy nim subtelna i jestem przy nim lubieżna, chcę, żeby był delikatny i żeby był brutalny, mam na to ochotę nieustannie, na niego, na podniecanie go, na jego ciało, na jego szybki oddech, na jego krzyk, gdy kończy, chcę po nim błądzić, lizać go i gryźć, i pieścić najdelikatniej, chcę, żeby mnie tulił i rżnął nieprzytomnie, rozkładał mi nogi, szeptał, że mnie pożąda, chcę brać go w siebie zachłannie i żeby patrzył mi wtedy w oczy i pieścił moje piersi, gdy siadam na nim… i to wszystko właśnie tak się dzieje, kiedy się kochamy.

Cielesność. Wyuzdana i delikatna. Namiętna i perwersyjna. Zmysłowa. I wstydliwa. I pragnąca. Cielesność, której wszystkiego mało.

Ale to też umysł. A może przede wszystkim.

W jego umyśle zakochałam się jeszcze bardziej.

Jego listy do mnie sprawiają, że zakwitają fiołki, a brzmienie jego słów *zamienia wszystkie rzeczy w pierwiosnki*. Poziom poezji w poezji nie jest tak duży jak poziom poezji w nim. I to jest takie MOJE. Swoim pisaniem doprowadza mnie jednocześnie do łez i do śmiechu, wywołuje kołatanie serca, dreszcze. Dzięki niemu biegnę po nowe książki, albumy, po nowe płyty. Aby poznać, zrozumieć, spróbować dorównać, aby stać się lepszą, mądrzejszą. On potrafi zmusić mnie do myślenia, mobilizuje mnie, inspiruje, pcha do przodu i do góry. Sprawia, że wyrastają mi skrzydła ogromne i piękne niczym u Nike z Samotraki.

Gdy byłam młodsza i śniłam o wielkiej miłości, która góry przenosi i sprawia, że biją dzwony, marzyłam, by spotkać kogoś, kto będzie umiał zaczarować mnie słowem. Kto będzie podniecał mnie intelektualnie. Potem myślałam, że taki ktoś po prostu nie może istnieć. Do czasu kiedy spotkałam jego.

Ten mężczyzna jednak ma swoje życie, za które jest odpowiedzialny, a jego codzienność jest gdzie indziej. Dla mnie jest stracony. Nie mogę go mieć, mogę go jedynie miewać. Ja też przecież mam swoje życie, za które jestem odpowiedzialna, chociaż wydaje mi się, że poza nim nie ma życia.

Ale choć bardzo tego pragnę, inaczej chyba być nie może, nasze życia są osobne. Mimo że jesteśmy tak podobni. Mimo że gdzieś tam, na końcach naszych języków, w naszej zeroerhaplus, ja jestem nim, a on jest mną. Nawet zapach jego skóry jest zapachem mojej skóry.

Mimo że ludzie nie przeżywają takich rzeczy, a to jest tak piękne, że gołymi rękami chce się wyrwać serce z piersi, żeby nie czuć, skoro nie może być spełnione całkowicie. Właśnie to wszystko on zrobił ze mną. Pokazał mi zupełnie nowy świat i nową mnie, stworzył mnie na nowo, nie wiem, czy zdaje sobie z tego sprawę, być może na drugie ma Pigmalion.

Skoro nie mogę go mieć, to chcę, muszę go miewać. Chcę dać mu chwile szczęścia, radości, uniesienia, miłości i wszystkiego, czego tylko zapragnie. Świat cały bym mu podarowała na srebrnej tacy. Gdybym tylko mogła.

Chcę, aby BYŁ tak bardzo, jak tylko może być. Chcę z niego brać i czerpać. Nieustannie, zachłannie, nienasycenie, bezbrzeżnie.

Ten mężczyzna... *a życie to worek prezentów, z którego mogę sobie wyciągać coraz to nowe*... to jest najpiękniejszy prezent na moje trzydzieste trzecie urodziny.

Chociaż wiem, że mogę rozpakować, ale nie mogę go wyjąć z pudełka.

udręka

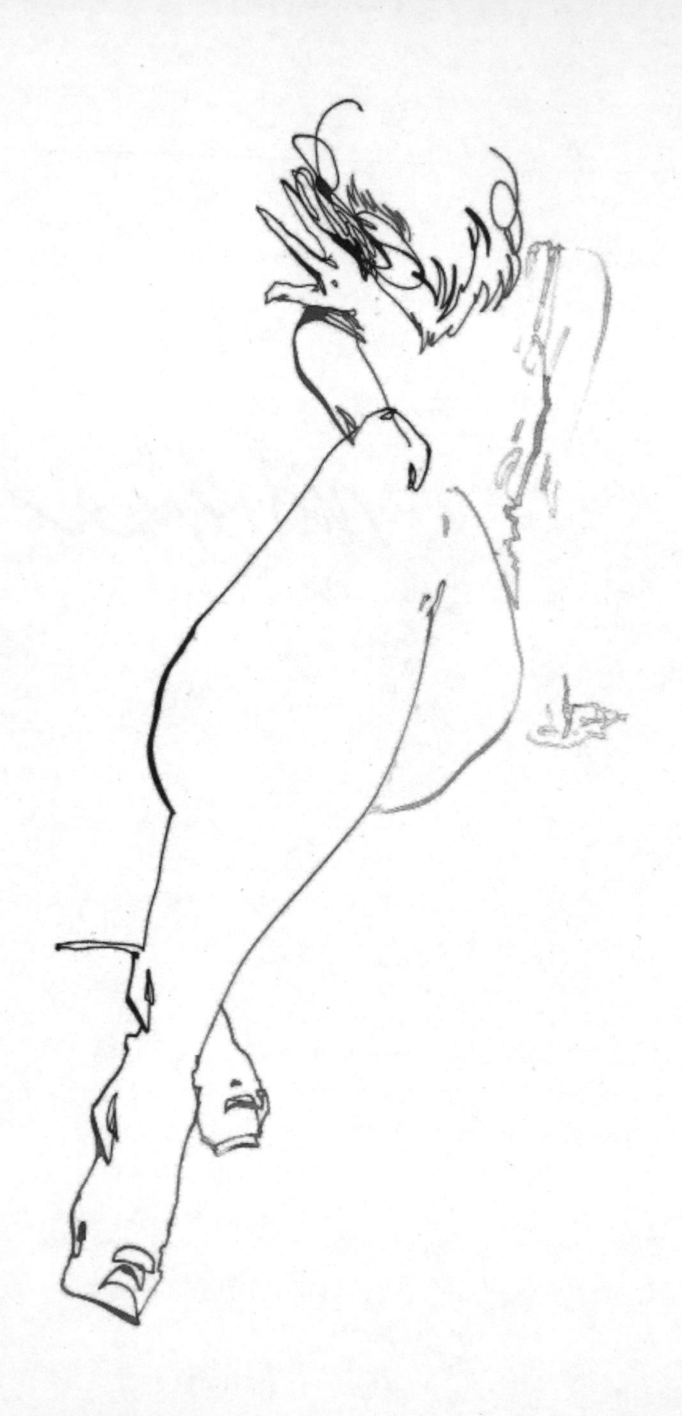

28

Słońce zaszło już całkiem i zrobiło się szarosino. I we mnie też szarosino, zamiast pięknie szaroniebiesko – pod kolor twoich oczu. Czytam Stachurę i już tylko niczym on mogę rzec, bo przecież mnie też już chyba nie ma, a jeśli jestem, to w jakimś niebycie. W nie swoim śnie jestem, gdzie jestem?, *gdzie ja jestem teraz? Co ja tu robię w cudzym śnie? Za chwilę zaśnie życie moje, miłość moja i ja zsunę się z łóżka, jak już od kilku dni to robię, i popłaczę cicho w samotności mojej i smutku, że aż bogu jest smutno. Jestem winna, jestem winna, ale i jestem niewinna, zawsze byłam niewinna i dlatego tak boli wszystko, cóż, zginąć muszę, kiedy już nie mam nic, kiedy niby jeszcze mam, ale widzę, bo widzę, jak oddala, jak odchodzi, jak odstępuje mnie życie moje, miłość moja. Na ten świat ja wiem, po co przyszłam, ale żałuję tego, lepiej byłoby dla mnie, żebym nigdy nie urodziła się, przeklinam dzień ten, nie, naprawdę nie, błogosławię dzień ten, bo go poznałam, jego ujrzałam, a teraz dlaczego taka śmieszna jestem w rozpaczy mojej nocnej dzisiejszej, ja mogę mylić się, mówić głupstwa, płakać mogę, kwilić jak młody lis, pić mogę, zapijać się do trzeźwości straszliwej, ale wiem, że kochałam i kocham, jak nikt nigdy nie kochał na tej śmierdzącej zafajdanej planecie, i wiem, że mam prawo płakać teraz i za kilka dni, a może jutro, a może już za chwilę żyły sobie podciąć, bo nie mam już nic, nie mam już nic, a teraz płacz serca, jak mówi poeta, niech płynie krew czerwona jedyna moja miłosna.*

Niedługo umrę i tylko jedno wielkie rozczarowanie mi zostanie, tak jak jedno wielkie rozczarowanie zostanie gwiazd patrzących z nieba po planecie smutnej, kocham cię, kocham cię, kocham cię i nigdy nie przestanę, dlatego umrzeć chcę, żeby nigdy nie przestać ciebie kochać…[11]

Patetyczne, czy jakich tam chcesz użyć określeń, a jednak. Kocham cię. I nigdy nie przestanę. I po co dalej ciągnąć całe to pieprzone udawanie? Oddalasz się, czuję, widzę, jak odchodzisz. Odstępujesz mnie, a przecież ty jesteś całym moim światem!

Zostawiasz mnie na pastwę nibyżycia, które zajmuje sto procent czasu. A szczęście przecieka przez palce jak krew, jak wino, wszystko jedno, ważne, że czerwone, bo to bardzo spektakularnie. I tak przecieknie, kurwa, całkiem i nic nigdy nie zmieni się. Pomimo że, pomimo iż.

A podobno przeżywam najlepszy okres mojego życia. A podobno świat leży u moich stóp. Bzdura. Jak leży, co leży, ja sama może jedynie krzyżem przed tobą, a raczej przed wyobrażeniem ciebie, majakiem. I czuję się właśnie niczym we śnie cudzym, nawet nie swoim własnym, i gdzie ja jestem teraz, dlaczego niby tak, a nie tak, kurwa, zupełnie. Ja tu z nim, ty tam nie ze mną, tylko z nią, nie bójmy się tego słowa: ona, ona, ona! Z kimś innym jakimś kimś i już tylko druga sonata b-moll Chopina.

dlaczego ja to nie ona a moje oczy nie są jej oczami.
i nie widzą go rano, zaraz po przebudzeniu.

może on ma zaspany wtedy wzrok;
nie wiem.
moje dłonie nie są jej dłońmi.
i nie gładzą go nocą, przed zaśnięciem.
może on ma senne wtedy spojrzenie;
nie wiem.

dobrze, że moje oczy i dłonie
są moje.
może on na nią patrzy
tym zaspanym, sennym wzrokiem
tylko.
Aż, kurwa, aż.

Kocham cię. Szkoda, że to nie wystarczy.

Ale nie chciałam przecież tego, nie prosiłam, nie szukałam, nie modliłam się o ciebie, wcale się nie modlę, nie potrafię. A jednak jesteś z tych moich wymodleń rzeczywisty i prawdziwy. Choć nie ma cię.

29

Przyszedł, przeszedł, poszedł, wyszedł. Zostawił po sobie butelkę wina, jak miło, znów się upić mogę i to całkowicie legalnie. I zapach drogich perfum zostawił. Ale wróci, zawsze wraca, raz może mógłby nie wrócić.

Codzienność. Rzygam codziennością.

Pobiegł w swoim ślicznym czerwonym krawaciku, który sama mu wybrałam, i w sklepie, i przed chwilą z szafy, jakie to wszystko absurdalne. Kocham go byle jak, a nie chcę go kochać byle jak!

A może paradoksalnie on jest teraz po to, abym nie zwariowała już zupełnie i do reszty.

Jeszcze chwila i mu powiem o tobie i o tym całym zadręczeniu, a niech się też zadręcza, skoro już się moja matka zadręcza i przyjaciółka pierwsza, która powinna być drugą, a najpewniej żadną.

– Źle, źle, że powiedziałam mamie, źle, że powiedziałam tamtej, teraz jedna i druga nie dają mi spokoju, jęczą, męczą i dręczą. A skoro masz być moją panią psycholog bez papierka i ty jedna mnie nie dręczysz, to teraz poradź. Co mam robić?

– Ale męczą, że CO? Właśnie, bo nawet nie pytałam, co mama na to.

– Mama nie jest ślepa, wiedziała wcześniej. Powiedziała, że dawno zauważyła, że nie kipię szczęściem. Mama to mama, sama wiesz. Przyjeżdżam na niedzielne śniadanka, siadam przy stole, dziobię w jajecznicy i ona wie, po prostu. I tak zwlekałam, zwlekałam, aż w końcu zamiast mężowi to powiedziałam jej. Ale to był błąd.

– Dlaczego błąd? I całe szczęście, że jemu nie powiedziałaś, no zdurniałaś już do reszty, a co by to zmieniło, naprawdę chcesz się rozwieść? Teraz?

– Ale co to znaczy TERAZ?

– Nooo, teraz, kiedy on cię…

– Kiedy mnie nie chce, tak? Nie bójmy się tego słowa.

– Nie denerwuj się. Ale mama co, zaczęła cię jakoś oceniać, ona chyba nie jest taka? Może jakoś mogłaby ci pomóc.

– Pomóc, ale w czym pomóc? Nie ocenia mnie, nie, to nie o to chodzi, ale wszystko obróciła przeciwko niemu. To znaczy, czy on też tak umiera, w sensie z miłości, czy on by rodzinę rzucił, czy on zdycha i tak dalej. I że nie ma idealnych facetów, powiedziała, więc żebym sobie nie wyobrażała, że on jest jakiś wyjątkowy, i przestała się egzaltować.

– No ale czy nie ma racji? Trochę?

– Co tak pytasz cichutko, nie bój się, przecież się nie wściekne na ciebie. Tylko że to takie pieprzenie! Co ona może wiedzieć tak naprawdę. Właśnie dlatego niepotrzebnie powiedziałam, bo przecież i tak nie wie, jaki on jest i co mi daje. Dawał. Dał. No nieważne. Nie wytłumaczę jej, nie opowiem jej tego przecież. I właśnie, że jest idealny!

– Teraz już się zapędzasz. I nie jest idealny, bo cię lekceważy. A po mamie czego się spodziewałaś, że da ci wytyczne, jak to najlepiej załatwić z mężem, bo co, bo doświadczenie ma, bo się dwa razy rozwiodła? I powie: „Tak, tak, córuś, oczywiście, wyprowadź się, rozwiedź, jedź do niego, zaczynaj od nowa, biegnij za głosem serca, jedź i zdychaj u niego pod domem, krzyżem leż, żebrz".

– Ty złośliwa...

– A gdybyście nawet się rozwiedli, już schodząc z twojej matki, to co byś zrobiła, pomyśl, pojechałabyś tam i co, śledziłabyś go, umierałabyś pod jego domem, zostałabyś kochanką na godzinki? Zapiłabyś się w samotności! Bo czy on zrezygnuje ze swojego życia? Nie, już widzisz, że nie. Palant z niego, ale to inna sprawa. Bo po cholerę były te jego wszystkie wcześniejsze przedstawienia i deklaracje. I pytania, czy z nim uciekniesz! Na żarty?! Ale pomijając to, bo aż się we mnie gotuje, kiedy o tym myślę, widzisz doskonale, że nie będziecie razem. Więc musisz jakoś próbować wrócić do „tutaj". I paradoksalnie chyba ten mąż to cię trzyma w kontakcie z rzeczywistością.

– Żeby do reszty nie oszaleć przez kochanka, który mnie nie chce, mam męża, świetne.

I co, mam mu powiedzieć, że nie potrafię go kochać czy że nie chcę kochać? Już. Teraz, dzisiaj, jutro, nigdy.

A przecież potrafię inaczej i nawet może chciałabym, ale wciąż zabijam w sobie to małżeństwo, a to on jest myśliwym. Niszczę nas niczym Dalila czy inna Salome, chociaż włosy ani rude, ani falowane i w sadzawce wśród nenufarów i lilii wcale ładnie bym nie wyglądała... czy to może Ofelia tam leżała... znów się upiłam.

Może nie nadaję się jednak na żonę i ani te róże herbaciane, ani wianek na głowie, ani sukienka do ziemi, nic. A wydawało się to wszystko takie proste. Tak ładnie grali marsza i ja w rytm tego marsza. I było łatwe, wiesz, aż się objawiłeś, czyli to twoja wina jednak.

Umiałam się troszczyć, wybierać krawaty i ulubione jabłka na bazarze, opiekować się, POWSTRZYMYWAĆ. I wszystko było świetnie, równo i bardzo marszowo. Aż uległam jakimś szalonym instynktom.

Czy nas też bym zabiła, myślisz? Co ty możesz myśleć, kiedy ty o nas wcale. To zupełnie tak jak ja o nim wcale, chociaż powinnam. To znaczy myślę, że na nic jego miłość i to, że tak pięknie było. Ale to ja teraz muszę z tym żyć.

za wszystko
przepraszam
za to, że zima
za to, że róże marzną
za to, że ulice dziurawe

za to, że ptak nasrał na samochód
że pociąg nie dojechał, że samolot się spóźnił
że pieczarek nie dowieźli, że nie dołączyli tamtej płyty
do tej gazety, że przegrała proces, że Mubarak ustąpił
a Kaddafi nie chciał,
że nakład albumu się wyczerpał, że film grają za późno,
że internet za wolny,
że pies szczeka, że pies nie szczeka, że sąsiadka wali
kotlety, a najbardziej za to,
że nie potrafię cię już kochać

Jeśli przynoszę zgubę i porażkę, to może zacznij do mnie mówić femme fatale, skoro po imieniu nie chcesz. Tyle że nie jestem wcale piękna i ust na krwistoczerwono nie maluję, a one zdaje się wszystkie piękne były. I rękawiczki nie potrafię zdejmować długim, powolnym ruchem. A mogłabym. I mogłabym się tak sama nazwać i być nawet mogłabym też, bo przecież mogłabym być wszystkim. I aktorką, i lekarzem, ojciec zawsze o tym marzył. I kelnerką, a może i szefem kuchni nawet, tak uwielbiam gotować. Albo nauczycielką polskiego, skoro polonistykę skończyłam, mogłabym być. Mogłabym być wszystkim i nawet twoją żoną.
A popatrz.

mogłabym być piękna
gdyby namalował mnie Botticelli
gdyby skomponował mnie Vivaldi
gdyby wyrzeźbił mnie Michał Anioł
gdybyś mnie pokochał

Na razie jestem niczym, tylko winna nieustannie. Chociaż póki jest wino, jest niby winnie, ale niewinnie;

jaka ładna gra słów, prawda? Ani mój mąż niczemu nie jest winny, ani ty niczemu. Chociaż przed chwilą cię obwiniałam, ale masz przecież oczy takie piękne i oddech taki czysty.

A ja płynę sobie teraz szaleńczo i niestabilnie, i dobrze, cholera, bo stabilność *jest może godna pożądania, lecz nie posiada najmniejszej nawet wartości poetyckiej. Dopiero strata dotyka nas głęboko*[12], od Zagajewskiego pożyczyłam, wszystko pożyczam, cytaty pożyczam, nic nie potrafię sama wymyślić, głupia może jestem, ciebie też sobie pożyczyłam.

Niszcząca, niewierna.

Niewierna. Ale wiesz, podoba mi się to słowo, ładnie brzmi, kiedy się je na głos wymawia, próbowałeś?, z tym er mocnym w środku, zupełnie jak w słowie „cierpię", bo tak, naturalnie, do tego cierpię, każdego kolejnego dnia. W każdej kolejnej minucie to samo. Zrobiłabym wszystko, abyś mnie chciał. Szkoda, że WSZYSTKO to i tak za mało.

30

Powiedziałeś kiedyś: „Rozminęliśmy się, co?". Serce pęka, kiedy sobie to przypominam, czy też już pękło, nie czuję. A rumianki wciąż kwitną i tak łagodnie otulają mnie swoim zapachem. Otulają. Och, tak bym chciała… ty wiesz. Ale wokół tylko szarość, szarość i wszystko szarość i *nec sine te nec tecum* coś tam… w każdym razie z tobą nie mogę żyć, a i bez ciebie tym bardziej, i co, otwierać te żyły już czy zaczekać jeszcze. Tylko na co? Aby całkiem utracić coś, czego nigdy się nie miało?

Napełnijmy kolejny kieliszek, to jest bowiem krew moja, która za ciebie będzie wypita, do tego *Requiem* Mozarta, *Lacrimosa* najpewniej, i czujesz, jak mocno zestrajają się te dźwięki z moim nastrojem? Nastroje.

NASCZWORO raczej. To jednak o parę za dużo.

Nikt nie mówił, że będzie łatwo być dorosłą, to fakt. Nikogo nie pytałam, to fakt. Patrzę na zachodzące słońce, jest piękne, mam je w dupie, jest bez ciebie. Słońce bez ciebie to jak pół słońca albo ćwierć nawet.

Nikt mnie nie ostrzegł, dlaczego? Ani matka, ani ojciec, a przed tyloma rzeczami przestrzegali i wszystko w pustkę, groch o ścianę. Przed takim tobą nie ostrzegli, nie powiedzieli, nie uprzedzili. Przed zauroczeniem, zakochaniem, szaleństwem, przed zwariowaniem, przed tą chorobą. A ty jesteś *farmakonem*, prawda? Bo nie wiem już, czy bardziej jesteś lekiem na tę chorobę, czy może głównie substancją, która ją wywołuje; trucizną, która jest jednocześnie lekarstwem. I jak mam sobie z tym radzić.

A może to jakaś próba? Bo jestem nadwrażliwa i niekompatybilna ze społeczeństwem. Dlatego bóg czy inny tam ktoś zabiera mi to, na czym najbardziej mi zależy, czyli ciebie, życie moje.

Pełnia odsłoniła nade mną swoją bardzo ładną pełną pierś. Niemal tak ładną jak moja. Uderza we mnie ostrym srebrnym blaskiem ten księżyc i nie ma nikogo, kto by miał mądrą głowę i go przysłonił. A powinno się. Osiecka już pisała, aby przysłaniać, *by żony nie wpadały w szał.* Może dlatego wyję bezgłośnie, że nikt nie przysłonił. I właśnie, że szał, ażebyście wszyscy wiedzieli.

Naturalnie, że jestem znowu pijana, a co, zabronisz mi, mamusia zabroni, on mi zabroni? Pijana i niestała. O tak, tutaj na pewno w moim kieliszku substancja nie stała, tylko płynna, jakże piękna!

Nawet gdy pełnia się skończy, bo skończy się, tak jak wszystko, czego dotykam, i wino też kiedyś, i lato we mnie. I to dookoła też za chwilę się skończy, i tak za długo to trwało. A szkoda, bo miało być najpiękniejszą porą roku; zakochani na ławkach i słowiki, jaśminy, bzy czy inne chmury krzyżyków, jak w wierszu. Czy może to było wiosną, która cała w ekstazie, a teraz już wszystko za nami. Przyszło, przeszło, poszło. Trawa z zielonej zrobi się zaraz żółta i niebawem zgnije najpewniej. I ja też. Zgniję. Z zazdrości o twoją codzienność. Bo już zielona się robię. Z zawiści czarna prawie. Z nienawiści twojej tam i mojej tutaj codzienności.

nienawiść rośnie we mnie
jak czarna róża
wczoraj
zakwitły jej kolce

I chociaż skowronki ciągle jeszcze zawieszone w gorącym powietrzu, to przyfrunęła do mnie bardzo zimna świadomość tego, że wcale nie będzie tak, jak bym chciała. A kto – pytam – kto pisze ten scenariusz i dlaczego jestem obsadzona w roli zakochanej i świata niewidzącej egzaltowanej nastolatki?

– Nie rozumiem, wybacz. Znam cię tyle lat i nie rozumiem. Dziewczyna, to znaczy kobieta, to jest ważne, nie jesteś nastolatką, wtedy jeszcze można byłoby to pojąć. Może. Ale dorosła kobieta, nie gówniara! Kobieta wykształcona, po dobrych studiach, inteligentna, naprawdę inteligentna, dobrze sytuowana…

– Jakie to ma znaczenie?

– No ma znaczenie, ma. Masz wszystko, świetne życie, fantastycznego męża.

– Przyznaj, że chciałabyś się zamienić.

– Nie mów bzdur, masz świetnego męża i wiesz o tym. Masz świetną rodzinę, wszystko na tak. A ty się zachowujesz jak, jak…

– No właśnie, powiedz, jak się zachowuję? Jak?

– Jak pierdolnięta gówniara. Umierasz dla jakiegoś faceta, robisz głupoty, rozwalasz swoje małżeństwo, w zasadzie nie wiadomo po co, bo facet ma cię, jak zrozumiałam, w poważaniu, to znaczy olewa cię. Chciał się zabawić, zrobił to, a ty chcesz rozpieprzyć wszystko dookoła, no nie ogarniam tego.

– Jaki piękny stereotyp, prawda?

– Ale i to cię bawi?

– Ona się ugania, a facet się wzbrania.

– Ale dlaczego powielasz stereotypy? Postaw się do pionu, nie wiem, wyjedź w góry, przyjdź do mnie do szpitala i opróżniaj kaczki, żeby się oderwać, weź mojego syna na tydzień do siebie, ale się uwolnij wreszcie od tego bezsensownego umierania i wzdychania do kogoś, kto ma cię zwyczajnie w dupie, przejrzyj na oczy! Bo już sama nie wiem.

– No właśnie. Nie wiesz. Wejdę sobie na sarnią skałkę i mi przejdzie, tak.

Ale masz rację, przyjaciółko pierwsza, nie jestem nastolatką, powinnam grać dojrzalsze role, nikt mnie już nie pyta o dowód, kiedy kupuję alkohol. Mam zmarszczki i dużo siwych włosów, nawet ślepy reżyser by zauważył, więc o co, do cholery, chodzi. Nie chcę roli nastolatki, dlaczego mnie zaangażowali? I czemu w dodatku przyjęłam tę rolę, płacili dobrze? No nie płacili, to charytatywna produkcja. I do tego taka trywialna fabułka. Oto jest ona; szalona, zakochana, gotowa wszystko rzucić; i męża, którego rzekomo również kocha, i dom, i psa nawet. Zagubiona i rozdarta w miłości, niewierności, wątpliwościach.

Jeśli jest ona, to musi być i on, żeby się wszystko ładnie komponowało. I jest, proszę, pojawia się w scenie drugiej. Doświadczony, spokojny, opanowany. Nie obiecuje, nie wyznaje, nie przyrzeka, nie mówi. Właśnie – bez przerwy milczy. Zachowawczy? Taki jakiś nieokreślony. W zasadzie przez trzy czwarte filmu nie wiadomo, o co mu chodzi – o zabawę, seks, doznania, rozrywkę, różnorodność? On się nie określa, ona za to bez przerwy. Ze sceny na scenę określa się coraz bardziej, on zaś coraz mniej, chociaż wcale przecież. Dla widza to nawet interesujące. Dla odtwórczyni głównej roli natomiast coraz bardziej uciążliwe i męczące, tym bardziej że jej rola stała się rzeczywistością, a rzeczywistość rolą. Nic, tylko jednak otwierać żyły. Sobie otwierać czy w filmie to już zupełnie nie ma znaczenia, bo kamera jest ON bez przerwy, małe pieprzone czerwone światełko.

Więc ona pije. Tak jest bardziej dramatycznie, gdy pije, więc pije, cierpi i płacze. Tak, w tej chwili też płacze, właśnie w tej chwili. I to nie może się dobrze skończyć, przeczuwamy wszyscy, że nie może. Zresztą widz oczekuje dramatu, happy endy są przereklamowane; amerykańszczyzna.

Mijają tygodnie, dni, godziny, a każda minuta podbijana jest uderzeniem jej serca, które wystukuje jego imię, co za *cliché*. I ona, i on, i nawet widz wie; a może widz wie przede wszystkim, że to nie ma najmniejszego sensu. Że gdy łzy płyną, to oczy się oczyszczają?, cierpienie uszlachetnia?, bzdura.

Jak więc się skończy ten film i czym. Na razie scenariusz się pisze. Ona wciąż zbyt wiele oczekuje, zbyt wiele sobie wyobraża; wsłuchana, wpatrzona, zatopiona w myślach o nim, tonąca w marzeniach, a przecież umie świetnie pływać! On nie pływa wcale. Może dlatego niezatopiony, że w ogóle nie wchodzi do wody.

Jak długo jeszcze ona będzie karmić się chwilą, złudnym sennym marzeniem spełnianym przez kilka chwil, przez kilkadziesiąt minut? A jak długo trwa pocałunek?

I tylko wiatr. Jedynie on. Jedynie jemu wszystko jedno.

31

I wszystko byłoby cudownie, proszę pana, gdybym zakochała się szczęśliwie. A tu niestety. Taki pech.

jestem obłokiem
przeminę
za chwilę, może za dwie
ile trwa chwila – godzinę?
wiatr tylko o tym wie.

jestem promykiem

zgasnę
tej nocy, czy jeszcze nie?
ile spędzimy ich razem
jedną, czy może dwie?

jestem płomykiem
spłonę
zdmuchnie mnie wiatr albo ty
po nocy naszej zostaną
tylko palące łzy.

jestem oddechem
odfrunę
jak pióro, co zgubił ptak
i nikt się o mnie nie potknie
ani ty, ani wiatr.

Brak nowych wiadomości w internetowej skrzynce doprowadza mnie do płaczu, sprawdzam pocztę już nawet w środku nocy. Niby chodzę, funkcjonuję, robię machinalnie rzeczy, które powinnam robić, jestem tu, a nawet i tam czasami, ale wystarczy chwila, jakaś myśl zdradliwa i natychmiast zaczynam płakać i boli mnie serce. Naprawdę boli. I nie ma czym oddychać. Tak, to się dzieje nie tylko w książkach i filmach, brak tchu i wszystko inne, opisy nie mają sensu, każdy może sobie sprawdzić, gdzie tam chce. A myślałam, że to bzdura; hydra na piersi i takie tam. Wylewam z oczu takie ilości słonej wody, że wydaje się niemożliwe, aby człowiek tyle tego produkował, odwadniam się przez oczy, wiesz, jakiś koszmar. A przecież tęsknoty zabiłam, wątpliwości zabiłam, pożądania zabiłam, wszystko zdechło.

Chce mi się wyć, a najlepiej wbić w latarnię samochodem. Chociaż podobno lepiej jest zostać zabitym niż zadać sobie samemu śmierć. Ale właściwie dla kogo lepiej, dla boga lepiej, bo do nieba pójdę? Nie bądźmy śmieszni, i tak bym nie poszła, a poza tym gdzie jest bóg, pytam się. Nie ma, skoro nie mogę być z tobą. To jest najlepszy dowód na jego piękne nieistnienie.

Naprawdę, boję się utraty ciebie bardziej niż śmierci. A skoro ciebie nie mam i tym samym nie mogę utracić...

Oglądam już tylko twoje zdjęcia, czytam wiersze, czytam listy i cierpię. Może to dobrze, tylko plastikowi nie cierpią, mówi moja przyjaciółka. I ta widowiskowość. Proszę bardzo więc, niespiesznie mnie zabijaj, a może miłość i śmierć to jest to samo?

a może tak jest prościej
nie krzyczeć, nie wierzgać
stworzyć takie piękne pozory.
i tylko wargi do krwi
nieme świadectwo

Staram się cieszyć małymi rzeczami i chwilami. Przecież, do cholery, to moja filozofia. I cieszę się, tak, cieszę, gdy spaceruję po parku i kwitną astry, i żurawie krzyczą, i kawa mi smakuje, i kupiłam nowe okulary przeciwsłoneczne, w których bardzo ładnie wyglądam. I przecież muszę się uśmiechać, tego wymaga ode mnie codzienność. I wszystko na swoim miejscu niby i nawet gdy się ładnie umaluję i założę te okulary nowe, to wyglądam tak, jak gdybym kierowała wszystkim dookoła bez wysiłku. A tymczasem nie kieruję, kurwa, niczym, ani tym wszystkim dookoła, ani nawet sobą.

I jeździłam wczoraj po mieście całkiem pijana, ale jest mi już cudownie wszystko jedno. A w parku wirują kolorowe liście. I nawet jeszcze ciepło, i mogę zdjąć buty i pójść po trawie, poczuć ziemię pod bosymi stopami i to jest miłe i dobre, naprawdę. Proste zwykłe odczucia, rzeczy i sprawy; drobiazgi, z których składa się życie.

Bzdura, życie składa się z ciebie i teraz od środka strasznie szarpie. Codzienność być może jest miła, a miłość być może jest piękna, ale nic nie boli bardziej niż miłość nieszczęśliwa, niespełniona, nieodwzajemniona, niechciana czy niepotrzebna. Moja zawiera się na pewno co najmniej w dwóch z wyżej wymienionych. Aż strach pomyśleć w ilu i czy przypadkiem nie we wszystkich, raj utracony. Milton?

Tylko czego mogę oczekiwać od miłości? Wzajemności może przynajmniej. Choć tego właśnie najmniej, a już na pewno nie od ciebie. A czy może być większe nieszczęście niż nieodwzajemniona i wzgardzona miłość? Zignorowana. Odrzucona. Odepchnięta. Tak, tak, powtarzam się, wszystko synonimy, kupiłam sobie nowy słownik, to wiem. Oziębłość, zdystansowanie, obojętność, brak wzajemności; czy jest większe nieszczęście? Nieuleczalna choroba w wieku dwudziestu sześciu lat? Gówno prawda. Wtedy się przynajmniej wie, że się umiera i nie ma już ani alternatywy, ani odwrotu. Następuje jakiś koniec, kres, zakończenie, do którego można się przygotować.

Tymczasem z odrzuceniem trzeba żyć dalej. Funkcjonować, chodzić, wstawać, tak ładnie jak w *Balladzie*: *ona wstała jak się wstaje, ona chodzi jak się chodzi…* budzić się i zasypiać, nawet śpiewać, *czesząc włosy, które rosną.* I co, udawać, że nic się nie stało, bo życie toczy się dalej i nie pierwszy to, i nie ostatni raz? Ale dla kogo nie pierwszy i nie ostatni; dla literatury? A dla mnie właśnie pierwszy i ostatni. Wolałabym mieć raka i wiedzieć, że za dwa miesiące mnie zeżre i mnie już nie będzie, umrę. Przynajmniej. A teraz i tak zżera mnie po kawałku, wpierdala mnie, i jak długo będę musiała z tym żyć?! Chcę raka. Czy ktoś może oddać mi raka dwudziestosześciolatki?!

32

Mąż... O mężu wciąż w moich myślach i listach za mało. Powinnam pisać o nim, powinnam mówić o nim i myśleć. O nim zamiast o tobie i twojej codzienności. Mąż, mąż, mąż, na nim powinnam się skupić. A wciąż zadręczam się tobą. I na dodatek muszę czytać w gazetach o twojej bardzo znanej żonie. Twoja codzienność gdzie indziej z kimś innym... Chyba dlatego masz tę piękną znaną żonę, aby mnie dodatkowo dręczyć, jakaż wymyślna ta torturka. I taka wysublimowana. Wisienka na torcie mojego cierpienia, prawda, jak pięknie, i jeszcze do tego w najodpowiedniejszym kolorze.

A wiesz, podczas tych wszystkich miesięcy pokłóciłam się z nim tylko raz; z mężem. I wcale nie o ciebie, chociaż wszystko jest o ciebie.

Najpierw chciałam mu powiedzieć. Potem postanowiłam ratować to małżeństwo, chociaż nie wiem, czy jest coś do ratowania, bo właściwie zewnętrznie nic się nie zepsuło. A potem chciałam ratować już tylko siebie, bo jestem tchórzem. Uwikłanym w nieszczęśliwą rzeczywistość tchórzem. A może to moja głupota, że każdego z was uważam za wyjątkowego?

Ale chciałam się przyznać, chciałam mu powiedzieć: „Kocham kogoś innego". To przecież powinno być takie proste, tylko trzy słowa. „Nie umiem z tobą być", pięć słów, za długo. „Nie umiem udawać". „Nie potrafię", dwa, coraz mniej, szybciej, powiedz mi wszystko, nie mówiąc mi niczego. Powiem mu tylko: „Przepraszam". Chociaż go wcale nie przepraszam, bo przecież nie specjalnie.

– Słuchaj, coś się dzieje i…

– Ja doskonale wiem, co się dzieje.

– Wiesz? Ach, no oczywiście. Bo TY zawsze najlepiej wiesz. Na wszystko masz patent i znasz się. Wszechwiedzący pan i władca na krańcu świata. Co ci daje poczucie tej wszechwiedzy i władzy nade mną, te marne cztery lata różnicy? Myślisz, że jestem jakimś twoim aplikantem?!

– Po co idziesz w tę stronę?

– Och, po co idziesz w tę stronę… grzeczny, poukładany i elegancki zawsze mój pan mąż! A ja bym wolała, żebyś pierdolnął pięścią w stół, wrzasnął, że coś ci się nie podoba, pieprznął drzwiami. Ale nie, ty dusisz w sobie wszystko i milczysz. I taki jesteś poprawny. Wy, faceci, z tym waszym milczeniem pieprzonym.

– Wolałabyś, abym pierdolnął. I tu z mojej żony wyszło jestestwo… A teraz jeszcze zacznij krzyczeć.

– Właśnie zacznę! Chcę ci powiedzieć… czy możemy raz wreszcie porozmawiać?

– Przecież już rozmawiamy?

– Naprawdę nie wiem, od czego zacząć.

– Od początku może, chociaż jak zwykle u ciebie, będzie chaotycznie. Nie wiem, czy są na to we mnie aż tak duże pokłady cierpliwości.

– Nie rozmawiaj ze mną jak prawnik.

– Możemy w ogóle nie rozmawiać.

– Udam, że tego nie słyszałam, dobrze? Od początku; czy ty jesteś szczęśliwy? Jesteś zadowolony z tego, jak wygląda nasze życie?

– A ty?

– Kochasz odpowiadać pytaniem na pytanie! Nie, nie jestem.

– No to sobie zmień. Na pewno kogoś szybciutko poderwiesz. Albo już poderwałaś. Mogę się jedynie domyślać, ale nie chcę się domyślać, jestem zmęczony, nie mam siły na dyskusje, które do niczego nie prowadzą.

I tu stchórzyłam.

On jest zmęczony, a ja jestem tchórzem. Zachowawczym i tchórzliwym tchórzem tchórzem podszytym. I zamknę się teraz w sobie, albo najpewniej w butelce wina niczym dżin. Chociaż on chyba w innej butelce, ale złotej i ze zdobieniami, to bardzo elegancko wszystko pasuje.

Audiencja zakończona, patrzymy sobie w pustkę, każde w innym kierunku. Teraz pójdzie kurtyna i oklasków nie będzie.

Nie będzie oklasków, bo tę sztukę napisałam po prostu źle, może jednak pisać nie umiem, a może nie powinnam wcale chcieć krwawych i smutnych zakończeń. Rozterki pisarskie, rozterki małżeńskie, rozterki miłosne. Właściwie wszystko zostało powiedziane. Właściwie nic nie zostało powiedziane. Może to i lepiej.

I znowu wieczorem upiję go, żeby nie chciał mnie dotykać. Gorzej; rozpuszczę mu w zupie trzy tabletki nasenne, tak jak ostatnio, widzisz, do czego doprowadziłeś? W barszczyku mu rozpuszczam, rozumiesz, gotuję mu barszczyk, dokładnie taki, jak mu mamusia zawsze gotowała, i rozpuszczam w nim tabletki! Żeby nie chciał, żeby zasnął, żeby nie czuł, żebym ja nie czuła.

Przeszłam samą siebie, prawda?

Ale czy moje przyznanie się cokolwiek by zmieniło? Czego oczekiwałam; przecież ty i tak mnie nie chcesz, po co więc cokolwiek niszczyć. Nie chcesz, więc nie mam o co walczyć.

O co walczyć, kiedy na wszystkich frontach już się dawno poddałam.

33

Wyjechałam nad morze uspokoić się trochę. Uspokoić tę egzaltację niezdrową i przemyśleć, choć nie ma tu zbyt wiele do przemyślenia. Jedynie moje życie spieprzone, które sama na własne życzenie.

Wyjechałam nad morze, bo nie mogę wytrzymać jego w naszym domu, jego w moim pokoju, jego w moim łóżku, jego we mnie. Nienawidzę go, nienawidzę siebie, nienawidzę już ciebie, bo mi nas odebrałeś i jego też mi odbierasz. Odebrałeś mi mnie samą, a miała być ziemia obiecana i rajskie ogrody.

Wychodzę. Spaceruję. Wracam. Siadam przy oknie i siedzę tam do świtu. A potem znów wychodzę popatrzeć na morze, które nastraja nostalgicznie i melancholijnie. Szaroniebieskie, w kolorze naszych oczu, chociaż moje były bardziej niebieskie.

Każdy krok odmierzany na trzy takty, jak na trzy takty odmierza się twoje imię, każdy oddech odmierzany na trzy, jak na trzy odmierzasz ko-cha-nie, kiedy tak szepczesz. Szeptałeś, czas przeszły, już zaraz się nauczę. Ale czy nie rozumiesz, że jestem dla ciebie stworzona, a życie ze mną byłoby łatwe jak oddychanie?

Tymczasem pełno tu pustki, która działa na mnie przygnębiająco. Nawet nie ta pustka naokoło, tylko ta we mnie samej, w jakimś moim środku.

Ty nie mówisz już nic. A chciałabym, abyś powiedział tak wiele.

te dwa słowa
są jak pokryta meszkiem skórka brzoskwini
i maliny, dopiero co z krzaka
i mdlący zapach lip o zmierzchu
te słowa – jak szum wiatru na wydmie
kiedy niebo wpada do morza
jak sierść młodej łani
i klangor żurawi szykujących się do odlotu
są jak nieskończona zieloność młodej pszenicy

kiczowate

te dwa słowa
mogę nauczyć cię ich brzmienia w twoich ustach

Za późno, prawda? Za późno.

Nie ma cię, a świat bez ciebie *się spełnia wolny i bezczuły* i wciąż nie potrafię go pojąć. Jesteś już tylko w mojej pamięci, która mi ciebie pokawałkowała i podtyka mi twoje kawałki. Po kawałku. Znacka. I znienacka.

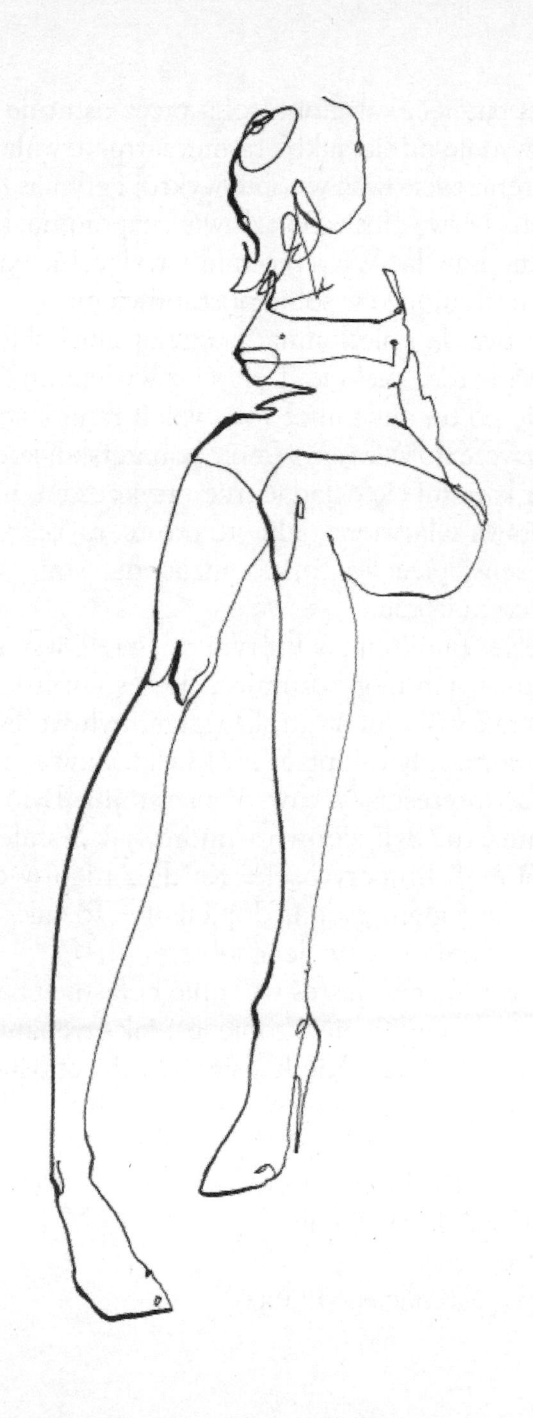

Moja pamięć, karmiona tobą przez ostatnie miesiące, chociaż wydaje mi się, jakby ta męczarnia trwała lata całe, próbuje teraz zachować w sobie wykrój i grymas twoich ust i erotyczną barwę głosu. Bo człowiek zapomina, kiedy traci coś z oczu, prawda? Wszystko zależy wyłącznie od postanowienia, niezłomnego w sobie postanowienia.

Bądź twarda i niezłomna, postanawiam sobie od nowa i od nowa bardzo pięknie. I chociaż wydaje mi się, iż urodziłam się po to, aby umrzeć w twoich ramionach, kończę z tym. Krzyczę do wewnątrz siebie bohatersko; kończę z pracą, która każe mi cię oglądać, nie przyjeżdżam, nie przyjeżdżasz, sprawa załatwiona, jakie to proste, raj odzyskany?

Nonsens, przecież to, co utracone, staje się jeszcze droższe, co za ironia.

Ty jesteś punktem, w którym zbiega się wszystko, chcę klęczeć u twoich nóg, rozumiesz, jesteś wszystkim. Po raz pierwszy tak w moim życiu. Owszem, byli wcześniej jacyś mężczyźni; przepływali przez mój świat. Zawsze inteligentni, zawsze interesujący, zawsze przystojni. Było ich kilku czy kilkunastu. Byli zarówno nudni, jak i szaleni, wśród nich mój mąż, no oczywiście. Każdy z nich w czymś wyjątkowy, ale żaden, żaden, dopiero ty. To tak, jakby oni wszyscy spełnili się w twojej osobie.

I wyrżnięty teraz jesteś we mnie boleśnie i bardzo, bardzo wyraźnie, a myślenie o tobie jest jak grzebanie w ranie, jak kolorowy tatuaż. Kiedyś się odważę chociaż na tym polu, zobaczysz. Albo nie.

chcę być twoim tatuażem
przylgnąć do ciebie na
zawsze
do twojego nagiego ciała

przylgnąć
być tatuażem
chcę boleć
chcę krwawić
chcę być blizną
i goić się
na twoim ciele
to musi być rozkosz

34

Pytasz mnie teraz w liście, co się stało. Nagle pytasz, co się stało, od kiedy to się martwisz? Nie było mnie tu, bo byłam tam, mam w końcu swoje nibyżycie, tak jak i ty masz swoje, za to prawdziwe.

Byłam nad morzem i na wycieczce we Włoszech. Co się stało? Stało się nic i wszystko, stało się tak wiele, co mam ci napisać, wciąż dzieje się TO SAMO.

Ostatnie dwa razy, kiedy się widzieliśmy, były tak inne od poprzednich; okrojone z ciebie. A pomiędzy nimi jedynie ból i łzy, bo napisać słone rzeki to zbyt pompatycznie nawet dla mnie, a przecież miałam się starać. Miałam się starać nie być egzaltowana, nic z tego. Jestem egzaltowana, jestem patetyczna, jestem zrozpaczona. I umrę. To oczywiste. Jutro?

I nic więcej się nie stało, to jedynie ja czuję się tak, jakbym zjadała się po kawałku, od ogonka, po co znów pisać, powtarzać się, przecież to nie szkolna lekcja do wykucia na pamięć, jestem już zmęczona tym wszystkim. Reglamentacja, implozja, brak czasu, brak możliwości, brak chęci, żona, mąż i te inne bardzo trudne słowa i kolejny kawałek ogonka zjedzony. Znasz te słowa, i to bardzo dobrze.

Zabolało, kiedy zapytałeś przez telefon: „A kiedy wróciliście?". Specjalnie to zrobiłeś, prawda? Był w twoim głosie moment zawahania przed tym słowem, przed jego końcówką, dosłownie ćwierć sekundy. Ale wiesz co?, ja usłyszałam to ćwierć sekundy.

wiatr rozwiał dziś
wszystkie
moje złudzenia
nawet nie drgnął liść

Każ mi zniknąć, do cholery. Zanim całkowicie rozpłaszczę się przed tobą, upodlę i stanę pośmiewiskiem sama dla siebie, jak nisko można upaść przed mężczyzną. Czy na to już też za późno? Może już stałam się pośmiewiskiem, karykaturą samej siebie. Bo nie wiem, czy można niżej. Mogłabym jeszcze tylko położyć się przed tobą i żebrać. Chociaż właściwie to cóż innego robię? I znowu będę musiała zeżreć kawałek swojego ogonka, a on już i tak coraz krótszy. Uwolnij mnie od siebie, pozwól mi upaść, odejść, zniknąć.

A Mediolan tak – przepiękny; lody genialne, Włosi mówią tylko po włosku, nie sposób się dogadać, pogoda cudowna, niebo bezchmurne, druga co do wielkości katedra na świecie rzeczywiście duża, pinot grigio jak zwykle nie zawiodło, espresso czarne i po włosku mocne, pod skuter wpaść bardzo łatwo, Bellini i Rafael wspaniali, Włoszki chodzą w rurkach, długich butach i obcisłych skórzanych kurtkach, też taką chcę, wszyscy wszędzie palą, w księgarniach moc wspaniałych albumów, dlaczego w Polsce takich nie ma?, gołębie srają tak samo jak wszędzie, a ja z tęsknoty i miłości do ciebie płakałam w samolocie linii Lufthansa na trasie Mediolan–Warszawa z mężem siedzącym obok. To się stało.

Wieczór jest mroczny, a ja jestem winna winem mediolańskim, ale właściwie dlaczego mam nie pić, powiedz? A miało być tak pięknie. Już przecież miało być tak pięknie, już mieliśmy się spotkać, kochać, zatracać i anioły grały nam na trąbkach. Haendla. Albo hejnał, wszystko jedno, ale słyszałam. Miało być doskonale, twoje bose stopy i oczy z samych źrenic.

A tymczasem najpierw byłeś na targach, więc nie mogłeś, w następnym tygodniu chory, więc jeszcze bardziej nie mogłeś, bo prawie nic mówiłeś, potem nie odebrałeś telefonu kilka razy, a później znów miałeś jakiś wyjazd i weekend był przedłużony, więc „sama rozumiesz", a potem nie oddzwoniłeś, tylko napisałeś, że zadzwonisz jutro, a później ja zadzwoniłam, bo wcale jutro nie zadzwoniłeś, więc ja pojutrze i kawa, i niby kochanie, gówno, nie kochanie, tu mnie niby przytulasz, czy tak raczej poklepujesz, siadasz obok, wdycham twój zapach, zaciągam się, masz takie niepokojące usta, mądre i zmysłowe, i nagle, że jest ci zbyt trudno i boli, że myślałeś, że nie będzie ci przeszkadzało, ale jednak przeszkadza, cholernie długo mówiłeś, nawet nie zwróciłam uwagi, że wpierdoliłam swój ogonek już całkiem do końca, nie ma.

Za bardzo, zbyt boli i mój mąż, i moja liczba mnoga, mówisz, ja nie wiem, co powiedzieć, ty, do cholery, też nie jesteś liczbą pojedynczą, najchętniej bym się jednak rozpłakała. Chciałabym w tej chwili być małą dziewczynką i przytulić się do mamy. Ona tak pięknie i ciepło pachnie tym unikalnym zapachem, potrzebuję teraz jej miękkości, tak bezpiecznie jest w jej objęciach, można się wtulić w tę miękkość i nigdy już nie być dorosłą. Można by nie być w ogóle.

Tylko nie dać po sobie poznać, nie mogę dać po sobie poznać. Nie mogę przecież rozpłakać się tutaj, na tej kawie z tobą, rozumiesz. Że zbyt boli, myślałem, że mnie to nie będzie ruszało, nie będzie dotykało, powtarzasz. Wcale na mnie nie patrzysz, a mam takie epickie usta rozchylone i co... Że mąż, że wcześniej nie myślałeś, co ty mówisz. Co on mówi!

A może by w twarz ci dać, a może zemdleć, a może powiedzieć ci „pierdol się", a może wyjść bez słowa, a może przyznać ci rację, a może umrzeć po prostu tutaj przed tobą, zaraz. Natychmiast.

tak, tak, śniłam, byłam w niebie, kwiat zerwałam
no oczywiście
a po obudzeniu i cała reszta tych
romantycznych pierdół.

znów chcę zasnąć
ale cierpię na bezsenność
to ty byłeś tym kwiatem.

bezsenność jest raczej nieuleczalna
i koniec końców okazało się,
że jesteś zielskiem z innej zupełnie łąki

35

Szanowny Panie Wydawco, czy też w zasadzie powinnam zwracać się do ciebie Wysoki Sądzie, bo wszystko, co z tobą związane, jest takie bardzo wzniosłe i ostateczne. Tak więc Wysoki Sądzie, chociaż wcale przecież nie jesteś zbyt wysoki. Pouczona o odpowiedzialności karnej za zeznawanie nieprawdy i zatajanie prawdy, zeznaję, co myślę i wiem o... no właśnie, o czym? O nas, tak, ale nie ma przecież nas, ten wyraz został wykreślony z twojego słownika języka polskiego.

Wyrazu „nas" nigdy nie było, a teraz nie ma jeszcze bardziej.

Napiszę więc, co myślę o tym, czego nie ma i w dodatku na zielonych kartkach, na zielonych też jeszcze nie było, ale dlaczego miałoby nie być, w końcu to kolor tej kretynki nadziei. I mam tylko właśnie nadzieję, że się nie rozmyślę i wyślę ci ten list. A może stchórzę i zostawię go jedynie w zapiskach dla przyszłych pokoleń. Jeśli zostanie po mnie jakieś pokolenie. Nie zostanie, nie chcę dzieci, chyba że z tobą, tak więc nie będzie komu zostawiać. Szkoda, bo zobacz, *Listy na wyczerpanym papierze* Osieckiej i Przybory to taki bestseller.

To będzie szczere i wylewne zeznanie, ponieważ wina dużo się w kieliszku zmieściło i nie ma się już nad czym dłużej zastanawiać.

Owszem, Wysoki Sądzie, miałam trochę doświadczeń z mężczyznami, nie mogę zaprzeczyć. Nie wiem, jak dużo to jest trochę, ale do celów tego oświadczenia na pewno wystarczająco. Jeśli chodzi o seks, to przeżyłam parę przygód, zdarzyło mi się pójść do łóżka po kilkunastu minutach znajomości, jedynie z pożądania i chęci zabawienia się. Bywałam też oczywiście zafascynowana i wpatrzona jak w obrazek, kochałam platonicznie. Spałam czasami z mężczyznami dla wygody i korzyści. Tak, tak, poszłam do łóżka z szefem jedynie po to, by mieć rozmaite gratyfikacje, ale nie powiem z którym. Kusiłam, sprawdzając, czy to działa. Uwielbiam flirtować, zawsze działało, a skromność to moje drugie imię. Zdarzyło mi się myśleć: no jak to, na mnie nie poleci? – i wyznaczać sobie cele, a potem przekonywać się, że oczywiście poleci…

Naprawdę zakochana, w moim poczuciu znaczenia słowa „naprawdę", byłam trzy razy. Wyszłam za mąż, bo mi się wydawało, nawet nie wydawało – tak czułam, że tego pragnę, chcę, to mężczyzna idealny, chcę się przy nim zestarzeć i go kocham. Tak było, a to wino bardzo dobre, Wysoki Sądzie, pozwoli Sąd, że naleję sobie jeszcze jeden kieliszek, bo jak się bez wina spowiadać. I zmienię muzykę, jakiś taki nastrój na Prokofiewa się zrobił.

A potem ta sytuacja, która nastąpiła parę miesięcy temu…

Nastąpił on.

On, proszę Wysokiego Sądu. I nic nie myślałam, kiedy tak szłam i droga pusta i tylko myślałam, czy on tam będzie, a on tam był.

Nastąpiło coś, czego nigdy, w ciągu tych lat, kiedy jestem siebie świadoma jako kobieta i jako zdolny do uczucia miłości człowiek, nie przeżyłam. Mało tego, nie wyobrażałam sobie, że możliwe jest przeżyć tudzież przeżywać – bo przecież wciąż. I to było, *jakby się z tego szczytu* (…) *oderwał kamień i zaczął spadać* (…) *i jakby to wszystko toczyło się w huku i pędzie, ani w grzechu, ani w czystości, lecz po prostu w huku i pędzie*[13]. Tak, proszę Sądu, tańczyć jak derwisz, oderwać się od rzeczywistości, zna to Sąd? Grom z jasnego nieba, tak właśnie było. Zakochałam się. Co ja mówię; POKOCHAŁAM. Jest subtelna różnica pomiędzy zakochałam się a pokochałam, prawda? Pokochałam do bólu.

Tak, winna jestem tej miłości żądającej wszystkiego. Chociaż przyznaję, iż na początku myślałam, że to będzie jedynie łaskocząca niczym motyle skrzydła i wierzbowe witki, podniecająca przygoda. On się bawi, ja się bawię, chcesz brać, bierz; karuzela i wata cukrowa w kolorze obowiązkowo różowym.

– No i jak, kochana?, są jacyś ciekawi koledzy w tym nowym wydawnictwie, dla którego teraz piszesz?

– Nieee tam, jacy koledzy. Nie ma…

– Ale minę masz dziwną, a uśmiech jakiś taki zupełnie idiotyczny, przyznaj się!

– Najmilsza wnikliwa przyjaciółko ty moja, kolegów nie ma, słowo. To znaczy są, ale nieciekawi. Ale miasto jest na przykład bardzo piękne…

– Miasto…

– I szef kolegów…

– Wiedziałam! No wiedziałam natychmiast, jak tylko zobaczyłam twój rozanielony uśmiech! Będzie coś?

– Nie wiem. Nie planuję przecież! Ale mogę troszkę poflirtować, prawda, to jeszcze nie przestępstwo?

– A czy jeśli ci zabronię, to coś zmieni? Opowiadaj, bo wyraz twarzy masz tak głupkowaty, że nie mogę patrzeć!

– Nie ma właściwie co opowiadać. Nawet nie rozmawialiśmy na osobności. Na razie było jedno zebranie. Organizacyjne. I kiedy on wszedł do sali… Taki zupełnie niepozorny na pierwszy rzut oka, ale, no nie wiem, INNY… I te jego usta… Jeeezu, te usta i oczy…

– Spokojnie, spokojnie, nie gorączkuj się tak.

– Pierwsze, co powiedział, to: „Ojej, ale państwo tak daleko siedzą...”. A ja, jak to ja, sama wiesz, no przepraszam... nie wytrzymałam i mówię: „A co, będzie nam pan badał puls?”.

– Bezczelna lafirynda.

– Masz szczęście, że jesteś moją ukochaną przyjaciółką! Nie mogłam się oprzeć. To było... jego wzrok mnie przygniótł, wgniótł. To było jak piorun, ja nigdy... a potem cały czas patrzyliśmy na siebie...

– Ależ ci zazdroszczę! Boże, a ja jestem tylko żoną.

– W tym sedno, ja też jestem żoną. Nie wiem, nie wiem, co robić, ale nie mogę myśleć o niczym innym. Te jego usta, jego głos... nie mogę się na niczym skupić. Mówię ci, było mi gorąco, jest mi gorąco, jakieś to wszystko takie...

– Masz wypieki.

– Chcesz zbadać mi puls?

Tak, chciałam tego, Wysoki Sądzie. Chciałam tego flirtu. Chciałam kusić i chciałam go uwodzić. Kolana drżały i ręce drżały, i wargi jakoś tak zupełnie same się przygryzły. Ale to wszystko było niewinne, przysięgam, i nawet potem nasze listy szeptane i spojrzenia rozmarzone, moje wiersze i tylko wyobraźnia. Niewinne było, Wysoki Sądzie.

Jednak z dnia na dzień, z listu na list, ze spotkania na spotkanie, z oczekiwania na oczekiwanie... zatraciłam się.

przytrafiłeś mi się
jak letni deszcz
w środku zimy
a teraz to już tylko
głośna cisza przed burzą

Wiem, że nie powinnam mówić o miłości, ale już tak jest, że mówię to, czego nie powinnam. Nie powinnam mówić o miłości, a już na pewno nie jemu. Musiałam jednak powiedzieć, napisać, wykrzyczeć, chociaż krzyczałam szeptem. Bo cóż innego, skoro naprawdę nagle znalazłam się w obliczu wielkiej miłości. I naprawdę nie ma w tym egzaltacji. To niespodziewane stało się niespodziewanie, bo przecież tutaj szczęśliwe małżeństwo i w ogóle wszystko. A nagle mnie uderzyło i wiedziałam, że to właśnie ona; wielka miłość. A potem choćby i tsunami.

Kocham go. Czy Sąd wie, jak ja go kocham? Sąd wszystko powinien wiedzieć. Nie wiem, czy mam na to jakiś wpływ, chyba nie, to jest poza mną jakby. Wszyscy jesteśmy uwięzieni w jakimś szalonym marzeniu i nagle on sprawił... on mnie z tego marzenia uwolnił. Ale niepotrzebnie mówiłam i niepotrzebnie chciałam więcej i więcej. Zachłannie i za bardzo, wszystko za bardzo. Spaprałam to, proszę Sądu.

Właśnie tak. A on mnie teraz ignoruje. Właściwie nie ma go już dla mnie. Tłumaczę sobie życie bez niego na wszystkie możliwe sposoby, ale nie idzie mi to najlepiej. Nie idzie wcale. I chociaż ostatnimi tygodniami byłam taka dzielna, naprawdę, i pisałam do niego zupełnie idiotyczne listy o pierdołach, że co, że niby jestem jego koleżanką i opisuję, jak minął mi dzień, co zrobiłam, a czego nie oraz ile razy z psem na spacer wyszłam, absurd. Nigdy nie będę się z nim przyjaźnić, nie potrafię. Na szczęście nie użył tej strasznej frazy; zostańmy przyjaciółmi. Już chyba lepiej, żeby milczał. Nie będę jego przyjaciółką, bo nasza znajomość nigdy nawet nie szła w tym kierunku, dla mnie to było zawsze WSZYSTKO ALBO NIC.

– Dlaczego przestałaś pisać do mnie?
– Bo to mi nie wystarcza.

Nie potrafię powiedzieć, czy błogosławię, czy przeklinam dzień, w którym wszedł do sali, jedno i drugie, kolejność dowolna, a bąbelki uderzają mi do głowy, chociaż w winie nie ma przecież bąbelków, od razu widać, że już się urżnęłam. W każdym razie niech Sąd wie i niech on wie, a on wie dobrze, że nie ma dnia, nie ma godziny, żebym o nim nie myślała.

Tak, być może nadszedł w moim życiu dzień, kiedy obudziłam się i powiedziałam sobie: „A teraz właśnie, kurwa mać, zakocham się szaleńczo i do utraty zmysłów, właśnie teraz, ja pierdolę!" – i pięścią w stół. I rzuciłam się z ręki Chrystusa w Rio bez spadochronu.

Dlaczego akurat w tym czasie, będąc szczęśliwą w związku małżeńskim, w tej pięknej podstawowej komórce społecznej, mając stabilizację, dom, plany, przyszłość? Nie wiem, Wysoki Sądzie, nie potrafię odpowiedzieć na to pytanie. Natrafiła na niego moja niekierująca się roztropnością namiętność. To wszystko jakiś los czy zbieg okoliczności, przypadek, niewiadomoco i teraz brak tchu do utraty tchu.

A co on?, pyta Sąd, a nawet jeśli nie pyta, to ja i tak powiem.

Myślę, że mu się bardzo spodobałam, piękne były jego listy, słowa i czas, gdy byliśmy razem. Chociaż tak, oczywiście nie BYLIŚMY nigdy razem, ale w jakiś sposób jednak…

Nie wiem, kiedy nastąpiła kumulacja, ale już nastąpiła, przeszła, poszła i teraz jest w dół w huku i pędzie i to jest wyłącznie moja wina. Winy niczyjej innej nie ma. Że za szybko mu powiedziałam, co czuję, wiem, wszystko to było tak dramatycznie szybkie. Ale co można poradzić na uczucie, które przychodzi nagle i niespodziewanie, przecież nie stałam na przystanku i nie czekałam na tę pieprzoną miłość! Przepraszam, oczywiście, język znów niecenzuralny.

Bo ja, proszę Sądu, zamiast traktować to lekko, niczym zabawę i przygodę, nagle zaczęłam myśleć o nim i o tym, co dzieje się między nami, bardzo poważnie. Ale to jeszcze nic, samo wszakże myślenie nie robi źle, ja zaczęłam poważnie o tym mówić. I to go przestraszyło, bez wątpienia, zniechęciło i zaczęło nużyć. Poczuł się osaczony, przytłoczony, przymuszony, zmęczony, no któż by tak chciał. Nikt, ja nie.

I teraz właśnie chyba nadeszło to tsunami, na które podświadomie czekam od początku naszej znajomości. I zaraz będzie absolutna cisza i wielkie NIC. I on odetchnie z ulgą i ja też pewnie odetchnę. Tylko nie wiem jeszcze czym.

Ale ja go rozumiem, Wysoki Sądzie, życie powinno być czymś prostym, a ja niesamowicie to wszystko skomplikowałam.

Co mogło być miłym romansem i samą przyjemnością, nie jest takie, kiedy robi się zbyt serio. To zadziwiające, że tak świetnie to pojmuję, a jednak. A jednak miłość sprawia, że robisz rzeczy, o które nigdy byś siebie nie podejrzewał.

Cukrowa wata zrobiła się po prostu za słodka i za różowa, a ja zbyt zachłanna, męcząca, monotematyczna, oczekująca, pytająca, chcąca coraz więcej i więcej; nadmiar przymiotników robi źle nie tylko literaturze.

Lecz, proszę Sądu, ja tak mało miałam czasu, aby BYĆ. I wszystko w połowie drogi, jakaś przepustka z piekiełka rzeczywistości, bez codzienności, jedynie darowane, reglamentowane urywki, fragmenty.

Nie mogłam mieć koncertów w filharmonii ani na trawie przed pomnikiem Chopina, nie mogłam mieć wycieczek w góry, nie mogłam mieć ciastka z foremki w kształcie serduszka czy z jakiejkolwiek innej foremki, nie mogłam mieć kina, przytulania na ulicy i kupowania sukienki, nie mogłam robić mu śniadania i trzymać go za rękę podczas burzy, a boję się burzy, nie mogłam mieć wspólnego czytania książek wieczorami i biegania po deszczu, nie mogłam mieć gotowania razem ani tylko dla niego, nie mogłam mieć zimnego białego wina w upalny dzień, porannego uśmiechu, chłodu jego nagich ramion, zapachu cygara i wtulenia w fotelu, nie mogłam mieć świec i lodów z wiśniami ani bez wiśni też, nie mogłam słuchać, jak zapalniczką robi klik-klak, choć tę zapalniczkę, która tak właśnie robi, dostał ode mnie, nie mogłam mieć jego oczu zaspanych i gaci do prania, nie mogłam mieć niczego, co ma ktoś inny.

Huśtawka. Wieczna huśtawka. Spotkania niczym darowane momenty, odrywałam się od ziemi, frunęłam lekka, szczęśliwa, spełniona. On sprawiał, że czułam się lepsza, jakbym się unosiła. A potem kończył się czas, koniec wizyty i nawet żadnej recepty. Dziękuję, do widzenia, do zobaczenia na kolejnej wizycie kontrolnej, proszę się oszczędzać i nie przemęczać, uważać na cholesterol oraz ciśnienie.

Proszę nie pytać, czego w takim razie bym chciała, bo Sąd wie, czego. A jeśli nie mogę mieć tego, to nie wiem już, czego bym chciała. Może tylko i aż sposobu na odnalezienie się w tej sytuacji i aby tak nie bolało. Oczywiście, że tak, jak jest, być nie może. Ja za bardzo, on za mało, ja za mocno, on za słabo, nic z tego.

1
Collect and donate vouchers
to help kids lead healthier lives
Active Kids 2015
Active Kids
Sainsbury's

Po prostu coś się skończyło, a może nie była to miłość. Tak czuję. Podskórnie. Naskórnie też.

A Sąd mi jeszcze teraz mówi, że tylko to, co się straci, może być na zawsze nasze, tylko nasze, we wspomnieniach, w pamięci; ona blaknie, ale pozostają kontury. Bardzo, naprawdę bardzo staram się zrozumieć te słowa.

Tak naprawdę jedynie on mógłby napisać zakończenie tej opowieści, chociaż on nie pisze, to ja się bawię w literatkę. On mógłby powiedzieć, że byłoby lepiej, gdybyśmy skończyli definitywnie tę znajomość. A potem parę jeszcze innych równie trudnych zdań. Może nawet próbował kiedyś, ale nie chciałam słuchać. A chociaż słuchałam, nie słyszałam. Bo potem przychodził znowu. Więc jedynie on mógłby. Nieodwołalnie.

I już potem nigdy.

Ale że niby co – że to nie złamałoby mi serca? Naturalnie, że by złamało. Pewnie dlatego powinno się wspólnie postanowić, podjąć decyzję razem. Co za ironia, nic nigdy wspólne nie było, ale decyzja wspólna być musi.

Tylko jak miałoby to niby wyglądać? Usiądziemy naprzeciwko siebie, niczym w *Meblościance*, będziemy *pili oranżadę, siorbając ją pomału, żeby nie dostać szału*, popatrzymy sobie w oczy i na trzy-czte-ry powiemy *kres, koniec, kropka, finał?* I wtedy serce pęknie mi w jego dłoniach i pocieknie po palcach naszą zeroerhaplus, chce Sąd?

Przepraszam, ale ja nie mam siły ani odwagi powiedzieć mu, że nie chcę go nigdy więcej widzieć. Pragnę go widzieć każdą komórką mojego ciała. Tak, kiedy jest ze mną, to nawet moje palce mają oczy.

Proszę Sądu, ale przecież ja tego nie wybierałam, to się samo wydarzyło, a ja jedynie stałam się jakąś zabawką, igraszką. I w dodatku mam przecież tutaj naprawdę bardzo ładne życie. Dobre życie, poprawne, za które powinnam być wdzięczna. To aż nieprzyzwoite stracić tak głowę dla innego, mając... no właśnie. I mąż kupił mi ostatnio na rocznicę ślubu przepiękny obraz, prawie stuletni akt. Ale nie sam obraz najważniejszy, chociaż wie Sąd, że ma tytuł *Niewinna*, czyż to nie zabawne? Czytając dedykację, którą napisał na odwrocie, popłakałam się: „Ukochanej żonie na drugą rocznicę ślubu od kochającego męża". Popłakałam się UCZCIWIE. Nie udawałam, tak jak inne rzeczy udaję, tak jak szczęście udaję i radość. Rozczulił mnie, widzi Sąd, przecież nie chodzi o obraz, tylko o tę dedykację, od kochającego męża. To było pierwsze dziesięć minut od tygodni, kiedy nie myślałam o NIM. I takie to moje nibyszczęście. Nibymiłość, nibyżycie, nibyzwiązek, nibyświat.

Jak już nie wytrzymam tego wszystkiego, to palnę sobie w głowę z ozdobnego sztucera, w końcu mój mąż jest myśliwym. Samobójstwo powinno być aktem rozsądku, prawda?

Czy Sąd uważa, że jestem rozsądna?

– Chcesz mu to dać? To takie trochę, no nie wiem; patetyczno-rozpaczliwe.

– Dlaczego miałabym nie dać? Ta cała moja miłość jest taka. Śmieszna i żałosna. Moja patetyczno-rozpaczliwa miłość korespondencyjna, jednostronna, wirtualna. Jeszcze gorzej sobie o mnie pomyśli? A można gorzej? Pomyśli, że jestem pieprznięta, chora na niego czy chora w ogóle. Umysłowo. To już pewnie niczego nie zmieni, a zresztą żałować trzeba tego, co się zrobiło, a nie że się czegoś nie zrobiło. W każdym melodramacie to słyszę.

– No tak. Tylko że można się pokaleczyć. Życie to nie jest film, kotuś.

– Można się pokaleczyć. Ja się kaleczę. I pewnie nigdy nie będzie już normalnie po tym wszystkim, nie sądzę, aby mogło. Jakkolwiek to się skończy.

36

A przecież powinnam być szczęśliwa, mam wszystko, jak powiedziała przyjaciółka pierwsza, zerkając na moje nowe buty od Prady. Mam ładne mieszkanie, dobry samochód, niezłe ciuchy, młodego i bogatego męża, wszystkie mi go zazdroszczą. Jest przystojny i wysoki, ma piękne smukłe dłonie i obrączkę na serdecznym palcu, którą sama zaprojektowałam. Ty nie jesteś ani wysoki, ani specjalnie bogaty, ani smukłych palców też nie masz.

A mój mąż ma. Może nie czyta zbyt wiele, poza kodeksami, może nie lubi szampana, może i jest dość przewidywalny i trochę nudny. Ale to bezpiecznie. I dba o mnie tak, jak umie. Ty nie dbasz o mnie wcale.

Z nim mam mieć dom z ogródkiem i stół w tym ogródku obrusem w kwiaty przykryty, róże najpewniej herbaciane, *wystarczy, żebym była miła*, prawda? I przecież *gdybym chciała, bym się urządziła*. Już tak napisała jedna. A potem śpiewała i jedna, i druga, i ja za nimi, może nie tak ładnie, ale na pewno równie dramatycznie. Wiesz, mogłam mieć nawet we Włoszech ten stół z różami, a ty spieprzyłeś wszystko.

Chociaż to przecież nie twoja wina.

Ale jego też nie. On wróci z pracy, uśmiechnie się, zmieni garnitur i zabierze mnie do najmodniejszej dyskoteki w mieście, gdzie prawie wykąpie mnie w moim ulubionym szampanie.

Powinnam być przecież zadowolona, rzeczywistość migocze niczym lampki na choince. Ale wiesz co, mam poczucie, że to, co najważniejsze, przepierdala mi gdzieś przed oczami i tylko patrzę na to smętnym pijanym wzrokiem i tyle.

otworzyłam swoje
nasączone tobą serce
jak owoc granatu
słodkie i cierpkie
krwisto fioletowe owoce
strzelają mi w palcach
naszą zeroerhaplus

Bardzo teraz głośno wielka msza h-moll. Oczywiście, że ty nauczyłeś mnie Bacha. Powinno się tego słuchać z zamkniętymi oczami i z kieliszkiem Amarone. Albo dwoma nawet; „to wino pieści, a nie smakuje" – powiedziałeś. Powinno się mieć głowę na twoich kolanach i twoją rękę na brzuchu, czujesz, jak oddycham?, dla ciebie. Twój zapach powinien mieszać się z zapachem wina i muzyki, bo ta muzyka pachnie, a śpiew chóru to byłby akompaniament do naszego jednego bicia serca; najpiękniejszego dźwięku.

Wiem, wiem, idealizuję. Zarówno ciebie, jak i naszą niemożliwą codzienność. Miewam cię przecież tylko, a teraz już nawet to odeszło.

Idealizuję, bo nie widzę twoich wad. Nie widzę, kiedy warczysz, zrzędzisz i jesteś wściekły, zły, smętny, smutny, bywasz taki w ogóle? Nie widzę, kiedy masz focha, ani twoich porozrzucanych skarpetek nie widzę i nie muszę słuchać, jak chrapiesz, i przewracać się z tego powodu bezsennie w łóżku. Nie muszę czuć, jak pachniesz cebulką ze śledzi, nie znoszę tego zapachu, a ty bardzo lubisz śledzie. Tak, jesteś idealny, ponieważ mam cię jedynie od święta. A właściwie nie mam już wcale. Ale czyż nie jest tak, że gdy podejmujemy decyzję, że chcemy spędzić życie z drugą osobą, to znamy ją jedynie od święta? Przecież nie robi się specjalnych testów, po prostu się wie. Ja po prostu wiem! Przecież powinno wystarczyć wyłącznie to spuzzlowanie i poczucie jakieś, świadomość, że to jest właśnie TO. Mam takie poczucie, ale to trochę zbyt mało, prawda? Szlag, miałam nie pić, ale nalałam sobie dużą, sprostowanie: ogromną lampkę wina.

zasypiam na poduszce niepachnącej tobą.
nie ma tu nawet wspomnienia twojego ciepła.
nie ma cienia zagniecenia
które zrobiła twoja głowa.
zasypiam na poduszce niepachnącej tobą.
zaśnić swoje życie, w którym ciebie nie ma.
szczeka pies.

Rozterki małżeńskie, rozterki miłosne, trzeba to wszystko zakończyć. Trzeba przestać o tobie nieustannie, chcesz jechać, jedź, powiedziałam, chociaż chciałam, żebyś został na zawsze. Ale niczego nie zmienię, czyż nie? Niczego już nie zmienię, i może to w końcu do mnie dotarło, a nawet jeśli nie, to elegancko wmówię sobie, że dotarło i żadne tam od jutra.

Jutro to dziś, tyle że jutro, po co czekać, na co. Trzeba od natychmiast! Matka ma rację, przyjaciółki mają rację, wszyscy mają rację i tylko ja zachowuję się jak nienormalna. Koniec wreszcie z tą egzaltacją i umieraniem z miłości.

Takie wspaniałe i wielkie postanowienie, aż mam ochotę świętować. A *życie, to bal jest nad bale* i nawet jeśli bez ciebie. Bawmy się! Z tej radości zrobiłam dla przyjaciół kolację. Aby podzielić się sukcesem z najbliższymi. Sukcesem uwolnienia od ciebie. No oczywiście, z nikim się nie podzielę, ale pretekst dobry jak każdy inny. Ja wiem i ty już teraz wiesz i co, głupio ci?

Otworzę nawet prawdziwego szampana, niech stracę, w końcu to naprawdę sukces. A więc kolacja, przyjaciele, rodzice. Z kim mam świętować, jeśli nie z nimi. Z tej okazji nawet gęś upiekłam pierwszy raz w życiu, wielką, ledwo zmieściła się do piekarnika, a nawet trzeba jej było obciąć skrzydełka, jakie to symboliczne.

I pachniało w całym domu tą gęsią i radością, i ciastem marchewkowo-dyniowym, chociaż nie piekę ciast. Pomarańczowa etykieta szampana, pomarańczowe serwetki, pomarańczowa dynia, i gęś w piekarniku też na pomarańczowo się przyrumieniła, i dzwonek do drzwi, i wszyscy wchodzą, i jest tak cudownie. Założyłam nawet sukienkę i buty na obcasie, żeby nie czuć się gorsza od przyjaciółki pierwszej, żeby dzisiaj, przynajmniej tego właśnie dnia, nie czuć się niczym kuchta. A właśnie że obcasy i właśnie że sukienka, i właśnie korek od szampana już prawie wyskakuje z butelki, i wiaderko z lodem gotowe, kochanie? Gotowe, proszę, i mąż taki radosny, i matka uśmiechnięta, i ojciec wchodzi, rozradowany, i czy wiecie, kochani, co się stało, i tu gówno, bo im przecież nie powiem.

A korek już wyskakuje, bo nie da się dwutlenku węgla utrzymać dłużej pod palcem, i te skrzydełka gęsi obcięte, i moje skrzydełka obcięte, oberżnięte, urżnięte, wyrwane, a może nigdy ich nie było.

Przecież ta kolacja niczego nie zmieni, kogo próbuję oszukać tak elegancko. Ani ten szampan też nie, chociaż pyszny. Już odbija mi się czkawką, bo nie jest tym, którego piliśmy podczas naszej jedynej wspólnej nocy. I zaraz w tej sukience krótkiej i szpilkach najpewniej wybuchnę z rozpaczy, bo wszystko sprowadza się do ciebie, a gęś wybuchnie w piekarniku, jeśli jeszcze pięć minut będzie tam leżała poddawana obróbce termicznej. Kochanie, wyjmij ptaka, bo przecież pozory trzeba zachować. Trzeba się jednak opanować, prawda?, dopić szampana, bo bąbelki ulecą, tak jak uleciało twoje zakochanie. I już wiem, że znów nie skończy się na jednej butelce i znów w nocy będę miała gorączkę, czerwone plamy na policzkach i będą mi się śniły koszmary. A miało być tak pięknie i kolację naprawdę zrobiłam przepyszną. Dla ciebie nic nigdy nie ugotowałam. Nawet wody na herbatę. A gdybyś tylko chciał.

37

Gdybyś tylko chciał, miałbyś Veuve Clicquot i Dom Pérignon, w zależności od smaku i ochoty, młodą kapustkę (z cebulką, zielem angielskim i liściem laurowym) i tatara z tuńczyka na zmianę z tatarem z polędwicy, aż do znudzenia, i Amarone, które pieści, i Brunello, i co tylko byś wymyślił, i mnie uśmiechniętą, i święty spokój, gdy go potrzebujesz, i młode ziemniaki z kwaśnym mlekiem, i bez mleka też, z koperkiem, i polędwicę wołową z lekkim sosem czosnkowym, aromatyczną, delikatnie przypieczoną z zewnątrz, nie mówiąc o zrazach z grzybkiem, cebulką i marchewką, takich malutkich, spiętych na jedną wykałaczkę, i stek z tuńczyka owinięty szynką parmeńską miałbyś, taki, jakiego nigdy nie jadłeś, bo zawsze jest suchy, a ten nie jest suchy, łosoś to pestka, każdy głupi potrafi, i szparagi na wszystkie możliwe sposoby, i mogłabym nawet pastować ci buty, i wątróbki po żydowsku, które robiła twoja mama, a ty już nie pamiętasz, jakie są rewelacyjne, z chrupiącą bagietką i do tego własnej roboty masło czosnkowe (koniecznie też ogórki małosolne), i makaron z najlepszej pszenicy mógłbyś mieć z oliwą, czosnkiem i rozmarynem, i makaron w ogóle na sto sposobów ze wszystkim, co tylko... i nawet po trufle mogłabym jeździć czy latać dla ciebie na koniec świata, chociaż pewnie wystarczy parę przecznic; i ostrygi co czwartek, mimo że ceny windują kosmicznie, i krewetki tygrysie albo królewskie, bo jesteś królem przecież, w sosie z białego wina i czosnku, z natką pietruszki; najlepiej smakują z lekko podgrzaną w piekarniku ciabattą, i białe wino, gdy upał, i nawet mogłabym cię wachlować, gdyby było ci jeszcze za gorąco, a szpinak?, lubisz szpinak?, bo szpinak z serem pleśniowym i orzechami piniowymi i jeszcze świeżo wyciśnięty zimny sok mieszany z grejpfrutów, granatów i pomarańczy każdego ranka i nawet do łóżka, i taki kulinarny ten list miłosny, bo może, jak już nic cię nie rusza, to przez żołądek do serca, czy też nie.

38

– Spieprzył mi życie.

– Wiem, kochanie. Wiem. Kutas.

– Ale to nie jego wina.

– Jak nie jego?! To po co były te cyrki wszystkie! Te pytania, czy uciekniesz! Łzy! Po jaką cholerę to wszystko było?!

– Jesteś moją ukochaną przyjaciółką. Moją jedyną. Moją jedynką. Zawsze będziesz mnie bronić, wiem, ale to naprawdę nie jego wina. To ja jestem winna.

– Dobrze, to tu mamy konflikt. Duży. Ale co dalej. Bo nie radzisz sobie, przecież widzę, że sobie nie radzisz.

– Próbuję sobie tłumaczyć, że niby jestem bogatsza o doświadczenie i o te piękne chwile, które przeżyłam. Ale tak naprawdę co mi po nich. Co mi po tych chwilach. Pieprzę takie tłumaczenie, że mam być wdzięczna, że w ogóle mi się przytrafiło! Rozumiesz, nie chcę tak.

– Nie mogę patrzeć, jak się miotasz. Jak widzę twoje cierpienie... Zabiłabym skurwiela za to, co ci zrobił!

– Nigdy w życiu nie czułam takiego bólu, wiem, że to brzmi patetycznie, ale przysięgam, że tak czuję. Jestem egzaltowana, ale, ale. Za co dziękować? Spieprzył mi życie... nie wiem na jak długo, teraz czuję oczywiście, że na zawsze. I jeszcze boli mnie to, że przy tym wszystkim spieprzył też mnie. Moje małżeństwo. Zanim go poznałam, to jakoś było.

– Wiem... Lepiej, gorzej, ale było. I byłaś radosna i wszystko cię cieszyło. Strasznie mi ciebie takiej brakuje... tamtej.

– Życie mnie cieszyło! I to wspólne też. I chciało mi się. I wtedy, pamiętasz, kiedy była możliwość poprowadzenia tej kancelarii we Włoszech…

– Tak, wszyscy w zasadzie się cieszyliśmy, że będziemy was mieli w Mediolanie.

– Na początku tak kibicowałam temu wyjazdowi, już nawet planowałam, szukałam domu, kurwa mać, we Włoszech! Układałam tam nasze życie, byłam gotowa wynieść się stąd natychmiast bez żalu, naprawdę, nic mnie tu nie trzymało, to znaczy, no prócz was, prócz ciebie, ale…

– Ja bym cię odwiedzała!

– A potem przyszła ta niespodziewana praca i on… to niepojęte, co się ze mną porobiło. Stało się wszystko i jednocześnie. Trzęsienie ziemi, potop, koniec świata. I byliśmy w tym pieprzonym Mediolanie, a myślałam jedynie o tym, żeby to nie wyszło, błagałam los, żeby nie wypaliło, trzymałam kciuki, żeby mojemu mężowi powinęła się noga, to okrutne! Zaczęłam mu źle życzyć, rozumiesz, znienawidziłam go. W pewnym momencie nawet życzyłam mu… śmierci.

– Nie przejmuj się, ja też czasami sobie wyobrażam, jak by to było, gdyby mojego nie było.

– Tak, ale ty mówisz to w ramach żartu, a ja nie tylko sobie to wyobrażałam, ja mu tego życzyłam, rozumiesz? Jestem straszna. Jestem okrutna.

– Nie jesteś. Nie obwiniaj się.

– Ja WIDZIAŁAM go martwego.

39

O godzinie jedenastej trzydzieści siedem powiedziałeś, że nie przyjedziesz do mnie. Chociaż miałeś przyjechać, bo się umówiliśmy.

Owszem, jestem zła. Podałeś jakiś banalny powód. Śmieszny. Gdybyś miał spotkanie z prezydentem, zrozumiałabym. Gdyby wypadła ci jakaś istotna sprawa rodzinna. Ale w tym zwykłym i banalnym przypadku, o którym oboje wiemy, że jest zwykłym i banalnym przypadkiem, czy też raczej oboje wiemy, że to kłamstwo, wymówka, ściema, lewy powód po prostu!? „Wyskoczyło ci coś w pracy". Ty chyba myślisz, że ja jestem bardziej naiwna, niż jestem.

No cóż, różnimy się pięknie, widzisz, ja przyjechałabym do ciebie. Gdybym cię... kochała oczywiście.

Od jedenastej trzydzieści siedem boli mnie serce tak bardzo, że bardziej tylko chciałabym umrzeć, byle tak nie bolało. Naiwna, naiwna. Ty potrafisz się wycofać, bo zrobiło się za bardzo i zbyt boli, co za fatalne słowa! O czym to świadczy? PRZECIWKO świadczy. Przeciwko mnie. Ale zawsze przecież ktoś kocha mniej i komuś mniej zależy. A ja głupia kocham bardziej. Czy można kochać bardziej, gdy ta druga osoba nie kocha wcale? Widać, jednak to nic, jestem podległa i muszę cierpieć, *skoro pożądanie, kierujące się zawsze w stronę tego, co jest nam najbardziej przeciwne, każe nam kochać istotę, przez którą będziemy cierpieć...*[14] Zawsze jakieś serce musi się rozpęknąć, jaka piękna fraza.

Karmię się jeszcze marzeniami o czymś, czego nie ma i nigdy nie było, a może było tylko mglistym wyobrażeniem czegoś, co bardzo chciałam, aby się zdarzyło. I nic, i światło zgasło.

Pierwszy raz jestem jednak tak wściekła. Samą mnie to zadziwiło. Jestem zła, że nie odpisałeś na żaden mój list, napisałam ich tyle, wydawało mi się, że ładnie, że poetycko. Na żaden! Nie chce ci się nawet palcem klepnąć w klawiaturę.

Pięknie pisałeś do mnie kiedyś i nawet lekko miłośnie potrafiłeś, szkoda, że to KIEDYŚ tak cholernie krótko trwało, ale może i tak trzeba dziękować, że było. Setny raz mówię sobie, że się skończyło, i setny raz łudzę się, że może jeszcze nie do końca. Jak coś może się nie do końca skończyć! Idiotka! Na pewno w psychologii jest na to fachowe określenie. Przeczenie samemu sobie i wmawianie, że coś jest, mimo że w gruncie rzeczy się wie, że nie jest, czy też na odwrót.

To już nudne.

Ponieważ jestem wkurzona, zastanawiam się, w czym ona jest ode mnie lepsza, co takiego w sobie ma. Twoja żona. Co ci takiego dała, że ona tak, a ja nie. Co ma?!

A miałam się wyzbyć takich uczuć, obiecywałam sobie nie myśleć w ten sposób. Ale jestem wściekła, no więc co ona ma?! A może po prostu ją kochasz, a we mnie wydało ci się przez moment, że się zakochałeś, i tyle.

Po co w takim razie były te wszystkie słowa, po jaką cholerę łzy twoje? Łzy! Przecież płakałeś, do jasnej cholery! Na zamówienie potrafisz zawiesić łzy na swoich ładnych rzęsach, bo to działa na kobiety? Och, działa, kurwa mać, działa, wiesz?!

Te pytania, czy ucieknę, te pierdoły o spuzzlowaniu; sam wymyśliłeś to słowo! I nawet mi się podobało! O wspólnej krwi, o tym, jak wiele nas łączy, że zespolenie, zestrojenie. Całe to słodkie, tkliwe pieprzenie, dlaczego mnie tak sobą omotałeś?!

Ależ chciałabym mieć tyle godności, aby wyrzucić cię ze swojego życia, myśli, serca, z głowy. Z głowy najbardziej. Tam siedzisz, tam tkwisz! Rzeczywiście, to mózg jest najdoskonalszą i najbardziej perfekcyjną salą tortur ze wszystkich, jakie kiedykolwiek wymyślono. Powinien być na podwyższeniu w każdym muzeum tortur.

Nie mam jednak tej godności i płaszczę się. Nie umiem odejść, nie wiem jak. Jestem żebrakiem. Sama zaczynam siebie nienawidzić za to pełzanie przed tobą. Zgroza; ty mówisz, że nie przyjedziesz, więc ja, że może w takim razie jeśli nie wtedy, to dzień później, a jeśli nie dzień później, to może ja przyjadę albo może jeszcze inaczej; płaszczka.

A ty reagujesz tak, jak czuję przecież i słyszę, że reagujesz. Kretynko, słyszysz, że nie ma w nim ani odrobiny entuzjazmu! Po co się pchasz? Desperacja i żebractwo; ohyda. A *nie ma nic bardziej tragicznego niż żebranie o gest, o uśmiech od ukochanej Istoty. Przy tej tragiczności blednie wielka inna tragiczność, tragiczność cielesnego kalectwa, tragiczność duchowego kalectwa... wielka tragiczność blednie przy tragiczności żebrania o miłość*[15], nie ja to wymyśliłam.

Dojdę za chwilę do stanu, w którym znienawidzę też ciebie, a może już cię nienawidzę. Za to, że się pojawiłeś, za to, że cię tak bardzo mocno pokochałam, za to, że ty mnie nie, za to, że tak się przed tobą upokarzam, że nie potrafię cię nie kochać, i to, jak jestem obolała przez to uczucie, które wciąż trwa. Po co trwa, skoro nie powinno, skoro widzę, że codziennie powinnam je zabijać? Jest mi tak źle, że mam ochotę napisać ci „spieprzaj", a potem otworzyć okno i wyskoczyć.

40

– Bardzo zeszczuplałaś. Nie jesz?

– Piję, schudłam, to takie sztampowe, prawda, nic nowego, powielam schematy. Podążam dziarsko drogą odwiecznego stereotypu, ostatnio rozmawiałam nawet o tym z tą wścibską cielęciną z wielkimi oczami...

– O czym z nią znowu rozmawiałaś, o nim? Znowu? Przecież miałaś jej powiedzieć, że skończyłaś tę znajomość i już nic między wami nie ma.

– Tak, ale jakoś tak wyszło... wysypałam się trochę, że to on ze mną kończy, czy skończył, a ja nie mogę się w tym odnaleźć. Oj, bo przyszli na kolację, a ja znów byłam w jakiejś nie do opanowania histerii i o coś zapytała, i tak jakoś... nie krzycz.

– Nie krzyczę, jesteś niereformowalna. No dobra, żeby z tego tylko afery nie było. I co z tym stereotypem?

– No czyż nie piękny! Facet, który chciał się jedynie zabawić, i kobieta, która angażuje się całą sobą w związek, do zwariowania. I naturalnie jest ofiarą. A skoro stereotyp, to rozwój i finał takiego związku jest przewidywalny od samego początku, prawda?, ona się albo zapije, albo zabije.

– Żarty żartami, ale jesteś już cieniem samej siebie. Martwię się.

– Tym, że nie jem, tym, że powielam schematy, tym, że piję, czy tym, że finał będzie smutny? Piję, moja matka też pije, a nie ma złamanego serca, no popatrz.

– Nie próbuj się głupio tłumaczyć. A tak na poważnie...

– Wszystko jest na poważnie. Nie mogę jeść, nic mi nie smakuje, świat mi nie smakuje, jedynie wino mi wchodzi.

Na poważnie to jestem pogruchotana i mam złamane serce, jakkolwiek banalnie to brzmi. A tu wszechobecna moda na bycie twardzielką. I wszędzie czytam, że teraz kobiety rządzą, są silne, twarde i niezniszczalne. I że precz ze stereotypami! W każdym piśmidle. Dupa, jestem wszystkim, tylko nie silną kobietą.

– Bzdura, jesteś silna. Nie znam drugiej tak silnej kobiety jak ty. A tu ci się coś po prostu... no popinkoliło ci się zwyczajnie. A co do stereotypu, to się zgadzam, powielasz. I w dodatku, moim zdaniem, w przypadku wyższej klasy średniej, do której się przecież zaliczasz, prawda?! Nie patrz tak na mnie, jesteś wykształcona, piękna, mądra, inteligentna, zabawna – ten stereotyp rzeczywiście coraz rzadziej znajduje odbicie w rzeczywistości. Dlatego się martwię, bo usychasz, a jesteś przecież moim kochanym twardzielem.

– Nie wiem, dlaczego wszyscy macie mnie za twardzielkę. A może po prostu tak świetnie gram, zobacz, przed mężem też, trzeba było jednak aktorką zostać. I tylko przed nim jednym nie musiałam niczego udawać.

– Myślałam, że przede mną też nie udajesz.

– Nie udaję, kotuś, przepraszam, nigdy przed tobą nie udawałam, przecież wiesz. Znasz mnie najlepiej, wiesz o mnie wszystko i ty najbardziej wiesz, że oczywiście, tak, mam coraz większą dziurę w tym moim rzekomo twardym sercu, tak, jestem alkoholikiem, tak, mam problemy z jedzeniem, tak, jestem psychiczna. Ale czyż każdy wielki pisarz nie był pojebańcem? No więc ja się staję. Wielkim pisarzem, w sensie.

I prowadzę życie według jakiegoś swojego naprędce napisanego opowiadanka; wielki pisarz od siedmiu boleści.

Udaję, że jestem szczęśliwa, udaję, że wszystko jest w porządku, udaję, że pracuję, że piszę, że dom prowadzę, psa na spacer wyprowadzam, nawet na tenisa się zapisałam. Udaję, że nie piję, oczywiście, że piję, a ona się martwi; moja przyjaciółka druga, która powinna być pierwszą, jedyną, jedynką. Naturalnie, że się martwi, gdyż ona jedyna istotnie wie o mnie tyle co ty, a może nawet więcej.

Ale ty się nie martw, kochanie, nie jesteś odpowiedzialny za wszystkie moje nieszczęścia, chociaż spaprałeś mi życie i złamałeś serce i to przez ciebie piję teraz, to oczywiste.

Jednak bądź spokojny, ta moja winna przygoda zaczęła się wcześniej, wraz z początkiem mojego prawdziwego dorosłego życia. Już wtedy zaczęłam chować nieoficjalne butelki wina do obrotowej szafki z garnkami. W pierwszym mieszkaniu, które wynajęłam z mężem. To nie szkodzi, że nie interesuje cię ta historia, i tak ci opowiem, bo naturalnie znów się napiłam, a wówczas robię się zadziwiająco wylewna, jakie to ładnie poskładane i dopasowane słownictwo, prawda?

On wychodził rano, wracał późnym wieczorem albo nie wracał. I kiedy dzwonił o osiemnastej, że jednak nie będzie o osiemnastej, tylko dwie godziny później, otwierałam butelkę wina, która czekała na otwarcie do obiadu. Wraz ze mną czekała, ja też chciałam się otwierać do obiadu. A potem robiło się w tej butelce zbyt mało, żeby to jakoś porządnie wyglądało, więc otwierałam drugą, a pierwsza lądowała w garnkach.

Teraz naturalnie piję, ponieważ ta wielka dziura w moim sercu nie chce się zasklepić. Piję, ponieważ mnie rzuciłeś bez wyjaśnienia, bez słów i nijak właściwie, i przed tobą też już się nie otworzę, a jedyna rzecz, którą mogę otwierać, to butelki.

Włączyłam Schuberta. Męża nie ma, bo dlaczego miałby być, skoro jest dopiero dziewiętnasta. Męża nie ma, odkąd został mężem, czy może wcześniej też tak było, tylko odkąd został mężem, to zaczęłam to zauważać. Czy może odkąd ciebie też nie ma, to zaczęłam to zauważać?

Chociaż tak boleśnie jesteś w jakimś moim środku.

No i dobrze właściwie, że go nie ma. Znów musiałabym mścić się na nim za to, jak mnie traktujesz, a on bogu ducha winny i właściwie teraz to już mi go żal. A potem musiałabym znów udawać, że wszystko jest dobrze, pięknie i poprawnie. Tymczasem nic nie jest ani dobrze, ani pięknie, ani poprawnie i nie wiem, jak długo jeszcze wytrwam w tym nibyżyciu.

Wracając do tego, że jestem pijaczką… ale jak tu nie otwierać wina, skoro Schubert taki piękny. Powiedziałam nawet ostatnio przyjaciółce pierwszej, że chyba za dużo piję. Chociaż nie powinnam przyznawać się do tego nikomu, ani przyjaciółce pierwszej, ani drugiej, ani mężowi, ani rodzicom, ani tobie.

– Ale za dużo to znaczy co, tak ze trzy razy w tygodniu?

O mój boże…

Wszystko ma swoją przyczynę, nic nowego, moja matka też nie piła nigdy bez powodu, to oczywiste, ani nawet dlatego, że tak bardzo lubiła smak alkoholu. Piła, żeby się znieczulić, nie myśleć, nie analizować, najprostszy sposób i tyłek od tego nie rośnie. Jakże ja to mistrzowsko odziedziczyłam wraz z długimi rzęsami!

„Wszyscy piją, w moim zawodzie wszyscy piją, nie róbmy z tego sprawy", mówiła i naturalnie miała rację. Wszyscy pili, w jej zawodzie wszyscy pili, tłumaczenie tak złe jak każde inne. W moim zawodzie bez zawodu też wszyscy piją. Tysiące, setki tysięcy piszących i niepiszących pije, rewelacyjne wytłumaczenie, picie wliczone w cenę uprawiania zawodu. Pisanie to w ogóle zajęcie dla samotnych pijaków, i ja też najbardziej lubię wino w samotności. Właściwie nie pijam nic innego, może czasami szampana, o orzechowym posmaku, jak moja skóra, tak mówiłeś, tak mówił. O winie nie rozmawialiśmy, a przecież jest tak czerwone jak twoja i moja krew wspólna.

Tak, moja przyjaciółka druga, która powinna być pierwszą, ma naturalnie rację – dlatego właśnie uwielbiam urządzać kolacyjki i przyjęcia dla znajomych, można bezkarnie pić w zasadzie od rana. Z przyzwoitości czekałam kiedyś do godziny trzynastej. Po jakimś czasie granica obniżyła się już do południa. A ostatnio pomyślałam, że przecież nawet do śniadania pije się szampana albo wódeczkę do śledzia w Święta Wielkanocne, dlaczego więc TA kolacja miałaby nie być Świętami Wielkanocnymi – i otworzyłam butelkę o dziesiątej. Oczywiście wyłącznie po to, aby wino pooddychało. Oczywiście.

Zazwyczaj nie ma jednak szans dooddychać do wieczora, więc trzeba otworzyć kolejną butelkę. A potem kolejną, już oficjalnie. Cudowne dni obiadów i kolacyjek, proszonych przyjęć; moich małych Świąt Wielkanocnych. Rzeczywiście jedynie dzięki nim mam teraz swoje chwile szczęścia. Krótkie chwile, kiedy nie myślę o tobie. Moje nibyszczęście w nibyżyciu.

A tak niedawno jeszcze piłam przecież z tobą. Teraz piję samotnie i potajemnie, widzisz, jak to się wszystko zmienia. Radość w smutek, a ekstaza w udrękę, bardzo elegancko.

Gdy potajemnie odkorkowuję butelkę, robię w kuchni wiele dodatkowego hałasu. Nawet mi wtedy wesoło, czuję się jak spiskowiec. A wszystko po to, żeby zagłuszyć dźwięk wyskakującego korka, chociaż uwielbiam ten dźwięk, bo jest jednym z najpiękniejszych. Poza twoim szeptem, oddechem i jękiem. Ale te dźwięki mogę odtwarzać już tylko z pamięci, a korek mam na żywo i w dolby surround.

Ale nie ma się o co martwić, mamo i moja przyjaciółko druga, która powinnaś być pierwszą; nie ma żadnego problemu! Coś takiego jak alkoholizm mnie nie dotyczy, bo przecież moja sytuacja jest tak zupełnie inna niż wszystkie przypadki. Absolutnie inna. W ogóle o co innego chodzi, bo to on to wszystko, a ja trochę tylko.

To on, mój ukochany, który mnie bezsłownie rzucił, chociaż wcześniej tak dużo i pięknie mówił. Po nim piję. Piję, opłakując go. Czyli jak zawsze on winny.

teraz wiem
byłeś moim małym księciem
został po tobie
wyrwany pęd baobabu

41

Od ciebie ani słowa, może nawet powoli zaczynam się przyzwyczajać, chociaż nie. Telefon milczy, w poczcie nic nie miga, a mnie bardzo boli. A wystarczyłoby jedno twoje słowo, kropka nawet. I wiesz o tym! Oto twoja pieprzona przewaga. Masz mnie bezwarunkowo. A może by tak wyrwać sobie serce, żeby nic już nie czuć, nie kochać cię? Ale to przecież na nic; musiałabym pozbawić się i mózgu.

Chciałabym ci napisać: „Odejdź, zniknij na zawsze, bo staram się jakoś posklejać moje życie”, ale kogo próbuję oszukać, niczego już nie staram się sklejać; staram się przeżyć kolejny dzień. A podobno mimozami zaczyna się jesień; złotawa i piękna.

Tępo wpatruję się w komputer, nic nie przychodzi, ani listy od ciebie, ani nawet natchnienie. Snuję się po mieszkaniu, wyciszam się. Staję się wprost mistrzynią wyciszenia. I nic. Pustka. Natchnienie nie przychodzi, a miało być tak pięknie. To miało być moje koło ratunkowe, miało mnie przecież uratować; pisanie, jak mówi Zagajewski, *ta dziwna czynność, która niekiedy potrafi zamienić ból w przyjemność, ta chemiczna przemiana, sprawiająca, że cierpienie zostaje przetransponowane na czarne znaczki liter*[16]. To niechby w moim przypadku się przetransponowało. Arcydzieła rodzą się z wielkiego bólu i cierpienia, no to ja poproszę. Poproszę półtora kilograma arcydzieła. Tak więc siedzę i czekam, aż się urodzi. Zrobiłam kawę i czekam. A teraz niech przyjdzie arcydzieło, no!

Zamiast ciebie kieliszek wina, zamiast wina papieros; jest cierpki i zakręcił mi w głowie. Zupełnie jak ty. Nie wiem, dlaczego palę. Miałam rzucić, może od jutra, a może to jeszcze bardziej dramatycznie i dlatego w porządku.

Dlaczego milczysz, dlaczego tak bez słowa? Dlaczego mi to robisz? Dlaczego mnie krzywdzisz? Przecież nie jesteś złym człowiekiem, jesteś najpiękniejszym z ludzi. Jeśli będziesz już naprawdę musiał odejść, to nie odchodź... Już przecież się uspokoiłam, utuliłam tęsknoty, ukołysałam, czy zabiłam je nawet tępym nożem do otwierania listów, które nie przychodzą i nigdy nie przyjdą. Już zabiłam marzenia, które i tak nie miały prawa się spełnić. Już mogło być tak jak przedtem było, na początku; tak chcesz? Dobrze, mogłabym nie płakać już, nie szarpać się. Miewać, a nie mieć, dobrze. Kochanie, naprawdę, obiecuję!

skoro to nasz wzrok
czyni coś pięknym
to patrz na mnie
patrz na mnie
nie odwracaj się!

Wypiłam kawę, coś czytam, snuję się bez celu, słońce zachodzi, sroki się drą, sprawdzam pocztę, nie muszę pisać, że niczego tam od ciebie nie ma, prawda?, otworzyłam wino, ale nie będę piła, bo po winie robię głupie rzeczy i myślę jedynie o sprawdzaniu czasu lotu z dwunastego piętra, ugryzł mnie pająk w lewą łydkę.

– Cholera, kotuś, nic, co powiem, i tak cię w tej chwili nie pocieszy.

Wiem, że ona niepokoi się tym, co się ze mną dzieje. Nie chcę jej martwić, ale w zasadzie jest mi już jednak wszystko jedno. Milczę. Nie mam już nic do powiedzenia.

– Oczywiście, najcudowniej by było, gdyby on się sam jakoś w tym jednak odnalazł, odnalazł ciebie, gdybyście mogli być razem, najlepiej gdzieś daleko od wszystkiego co tutaj.

Milczę.

– Ale niestety tak się nie stanie. Mężczyźni nigdy nie znajdują się w miejscach, w których powinni się znaleźć, nie mówią rzeczy, których od nich oczekujemy, nie robią rzeczy, o których marzymy.

Milczę.

– A my, głupie, idealizujemy. Chcemy, wyobrażamy sobie, tworzymy wielkie piękne wizje. I potem mamy jedno wielkie rozczarowanie.

Milczę.

– Ale życie nigdy nie jest idealne, prawda?

Milczę.

– I wiem, że nawet jeśli powiem, że cię kocham, że przynajmniej nie musisz martwić się o codzienność, że jesteś piękna i piekielnie inteligentna, to i tak nie chcesz tego ode mnie słyszeć, i tak nie poprawi ci to nastroju.

– Masz rację.

Przestaję rozumieć sama siebie, czy inni ludzie też tak mają, gdy są zakochani? To skrajny idiotyzm, wiem, że nie powinnam, ale nie potrafię przestać. Skoro, do cholery, to rozumiem, to czemu nadal. Dlaczego daję sobą tak pomiatać? Nie, nie denerwuj się, nie ty mną pomiatasz, właściwie nic takiego nie robisz, to ja sama. Trochę się nienawidzę, trochę się usprawiedliwiam, ale nieustannie obiecuję poprawę, a kolejny tydzień przez takie gówno jak twój wpis na durnym Facebooku o dwudziestej trzeciej z minutami schrzaniony.

Siedziałeś przed komputerem w tym samym czasie, gdy ja pisałam do ciebie, prawda? Przecież ja to widzę! Ale nie napisałeś do mnie. Byłeś, ale do mnie nie napisałeś. I znów jakieś nie do powstrzymania szlochy i pozbierać się nie mogę. Wzgarda i odrzucenie. Tak, *brak wzajemności jest czymś nieodwołalnym. Nic nie zdoła jej wzniecić, jeżeli sama nie płonie. Ani zaklęcia, błagania, ani groźba i gwałt. Te dwie cząsteczki ludzkie nie łączą się ze sobą, nie mogą się połączyć. Im jedna bardziej przyciąga, tym druga bardziej odpycha. – Niespełnienie. Nieszczęście. Samotność spotęgowana*[17].

a więc to tydzień temu było
tydzień temu całowałeś
mnie tam i tak
tydzień rozpamiętywania
jeden dzień by przetrwać tydzień
to za mało więcej nie będzie
ani tam ani tu
ani tak
jak przetrwać życie?

42

À propos tego, że jestem na każde twoje zawołanie i pstryknięcie. Otóż po tym wszystkim, co ostatnio powiedziałam, że już nie dam sobą pomiatać, że przestanę się za tobą uganiać i przed tobą płaszczyć, że zajmę się ratowaniem mojego nierozpadającego się wszakże wcale małżeństwa, chociaż dla mnie są to raczej resztki, które z niego zostały, ale zostały przecież i nawet na zgliszczach można wybudować dom, powiedziała kiedyś moja mama. Właśnie po tym wszystkim, ty piszesz do mnie dziś esemesa: „ZJESZ ZE MNĄ LUNCH TERAZ?". I co ja robię?!

No i co robię? Kręcę loki, maluję rzęsy, zakładam plisowaną spódniczkę i twoje moje ulubione buty i jadę na koniec miasta, bo Pan Wielki Wydawca nagle miał czas i chęć zjeść ze mną carpaccio. I znowu twoje na wierzchu, wszedłeś na Kilimandżaro, a lampart siedzi na szczycie. Nawet wypiliśmy butelkę szampana. Pocałowałam cię w rękę w taksówce, pocałowała go w rękę w taksówce. Nie zmieniło to nic.

Jedynie utwierdziłam się w przekonaniu, że kocham cię na zabój i jesteś mężczyzną mojego życia. Ale że mój mąż jest jednak świetny. Jedynie utwierdziłam się w przekonaniu, że nigdy cię nie będę miała. A męża mam.

Pocałowała go w rękę w taksówce.

Czy to wyrachowanie? Czy za to myślenie mam siebie nienawidzić? Powinnam pewnie, bo jestem przecież niewierna, winna, a kiedyś usłyszałam, że gdy mężczyzna zdradza, to jest tak, jakby ktoś splunął za okno, a gdy kobieta zdradza, to jest tak, jakby ktoś napluł do domu.

Ohyda jednak.

Lecz z drugiej strony czyż nie uszczęśliwiam męża? Czy nie daję mu możliwości takiego życia, o jakim zawsze marzył i w jakim jest mu dobrze? Czy nie opiekuję się nim i nie dbam o niego na co dzień, a właściwie o każdej porze dnia i nocy? Dobrze, możemy nawet mieć i dziecko.

Czy to ma jakieś znaczenie, że umieram z miłości do innego? Nie wiem.

Nie wiem, a życie jest popieprzone bardziej.

Pocałowała go w rękę w taksówce.

43

I cóż, i dziś od nowa, w kółko zabawa ta sama, ze skrajności w skrajność. Przeanalizowałam wszystko i kolejny raz doszłam do wniosku, że jestem idiotką, ale z tego wniosku nic nie wynikło. Czy z wniosku powinno coś wyniknąć? W każdym razie nic się nie stało, nie nastąpiła zmiana, nadal czuję to, co czułam, nadal żebrzę, jak żebrałam, a ty nadal jesteś wycofany.

Nie mogę jeść, nie mogę pisać, czuję się wypalona, bezpłodna i martwa. Na siłę zrobiłam sobie dziś Dzień Dziecka – dużo jedzenia, dużo słodyczy, niedobrze mi. Ale napisałeś. Też na Dzień Dziecka chyba. Twój mail niczego nie wyjaśnił, jeśli miał cokolwiek. A ja analizuję już nawet sposób, w jaki podpisujesz listy, jestem chora na ciebie, chora, wylecz mnie, zabij mnie, nie wiem, zrób coś, no przecież tak nie można żyć!

pasiesz mnie złudzeniami
marzeniami karmisz
tuczysz
a ja nie mam siły wstać od stołu
i wyjść
ale bardzo muszę zmienić dietę
rzygać mi się chce

Jeśli w ogóle się jeszcze spotkamy, to będzie pożegnanie, prawda? Czuję to. Jak zwierzę, które wyczuwa nadejście huraganu na długo przed tym, zanim zniszczy on wszystko na swojej drodze.

Jak to możliwe, że ktoś, kto dał mi najgłębsze i najbardziej intensywne szczęście, dał mi jednocześnie najbardziej intensywną i najgłębszą rozpacz? I przyszło królestwo twoje, i jest wola twoja, bo wszystko jest tak, jak ty chcesz. A teraz pięknie zbawiasz mnie od siebie. Ja wiem, to kara za moje grzechy i grzeszki. Nie ty jesteś karą, tylko to, że dostaję tak w tyłek. Chciałabym umrzeć, przysięgam, dziś nawet, w tej chwili, w tej sekundzie. Wydaje mi się, że przecinanie nadgarstków bolałoby mniej niż to.

Jaka szkoda, że mnie nie pokochałeś. Tak do siebie pasujemy, sam przecież powiedziałeś, że niesamowicie się dobraliśmy, że zestrojenie, że być może bardziej nie można. Zestrojenie. Sranie w banie.

A moglibyśmy tak pięknie być.

Kiedyś ktoś mi powiedział, może to nawet byłeś ty, że w swoim pisaniu powinnam skupić się na ironii, bo wydaje się, że najlepiej się w tym czuję. O ironio, jakże wspaniale się w tym czuję! Czyż to wszystko nie jest jej najlepszym przykładem? Może rzeczywiście powinnam tę historię opisać, ot, taka opowieść o żonie, która zdradza męża, którego wszakże kocha, banalne.

„Słuchaj, napisałam taką historię o żonie, która zdradza męża, którego wszakże kocha, banalne", mówię przyjaciółce drugiej. Komuś muszę powiedzieć, ciebie przecież nie będę pytać o zgodę ani męża prosić o autoryzację.

Tyle że napisałam ją w pierwszej osobie i tu zaczynają się schody. Co o tym sądzisz? Czy mój przyszły niedoszły były mąż pomyśli, że to o nas i go zdradzam, czy że chcę go zdradzić, czy że to poprzedniego faceta zdradzałam z nim, czy że może to nie o nas, tylko o którejś z przyjaciółek albo w ogóle wzięte z lewego rogu sufitu.

Czy znajomi pomyślą, że to o mnie i zdradzam męża, czy że to o byłym, którego zdradzałam z obecnym, czy że to nie o nas, tylko o którejś z przyjaciółek, czy że to wyssane z palca. Ale jeśli wyssane, to dlaczego wyssałam, może myślę, żeby zdradzić męża?

Wszyscy najpewniej pomyślą sobie najgorsze. Ale co mam zrobić, zamieniać pierwszą osobę na trzecią, zamienić kochanka na kochankę albo na dwie kochanki, role odwrócić? A może w ogóle się tym nie przejmować, bo każdy powinien wiedzieć, że literatura jest zawsze fantazją.

Jednakowoż. To wszystko nie jest takie proste. Na ile pisać prawdę, a na ile zmyślać? Procenty prawdy w prawdzie. On pewnie też się już trochę denerwuje. Ale to przecież historia, która wydarzyła się i jemu, i jej, i tamtemu komuś też najpewniej. Życie pisze scenariusze, niby taki banał, a jednak. Rozterki pisarskie, rozterki małżeńskie, rozterki miłosne.

– Nawet jeśli zmyślisz, to i tak wszyscy będą przekonani, że to prawda, ludzie zawsze wiedzą lepiej. Kiedyś już o tym rozmawiałyśmy.

– Tak, wszyscy naokoło wiedzą najlepiej, jasne. Cóż, będę nieustannie dementować. Z drugiej strony to kretynizm, bez przerwy się tłumaczyć. A tłumaczyć się tylko z prawdziwej prawdy czy też z tej wymyślonej?

– Musiałabyś zacząć tłumaczyć się ze wszystkiego, to bez sensu.

– Ale że co, to znaczy, że zawsze twórca ma się tłumaczyć ze swojego dzieła? Ma nieustannie przepraszać?

– Nie wiem. Ale już słyszę te komentarze o biednym mężu, którego nie kochasz. To znaczy kochasz, ale mimo to się puszczasz.

– Sama się puszczasz. A skąd, do cholery, wiadomo, że to o mnie i o nim?! A gdybym napisała, że mój ojciec molestował mnie, kiedy byłam mała, albo że lubię gwałcić małych chłopców? To znaczy, że główna bohaterka lubi. Ale wszystko pisane w pierwszej osobie, więc.

– To chyba problem wszystkich, którzy nie piszą czegoś w stylu *Harry'ego Pottera* czy *Władcy Pierścieni*. A jeśli jeszcze piszesz to w pierwszej osobie, przesrane.

– No to jak pisać, żeby napisać, lecz nie napisać, i jak napisać, żeby nikogo nie skrzywdzić. I żeby inni nie doszukiwali się tego, czego nie powinni się doszukiwać?

– Kup mikroskop, zamknij się w laboratorium i daj sobie spokój z literaturą. Albo zostań nauczycielką polskiego w jakimś liceum.

– Głupia odpowiedź.

– Jakie pytanie, taka odpowiedź. Albo wybrałaś pisanie i masz wszystkich w nosie, albo leć po ten mikroskop.

– Taaa. Nieważne zresztą, jak było, ważne, jak się napisało, prawda? Ostateczną instancją jest tylko tekst. Przecież to tekst się ocenia. A nie zawartą w nim prawdę. To nie reportaż.

– No i bardzo dobrze, i tak jak radził ci kiedyś ojciec, miej wszystkich w dupie.

44

Rozterki pisarskie, rozterki małżeńskie, rozterki miłosne, a teraz tylko miłosne, bo przecież jednak we wtorek. A więc we wtorek.

Spotkamy się we wtorek, postanowiłeś, powiedziałeś, oznajmiłeś, a we mnie wiosna i nic poradzić.

Czekam na ten wtorek, tak jak czekałam na tamten; zauważyłeś, że to również był wtorek? Nie, ty nie pamiętasz takich rzeczy, przecież to takie dziecinne. Tamten wtorek, kiedy odbyła się nasza pierwsza randka, dzieli od tego wtorku, który ma nadejść, dwieście siedemnaście dni. Dwieście siedemnaście dni nasączonych miłością, cierpieniem, uniesieniem, szaleństwem, marzeniem. Ekstaza i udręka.

w tak krótkim czasie
omotać, zdobyć, posiąść, pokochać,
odkochać, porzucić, zapomnieć.
a mówiłeś, że nie umiesz
poprowadzić bolidu Formuły 1.

w tak krótkim czasie
pokochać, oszaleć, umrzeć
a myślałam, że nie umiem.

Pięćtysięcydwieścieosiemgodzin. Gdy się napisze razem, to wygląda na więcej. Ale cóż nieco ponad siedem miesięcy wobec życia, to śmieszne. Siedem miesięcy, które muszą wystarczyć do końca. Czy nakarmię moje nienasycenie tymi dwustu siedemnastoma dniami? A pani, która sprzedawała kwiaty, oszukała mnie, że są świeże, i chryzantemy zdechły.

Niedziela minęła jak i weekend cały; mglisto, duszno, lepko, oddychać nie można, chociaż przecież i tak nie można. Wczoraj płakałam przez pół dnia, a przez następne pół musiałam udawać, że się cieszę, bo znajomi przysięgali sobie miłość, wierność i uczciwość małżeńską. I co z tego, co z tego, gdy potem na drodze staje taki Mały Książę, to cóż wtedy miłość, wierność i uczciwość małżeńska, każda, jakakolwiek, żadna, co wtedy?!

Zbliżyłam się do wtorku zakupem koronkowej bielizny, będzie ci się podobała. Nie wiem, skąd nadzieja, że będziesz chciał ją oglądać, i skąd ten brak godności, że chcę ci ją pokazywać, pytanie retoryczne.

Chce mi się wina, aby zapić ten czas, tęsknotę, żałość i smutek. Ale twardo kolejny dzień nie piję. Który to już dzień bez wina, bez winy, niewinna?, przestałam liczyć. Ale ciężko, bóg jeden czy inny skurwiel, który patrzy na mnie z góry i się śmieje złośliwie, wie, jak bardzo mi ciężko.

I do tego wszystko mnie dziś wkurwia. Nie powinnam pisać tak brzydko, drażnią mnie wulgaryzmy, przepraszam, ale co mogę poradzić, jeśli wkurwia. Czas do spotkania odmierzany bolesnymi skurczami gdzieś w samym moim środku i już nie wiem, czy przez brak ciebie we krwi, czy przez brak alkoholu we krwi.

I kiedy otwierałam mężowi butelkę do kolacji, dźwięk wyciąganego korka był, jak zawsze, najpiękniejszym dźwiękiem i nawet Bach, nawet Bach; gówno. Nie mówiąc o Beethovenie.

Nie wiem właściwie, co próbuję tą nagłą abstynencją udowodnić i komu. Sobie, że nie jestem jednak alkoholiczką, mężowi, tobie, światu, komu? Bije dzwon.

Butelka nadal stoi w kuchennej szafce. Otwarta, bo on nie wypił trzech czwartych, to nie ten z tych dni, kolacja nie była aż tak dobra, była właściwie nieudana, gotowanie również mnie dziś wkurwiało. A butelka stoi. Piękna. Ma bardzo ładny kolor, czekoladowy. Czekoladowe wino, grzech podwójny. Sięgnęłam przed chwilą po kieliszek. Nawet go dotknęłam. Kieliszki też są piękne, mają cienkie i smukłe nóżki. Kieliszki wypolerowane. Czyściutkie. Wysokie. Pojemne. Puste.

Nie nalałam. Odstawiłam go na to samo miejsce, z którego podniosłam, uniosłam niczym hostię. Pogłaskałam. Trzasnęłam szafką, którą nie da się trzasnąć, nie można przecież trzasnąć szafką w kuchni za sto kilkanaście tysięcy, to mnie też wkurwiło.

Zrobiłam zieloną herbatę, marne placebo. Żadne. Ani na brak wina, ani na brak ciebie. Na to zresztą nie ma lekarstwa.

Jestem głodna, chce mi się spać. Mam ochotę położyć się i nie robić nic, przeczekać. Do spotkania. Czy życie przeczekać może, gdyby bez ciebie miało być, a ma.

i to nie dziwne wcale,
że ty nie napisałeś do mnie dzisiaj
i to nie dziwne wcale,
bo już nie miałeś więcej pisać
i nie napiszesz w nocy,
wieczorem ani nawet jutro rano
i kartka będzie pusta,
jak biała ściana pustą białą ścianą
już nie przeczytam listu,
już nie wyczytam z oczu twych miłości
nie kochasz i nie piszesz,
już koniec, teraz umrzeć jest najprościej
to nie powinno dziwić,
ty tańczysz swoje tango w innej parze
i ze mną nie zatańczysz,
co się nie stało, już się nie wydarzy

to tango ma rytm tanga,
choć mieć powinno żałobnego marsza
bo teraz tylko pogrzeb,
a wcześniej jakaś smętna tragifarsa
szeptanie i kuszenie,
tych parę listów, parę pięknych wierszy

pamiętaj tylko teraz,
żeby na trumnę ziemię rzucić pierwszy

Zadzwoniłeś. Ale po co, żeby upewnić się, że we wtorek przyjadę? A przecież na pewno doskonale zdajesz sobie sprawę, że nie śpię nocami, myśląc i marząc wyłącznie o tym spotkaniu, projektując każdą jego minutę. Chcesz być dla mnie jeszcze bardziej łaskawy, niż byłeś, wyznaczając mi datę tej AUDIENCJI, i dlatego dzwonisz? O Panie! Czy zadzwoniłeś, żebym zbyt nie cierpiała w swojej tęsknocie? Pisanie się skończyło – piszę już przecież tylko sama do siebie – więc miejmy jeszcze zdawkowe telefony. To znaczy niech ja mam. A więc jednak ŁASKAWY.

Ale co to jest – łagodzenie bólu? Kochanie, nie może już bardziej boleć, bo tego człowiek by nie przeżył i rozpękł się, także możemy spokojnie zakończyć to łagodzenie, bo ono niczego nie łagodzi.

Ja jednak rozumiem; jestem interesującą kobietą i mam ciało niezłe i usta ładne, i seks jest świetny, ale nie masz ochoty na nic więcej, więc trzeba trzymać mnie na odległość, jak konia na lonży. Przecież i tak przyjdę. Na klęczkach zresztą, kurwa mać! Bardzo dobrze rozumiem i dlatego sama siebie codziennie i od nowa zadziwiam. A we wtorek też najpewniej uklęknę przed tobą niczym przed bogiem, w którego przecież nic wierzę, ale w ciebie tak.

45

– Chciałabym mieć z nim dziecko.

– Oszalałaś?!

– Tak.

– No teraz to już naprawdę zwariowałaś, to wcale nie jest zabawne.

– To nie ma być zabawne.

– Jak to sobie wyobrażasz? Tak legalnie pójdziesz i poprosisz go? Jesteś normalnie psychiczna, puknij się w głowę, idź na terapię, nie wiem, cokolwiek. Myślałaś w ogóle, co byłoby później? Wychowałabyś je z mężem? Powiedziałabyś mu, że to jego?!

– Wiesz, ile dzieci jest wychowywanych przez nie swoich ojców i o tym nie wiedzą ani jedni, ani drudzy?

– Jesteś pieprznięta, naprawdę, kocham cię, ale naprawdę zaczynam się poważnie martwić. Bo to już nadaje się do psychiatry. Póki jęczałaś i rozpaczałaś, to jeszcze jakoś, ale teraz to już przestało być normalne.

– No przecież nikt się nie zorientuje. Ja mam zeroerhaplus, on ma zeroerhaplus...

– A mąż?

– A jakie to ma znaczenie, niech sobie ma jakąkolwiek, nawet zet minus, skoro my mamy jednakową. I do tego dominującą.

– Już poza wszystkim, przecież nie są ani trochę podobni! A gdyby coś się stało, myśl logicznie, wypadek, choroba, przetoczenie krwi, cokolwiek, genetycznie coś, halo! Otrząśnij się, naprawdę mocno cię pokopało, życie to nie brazylijski serial.

– Nie gorączkuj się tak. Już nie przesadzaj, dlaczego akurat zakładać najgorsze? A z podobieństwem... oj, to by się jakoś tam wytłumaczyło...

– Jesteś pieprznięta.

– Jestem. Ale naprawdę o tym pomyślałam. Skoro nie mogę mieć jego, to chciałabym mieć jakąś jego cząstkę.

– To weź mu palec obetnij. To równie mądre.

46

Wtorek nadszedł. Był. Przeszedł. Spotkaliśmy się, godzinny bilet na pobyt w raju. Nie było pożegnania. Było sam wiesz jak. Były twoje oczy z samych źrenic. No i co. I co ja mam teraz, jak mam dalej. A ty jeszcze piszesz teraz w liście „moja", „twój" i że „było ci"... jak ci było, kochanie? Tak samo ekstatycznie jak mnie? Milczenie przetykane ekstazą, co to jest, kurwa, w ogóle, koronkę jakąś szydełkujemy? Zwariować można. Ile teraz czasu będę musiała się karmić tymi słowami? Trzy dni, cztery, tydzień, wieczność?

> jak to było ile mnie kosztowała ta miłość kilka nocy w hotelu powiedzmy
> w sumie parę tysięcy ze trzy obiady cztery nowe koronkowe staniki parę książek dwa szaliki (dla niego) trzy szampany (prawdziwe) paczkę papierosów dwie nowe sukienki (w jednej nie zdążył) nowe szpilki bransoletkę (że niby symbol)

nie zdążyłam wytatuować jego imienia jak to było
ile mnie kosztowała zaledwie życie jedno
tylko moje

Był wtorek, a ja jeszcze potem we środę chciałam, bo przecież byłam tam. We środę jeszcze chciałam. Ale stchórzyłam.

Chciałam zobaczyć was razem, ciebie z nią; może to by jakoś pomogło, może by uleczyło.

Stchórzyłam, jak zwykle.

Poszłam najpierw do naszej kawiarni; NASZEJ, jeśli cokolwiek można tak w ogóle nazwać. Wydawała się wciąż tobą przesiąknięta. Zamówiłam dwa kieliszki chianti i kanapkę z wołowiną, która nie dała się kroić, mimo że podali do niej nóż i widelec. Potem czekałam, a wy mieliście przecież być tam, przejść, iść, przechodzić, pojawić się. Niby chianti rozgrzało, ale zrobiło się zimno.

Klęczałam na ławce przy głowie Mitoraja, a obok klęczał bejożul i miał za mały talerzyk z kebabem, i rozrzucał wszystko na boki, zagadując do mnie bez przerwy, że taki mały, kurwa, talerzyk, na taką, kurwa, ilość mięcha, widzi pani, halo. Uciekłam. Stchórzyłam. Chociaż tak bardzo chciałam przecież zobaczyć. Naocznie, dożylnie, dokrwiście. Ciebie z inną. Z nią. Z żoną.

Trzy razy okrążyłam rynek. Aż zrobiło się ciemno i już wiedziałam, że moja modlitwa o was, chociaż na klęczkach, nie została wysłuchana. Nie było już nawet bejożula ani kebabu na za małym, kurwa, talerzyku. Tylko głowa Mitoraja ta sama w tym samym. Raz wydawało mi się nawet, że widzę twoje plecy, ale przecież miałeś tego dnia jasną marynarkę, a tamten miał ciemną. A może już widzę ciebie w każdym mężczyźnie?

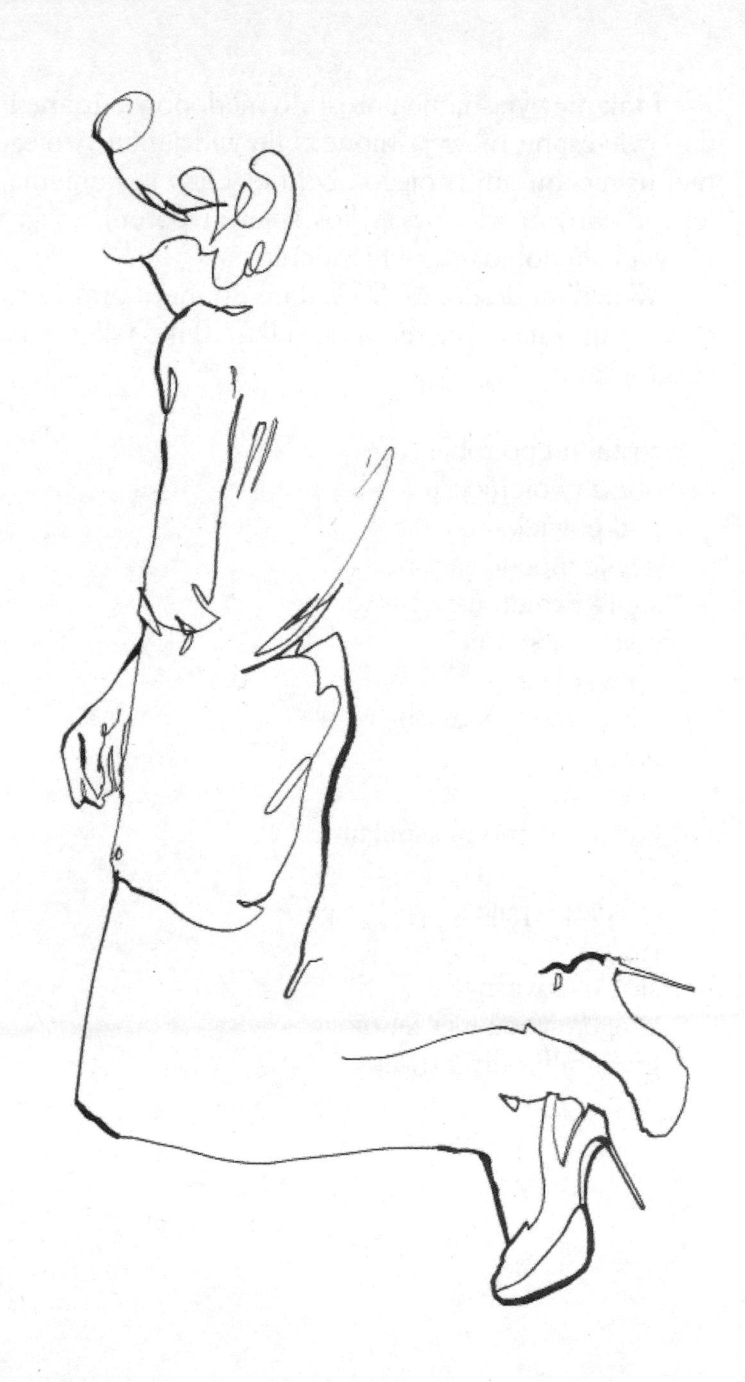

I tak niewyjaśnione pozostało niedopowiedziane i niedopowiedziane niewyjaśnione. Nie widziałam twojego do niej uśmiechu ani twojego obejmującego ją ramienia, ani jej rozwianych włosów. A kos śpiewał potem w ogródku i kawa była dobra, czarna i mocna.

Wróciłam do domu. Wróciłam do męża oraz życia bez głowy Mitoraja. I kos też w ogródku. Tylko jakoś zupełnie bezgłośnie.

został mi po tobie
obraz twoich oczu
pod powiekami
gdy je mocno zacisnę
smak twoich ust
owoc passiflory
na wargach
gdy je mocno zacisnę
cały ty
w sercu
gdy je mocno zacisnęłam

aż sok po palcach
pociekł
słodko-kwaśny
z tego owocu męczennicy
granadilli purpurowej

47

Mój drogi, tak, tak, nie powinnam do ciebie pisać, a już najszczególniej po winie. Nie wiem, czy to z okazji imienin je sobie otworzyłam, czy z jakiejś innej okazji. Otwierać nie powinnam, i ja to wiem oczywiście, taka jestem mądra. Chociaż kiedyś mówiłeś, że lubisz, jak piszę do ciebie po winie. I że upiłbyś się ze mną i upiłbyś się mną. Teraz nie tylko nie chcesz się upijać, ale i nie mówisz, i nie piszesz. Nic. No i bardzo dobrze.

Cóż jednak, nie jestem szczęśliwa bez ciebie, w tej mojej liczbie mnogiej, wiesz? I jak tak dalej będzie, to umrę, to oczywiste, jutro czy wczoraj nawet.

Chociaż życie ma tyle odwagi. A tobie gratuluję serdecznie, że w swojej rzeczywistości jesteś szczęśliwy i spełniony też i odnaleźć potrafisz się tak ładnie. I zazdroszczę, że nie zaangażowałeś się tak jak niektórzy. Bo ja się bardzo i boli mnie serce, i oczywiście ze względu na te substancje, co się w winie znajdują i powodują to, co powodują, jest mi pewnie tak smutno teraz, i co mam ci napisać, że on mnie dziś dotykał, a ja płakałam, bo to nie ty byłeś?

Nie wiem, co mam ze sobą zrobić. Przepraszam, że to piszę, że w ogóle cokolwiek, wiem, że już nic nie jest tak, jak było, i już nie będzie, naprawdę. Sukces, co? I może nawet dobrze, że dajesz mi się w miarę sukcesywnie i niby bezboleśnie oddalić, wycofać, ładne słowo.

Za dzisiejszy list nie będę cię przepraszać jutro, ani żadnego innego dnia cię przepraszać nie będę, już nie chcę cię za nic, w końcu ja wcale nie jestem winna temu, że tak bardzo się zakochałam. Ani ty naturalnie nie jesteś winny temu, że istniejesz i że rzeczywistość sobie wygrała. Nikt niczemu nie jest.

Nie mów mi więcej, że nie zasłużyłeś na to wszystko, bo naturalnie, że nie zasłużyłeś. Jednakowoż, bez wątpienia, gdybym mogła wsiąść jutro w pociąg do ciebie, wsiadłabym i nawet te buty z kokardkami.

Jebane kokardki.

Ale przejdzie, przejdzie. Na razie jestem pod wrażeniem intensywności moich uczuć oraz ich rozmaitości w tak krótkim czasie i niestety nadal kocham cię szaleńczo.

Wiesz, opisałam to wszystko, tak jak mi radzili opisać. Nie, nie w psychiatryku, jeszcze nie, ale radzili, więc opisałam i nawet jakoś lżej teraz. A co mi zrobisz? Nic, w końcu skończyłam polonistykę i staję się pisarką. A każde wielkie pisanie rodzi się w bólu podobno, to ja też rodzę sobie w bólu.

Znieczulam się winkiem, a kiedyś piłam jedynie z radości, popatrz, jaka śliczna ironia. Nieważne, ten list bez sensu, burza szaleje, jesteś pięknym Małym Księciem i ogromna szkoda, że nie mogłam być ani różą, ani liskiem.

Bo niczym nie byłam i nie będę.

Całuję cię wszędzie i nigdzie i dziękuję za wszystko.

Twoja, jak najbardziej.

48

Dziś wtorek. A jeszcze wtedy we wtorek. Tak niby niedawno.

Wieczność.

Mimo wszystkich reglamentacji, milczeń, niepisań wcześniejszych – byłeś. I byłeś… jaki właściwie, jaki, kurwa, byłeś?

Zawsze jest słowem niedozwolonym dla ludzi.
J.L. Borges

Już prawie – myślałam; kiedy po łokcie w mojej krwi
otwierałam twoją klatkę piersiową. Już prawie.
Już będziesz
kochał mnie na **zawsze**. I wyjęłam twoje serce.
Okazało się zbudowane z samych parzydełek.

Byłeś mocno i pięknie, ze mną i we mnie i szampan był i miał złote bąbelki, jak krople twojego potu na moich piersiach. Ale wszystko było jakoś inaczej, jak zawsze jest inaczej, kiedy robi się coś po raz ostatni.

Czego ty chcesz?, czego ode mnie oczekujesz?, spytałam cię, jak to ma dalej wyglądać?, przepraszam za te pytania na jednym oddechu, ale zaraz oddychać najpewniej przestanę, więc jeszcze szybko, co właściwie do mnie czujesz?, nic już, prawda?

A ty mówisz, nie, zanim mówisz, na twoich wargach najpierw osiadają szampańskie bąbelki, marzę tylko o tym, żeby je scałować z tych ust, które jeszcze przed chwilą… *na ustach twych było wino i usta twe były winem i kielichem, i oceanem rozkoszy…* mówisz, że gdybyś nic nie czuł, to nie byłoby cię tam. „Nie byłoby mnie tutaj”, powiedziałeś, powiedział.

Wiesz co, kochanie, chyba cię tam nie było.

Przecież to nie czas, czy też jego brak, jest problemem, przeszkodą, bo gdy się naprawdę chce, powiedziałam, a ty dokończyłeś, można wówczas na głowie stanąć.

A gdy się nie chce, to się nie staje na niczym, prawda? Odwoziłeś mnie potem w jakiś mój niebyt i w taksówce rękę ścisnąłeś znacząco, jakby na pożegnanie, jakbyś mówił „trzymaj się, jestem z tobą, będzie dobrze". No sam słyszysz, jak źle to brzmi. I na koniec pytasz o moje plany na weekend, co cię obchodzą moje plany na weekend, gdy ja cię, kurwa, pytam, czy życie mogę z tobą spędzić, do cholery jasnej!

Powiedziałam ci, chociaż wiedziałam, że nie trzeba tego mówić, ale naturalnie powiedziałam, bo zawsze mówię rzeczy, których nie trzeba, że muszę szybko coś wymyślić, przecież kończy się niebawem współpraca z twoim wydawnictwem i przestanę tu bywać. Przestanę istnieć, mogłabym dodać, ale nie dodaję. Na głos. I co dalej, za te dwa miesiące, co dalej. A może mnie na przykład zatrudnią w twoim wydawnictwie, może bym złożyła podanie o pracę, mogłabym... byłabym...

– Nie szukaj pretekstu.

Powiedziałeś bardzo szybko. Za szybko. Nic więcej. Pustka i chłód twojej dłoni, która nadal tam była, ale już tylko zapachem odciśnięta w liniach papilarnych moich palców.

Tak to się skończyło bez zakończenia. Ale przynajmniej szampan był. Mogliśmy chociaż jakiś toast wypić.

A potem kolejny raz przyjechałam do ciebie, kochanku, który mnie rzuciłeś, czy raczej nieustająco rzucasz od nowa. Bardziej na tacy podać się już nie mogłam. Ale no trudno, przyjechałam, bo przecież ty nigdy nie przyjeżdżasz, to daleko, to bardzo skomplikowane i jak tam jeszcze wolisz. A ja niby niespodziankę chciałam ci zrobić. Wsiadając do pociągu, nie byłam pewna, czy dobrze robię, a raczej byłam pewna, że nie. Wiedziałam, że nie trzeba jechać, ale pojechałam, no oczywiście, włożyłam czarną sukienkę i nowe buty, które niemiłosiernie obtarły mi stopy. Z kokardkami. Trzęsły mi się kolana, idiotka, idiotka. A jeśli cię nie będzie, a jeśli się nie ucieszysz, a jeśli nie będziesz miał czasu, a jeśli.

Był, miał, ucieszył się; takie przynajmniej sprawiał wrażenie. I kawa była mrożona z lodami i miętą, i obiad był też, chociaż na szybko, ale był, a mogło nie być przecież. I on w oczy patrzył czy nie patrzył, słońce świeciło ostro, okulary słoneczne miał, więc nie było za bardzo widać, ale raczej patrzył. A potem pożegnanie w przelocie. Nie wiedziała, czy może go pocałować, czy lepiej nie, najbardziej zatłoczona ulica, pocałowała, jakoś niezdarnie to wyszło, ale nie było czasu, bo przecież pociąg.

Kiedy już usiadła na swoim miejscu w przedziale, rozpłakała się, bo nic nie było jak trzeba. Ona nie tak jak trzeba, rzeczywistość nie tak jak trzeba. Nie chciała tak się z nim żegnać, nie chciała tak z nim być, nie chciała z nim nie być, nie chciała siedzieć w tym pociągu ani w żadnym innym pociągu i nawet łzy już nie pomagały, i tylko makijaż rozmazał się.

Po plecach cienką strużką płynął pot, po policzkach grubymi strużkami płynęły łzy, klimatyzacja nie działała, okna się nie otwierały, bo to przecież te nowoczesne wagony, wszystko źle i bolące stopy, i wrzynające się majtki, i pognieciona sukienka, i śmierdzący facet obok. Wszystko nie tak, jej natręctwo nie tak, wyrzucała sobie nachalność, a jego mina przecież niby tak. Więc co nie tak? Czuła, że nie tak. Prościej byłoby już chyba rzucić się pod ten pociąg.

Bo entuzjazm nie ten, oczy nie te. To znaczy oczy te same dokładnie, szaroniebieskie, utonąć można, utonęła, i usta te same, ale już nie składają się do pocałunków tak chętnie, wcale się nie składają. I cóż z tego, że mówił kiedyś, że ona ma takie usta przepiękne, epickie. Że żadna takich nie miała. Cóż z tego, kiedy całować ich nie chce.

Patrzyła na swoje odbicie w mijającym ją krajobrazie. Tak, to właśnie krajobraz ją mijał, życie ją mijało, a ona gdzieś obok w niebycie zawieszona.

Głupota, naiwność, narzucanie się, który mężczyzna lubi, gdy się mu kobieta narzuca, gdy ma ją na każde gwizdnięcie, żaden. A przecież, do cholery, tata uczył, uczył, prawda! Mówił, kładł do głowy. „Bądź księżniczką, pamiętaj", mówił. Nie była księżniczką.

A z drugiej strony…

I nie mógł nawet poczuć, jak jedwabiście gładkie ma dziś uda, ten nowy balsam migdałowy!, i nie było jego dłoni na jej dłoni, na jej kolanie, na jej ciele. I nie będzie już. A bażanty na polach kolorowe.

Nie ma kawy, nie ma wody, nie dostawili wagonu restauracyjnego, zobacz, głupia, przecież on nawet już nie odpisuje na listy, nie dzwoni, o czym ty myślisz, co ty sobie wyobrażasz?

A z drugiej strony…

Nie ma drugiej strony. Na lewej stopie zrobił się pęcherz, to pewnie od nowych butów z pieprzonymi kokardkami, nie ma drugiej strony, jest tylko ta strona. Wszystko, co wydaje się z drugiej strony, to po prostu jego klasa. On ma klasę. Takt ma. Wychowany jest. Dżentelmen w każdym, kurwa, calu.

Przecież nie powie „odczep się i daj mi wreszcie spokój". Tak właściwie, czemu miałby mówić, skoro ona całkiem nawet ładna, całkiem młoda, całkiem zgrabna, porozmawiać można i na obiad pójść i potrafi słuchać, i uwielbia go słuchać, wpatrzona i chłonąca każde słowo z jego ust, spijająca. I jeszcze jako bonus rozkłada się przed nim niczym wachlarz tej pani, co siedzi w rzędzie obok i wachluje się japońskim wachlarzem made in China.

Jak wachlarz ona przed nim, to czemu ma nie brać. *He took you for granted*, myśli ona, lecz sama mu na to pozwoliłaś, poszedł tą drogą, którą sama mu wyznaczyłaś.

I myśli sobie: nie napiszę już do niego, przynajmniej nie pierwsza, obiecuje to sobie solennie, jak miliony innych dziewcząt obiecywało sobie przed nią solennie i będzie obiecywało sobie po niej. Równie solennie.

On by do ciebie nie przyjechał, to prosta prawda. Wie doskonale, że to prawda, taka sama jak to, że pan obok śmierdzi i nie ma wagonu restauracyjnego w tym pociągu. Zapomniała już, jakie to powiedzenie, ale chyba wulgarne, wyżej czego tam nie podskoczysz, ale to jedyne, co przychodzi na myśl, nie podskoczy, niczego więcej zrobić nie może.

Powiedziała wszystko, co mogło zostać powiedziane, napisała wszystko, co można było napisać, pokazała i dała do zrozumienia wszystko. Dalej ściana, wody ściana, a najpewniej łez, nieważne, mur. Dalej nie ma nic, dalej są życia osobne i wspomnienia piękne i wielobarwne jak wachlarz pani i te na polach bażanty. Jak tęcza, której wcale nie ma, tak jak miała być, bo z łez nie może powstać nic kolorowego. I życie to jednak nie worek prezentów.

dziękuję za twój oddech szybki
i za twoje oczy szeroko otwarte
z samych źrenic
urwany krzyk
i krople twojego potu

na moich policzkach
czy to może łzy są moje
bo **dla mnie** oddychać przestałeś
szybko wolno w ogóle

Pamiętać, żeby rozmazany tusz zmyć z policzków. Tusz. Zanim do domu.

49

Potem już nie zadzwoniłeś, nie napisałeś, nie dałeś znaku życia. Imieninowy list tak tobą wstrząsnął? A może traktujesz już moje listy jako spam i wyrzucasz nieczytane? Niechciane i niepotrzebne wiadomości elektroniczne. Pomyślałam nawet, że jeśli po takim liście się nie odezwiesz, nie powiesz czegokolwiek… To był piękny list. Może i pijacki, przepraszam, ale prawdziwy. Ty nic. Kochanie! Mały Książę!

Nie szukaj pretekstu.

A przecież obiecałeś kiedyś. Obiecałeś, że gdy minie, gdy przejdzie, skończy się, to powiesz mi, nie będziesz milczał, powiesz wprost. Teraz milczysz i tak głośno. Czemu tamta ona wtedy zasłużyła na list, na twoje wyjaśnienie, sam mi opowiadałeś tę historię. Bo ja piszę już za nas oboje i wystarczy się podpisać? To się podpisz, do cholery, ale napisz, powiedz. Do widzenia bez do jutra, trzeba zabić tę miłość, cokolwiek.

Nie musisz wcale dodawać, że może w innych konstelacjach, kiedyś gdzieś, w innym łaskawszym czasie. Bzdury, nie będzie innego czasu, mamy jedno życie i dalej nie ma nic. Jesteśmy tu tylko przez chwilę, na chwilę. Nie ma innych galaktyk, innego dzisiaj, w którym moglibyśmy być i być może razem, to jedynie smętne pieprzenie w piosenkach i wierszach. Jest jedno życie, jedna ja, jeden ty i nic poza tym. Ale powiedz tylko słowo.

To wygodne?, czekanie, aż sama dam sobie spokój? Nie rozumiesz, że modlę się do ciebie, do twoich ust i do twoich oczu, codziennie, nie rozumiesz?!

odwróć się i nie patrz
bo będzie dużo krwi
daj mi spokojnie popełnić
moje życie od nowa
bez ciebie
przecież nigdy cię w nim nie było

nóż pożycz

Chciałabym bardzo napisać do ciebie, ale boję się, że będziesz nadal milczał i będzie wtedy jeszcze gorzej. Niechciane i niepotrzebne wiadomości elektroniczne. Więc trzymam się, a raczej próbuję trzymać się czegokolwiek, chociaż nie ma się czego uchwycić i nawet moje myśli o tobie padły już bezsilnie na kolana i teraz tylko modlą się bezgłośnie. Wynajduję sobie wątpliwe atrakcje na przeczekanie sama nie wiem czego, bo tak już może być do końca. A co ze snami?, już mi się nawet nie śnisz. Nie potrzebuję zresztą snów, aby cię widzieć, jesteś przed oczami, pod powiekami, wszędzie. I słyszę, jak szepczesz moje imię, chociaż nigdy go nie wypowiedziałeś na głos, ale wyobrażam sobie, jak ładnie musi brzmieć w twoich ustach.

Napisać, nie pisać. Otwieram nową wiadomość i zamykam, otwieram i zamykam.

Nie szukaj pretekstu.

I moje piękne nibyżycie w nibyszczęściu, codzienność urocza. I on, zaimek osobowy, dzięki któremu unika się nieprzyjemnych powtórzeń; jak przeczytałam w słowniku. Nieprzyjemne powtórzenie, mąż. Dziś jak co dzień musiałam przygotować mu kąpiel, zrobiłam dużo piany, nie mogę już nawet na niego patrzeć, nie jest tobą, a w wodzie jeszcze gorzej to wszystko wygląda, musiałam podać mu ręcznik, potem drugi, włączyć płytę, wyłączyć płytę, przynieść magazyny, wynieść magazyny, wytrzeć go niemalże, zrobić obiad, nałożyć na talerz, ale nie za dużo, bo o linię trzeba dbać, a na sport nie ma czasu, bo zbyt dużo spędza go w kancelarii, wypić pół butelki wina potajemnie, sprzątnąć po obiedzie, zaparzyć herbatę, ale niezbyt mocną, bo zbyt mocna mu źle robi na coś tam i nie może potem spać, obrać trzy mandarynki, ale nie więcej, bo wzdymają, dać odrobinę chałwy, ale nie za dużo, bo jest za słodka i to na pewno są same kalorie, umówić odbiór ekspresu do kawy, który chyba wreszcie naprawili i może przywiozą, całe szczęście, bo bez ekspresu on nie może, pół życia było bez ekspresu i się żyło i piło rozpuszczalną, a teraz nagle na tydzień zabrali i tragedia, a to jak zwykle moja wina; właśnie pani oddzwoniła, że będzie jutro między ósmą a jedenastą rano, i chwała bogu; tak więc podać filiżankę ulubioną z cienkiej porcelany w pieprzone różyczki herbaciane, rzygam tymi różyczkami, wypić jeszcze odrobinę wina, co stało się trudniejsze, bo on siedzi w jadalni z tymi słodyczami i niezbyt mocną herbatą, sprzątnąć po herbacie, włożyć naczynia do zmywarki, nastawić, umyć kieliszki, bo drogie, cienkie, kryształowe, pobiec do gabinetu i okno otworzyć, żeby mu się miło pracowało w wywietrzonym, znaleźć mu cztery książki, nalać koniaku do kieliszka, podać telefon, zabrać telefon, włączyć mu światło, wyłączyć mu światło, jednak włączyć mu światło, psa na spacer wyprowadzić, bo on już po kąpieli i zmęczony zbyt, a to, kurwa mać, jego pies jest, a nie mój!

Zmywarka skończyła zmywać.

Za jaką cenę.

Jak długo wytrzymam tę rzeczywistość bez ciebie, to życie bez ciebie, a przecież od początku było bez ciebie i do końca bez ciebie będzie.

Nie szukaj pretekstu.

50

– Dlaczego on nawet nie napisze do mnie z pytaniem, jak się miewam, jak się czuję. Nie obchodzi go, jak sobie radzę i czy sobie radzę. Dlaczego!? Skoro sobie nie radzę!

– Tak, to marne zachowanie. Fatalne. Żadne, tak właściwie. Zakończył, ale nie zakończył. A teraz milczy.

– Martwa cisza. Cisza tak gęsta, że kroić można jak galaretkę. Albo masło raczej, bo ona się nie trzęsie, tylko maże, rozmazuje. Rozmazuje się niczym tusz na policzkach, gdy tylko o nim…

– Nie wiem, czy bardziej mnie już cała ta sytuacja wścieka, czy smuci.

– Mnie to coraz bardziej do rozpaczy prowadzi. Najbardziej ta cisza. I niepewność. A zapewniał, a prosił nawet: „Jak już nam przejdzie, to będziemy nadal się znać, prawda, obiecujesz?". Jak nam przejdzie...

– Równie mistrzowskie jak: „Zostańmy przyjaciółmi"...

– „Nie traćmy kontaktu, gdy nam MINIE", mówił. Ha. Szybko mu to wszystko przeszło. A może fakt, iż jemu minęło, a mnie nie minęło, ma jakieś znaczenie.

– Nie powinno mieć znaczenia. Jest po prostu pieprzonym gnojem. Tu niby wzdychał, niby tak pięknie, ach i och, „kocham cię" i „ty to wszystko", i łzy nawet, prawda? Dla mnie nigdy żaden mężczyzna nie płakał...

– Taaak... I miny poważne, i oczy smutne; jakże piękne przedstawienie. A potem, kurwa mać, nawet jednego słowa! Przecież to straszne, okrutne nawet! Mężczyźni są okrutni.

– Ale nie wszyscy przecież. Nie każdy tak ma. Don Juan tak ma, nawet jeśli on Słowianinem jest. Nie uogólniaj, kochanie, byś się nie zagalopowała.

– Don Juan... aż mi się ciśnie na usta Don CO on jest! Ale nie powiem, bo przecież wciąż kocham bez sensu!

– To by jedynie potwierdziło moją teorię. Taki filutek galicyjski. Wygodnie mu było, a kiedy zaczęłaś chcieć czegoś więcej, to spieprzył.

– Spieprzył nie spieprzył, ale właściwie nic nie powiedział. Nie ZERWAŁ ze mną, nie rzucił mnie, nie powiedział mi, że odchodzi. Wiem, że nie byliśmy nigdy razem...

– No nie, nie przesadzaj, nie byliście, ale jednak byliście. Nie deprecjonuj tego, to BYŁ ZWIĄZEK!

– I czemu tak mnie teraz zostawił. Bez słowa wyjaśnienia. To jest, wiesz, najgorsze. Zrozumiałabym naprawdę, gdybyśmy jakoś „dramatycznie" zerwali, wykrzyczeli sobie w twarz jakieś straszne słowa albo nawet pobili się. Ale to kulturalnie, niczym w pieprzonym melodramacie: przyszedł, przytulił, właściwie nic nie powiedział, wyszedł i popłakałam sobie, ale wyschło i teraz, kurwa, cisza. „Znajmy się, jak już się rozstaniemy", no to się znajmy, proszę bardzo, to dlaczego go nie obchodzi teraz, jak radzę sobie w sytuacji bez niego! Bez esemesów, maili, listów, telefonów, pocałunków, dotyku jego rąk! Bez jego adoracji, afirmacji i innych trudnych słów na „a". Jak na przykład alokacja uczuć. Patrzę na całujących się ludzi i nienawidzę ich. Nienawidzę ich z całego serca. Myślę o nim nieustannie, a nawet jak nie myślę, to i tak myślę i to tak bardzo boli! A ile jest mnie w jego myślach?, nic pewnie. A jego w moich myślach…

– Nieustannie za dużo.

– Nieustannie za dużo. Za pełno. Za mocno. Myślisz, że on poświęca mi chociażby chwilę? To żałosne, prawda? Ja jestem żałosna.

– Nie jesteś żałosna. Kochanie…

– Jestem tak żałośnie zazdrosna o każdy jego komentarz w Internecie poświęcony komu innemu, o każdy obiad, który jest beze mnie, o każde idiotyczne „zameldowanie się" w jakimś miejscu z kimś innym. Jestem żałośnie żałosna.

51

Przedświt. A ty nawet nie sprawdzisz, czy jakoś sobie radzę. Czy żyję. Zrobię ci numer i umrę.

Podobno wystarczy kilkanaście minut w naprawdę zimnej wodzie i bez żadnego bólu się zasypia. A ty mnie nie uratujesz, przecież nie umiesz pływać.

Czy śnisz się wtedy? Jakie obrazy, jakie sny towarzyszyć będą mojemu umieraniu? Może adagio g-moll Albinoniego czy Giazotty, bo nie wiadomo, który z nich skomponował, ale głośność na full. A może będą w nich fajerwerki radości i samospełniające się marzenia? Czy śnić się będzie, że dzwonisz, piszesz, chcesz mnie, że kochasz? Jeśli tylko mogę mieć takie sny…

A potrzebne do tego od razu morze czy może być wanna? Czy zasnę w wannie snem o tobie, gdy położę się do niej wypełnionej lodem? Czy będzie mi wtedy tak samo zimno, jak zimno mi jest z powodu tego, że utraciłam najpiękniejszą miłość, chociaż nigdy jej nie miałam, czy będzie jeszcze zimniej? Czy więc wystarczy wanna?, mam naprawdę dużą wannę.

To mąż kupił mi bardzo dużą wannę.

Otworzę sobie do tej kąpieli naszego ulubionego szampana, dobrze?

Tylko mi jeszcze powiedz, dlaczego skończyłeś ten romans? Bo przecież skończyłeś, chociaż nic nie zostało powiedziane. Nie wiesz?, nie ma jednej prostej odpowiedzi, jednego wytłumaczenia, złożyło się na to bardzo wiele czynników, ja za bardzo… i to wszystko jakieś takie zbyt skomplikowane. Mogłeś mieć, ale nie chciałeś, możesz

WHSmith

20% OFF

Printer Ink Cartridges and Kaspersky Internet Security Software with this voucher

Valid from Mon 16 Mar until Wed 25 Mar 2015

Subject to availability. Valid in High Street stores only. Not in conjunction with any other voucher offer. For full terms & conditions, visit www.whsmith.co.uk/tillvouchers

WHSmith

customer.relations@whsmith.co.uk
WH Smith High Street Limited Company no. 6560339
Registered in England and Wales
Registered Office: Greenbridge Road, Swindon,
Wiltshire SN3 3RX
VAT Reg no. 238 5548 36

mieć, ale nie chcesz. Przyjaciółka mówi, że muszę nauczyć się z tym żyć i powoli leczyć się z ciebie. Spierdalajcie wszyscy z tymi swoimi dobrymi radami.

Dopijam szampana i wychodzę na bal. Mąż pewnie już czeka, elegancki, w smokingu, ciekawa jestem, jak ty wyglądasz w smokingu. Tylu rzeczy o tobie nie wiem. I nawet ani razu nie zatańczyłeś ze mną, nie zrobiłeś ze mną tak wielu rzeczy! Zakładam suknię do ziemi, w jakiej nigdy mnie nie widziałeś, podobałaby ci się, i wysokie szpilki. Bez kokardek. Robię makijaż, rozpuszczam włosy, lubisz, gdy mam rozpuszczone włosy, łaskoczą cię w policzki, kiedy się nad tobą pochylam, a ty opierasz dłonie na moich piersiach, ekstaza i udręka, i wciąż o tobie. Nieustannie pobudzasz moją wyobraźnię, zmysły i umysł, a co ze snami?

Zatańczysz jednak? Proszę, uwielbiam tańczyć. To będzie tango najpewniej, rozerwij mi sukienkę, żebym mogła oprzeć nogę wysoko na twoim biodrze, wszystko wiruje, taka scena, pusta sala, ja w długiej sukni, kolczyki rzucają iskry na twoją koszulę, wygięcie mojej szyi, twoje bose stopy na drewnianej podłodze, nie wiem, dlaczego bose, ale kocham twoje bose stopy. Trzymasz mnie mocno za rękę, trzymaj mnie za rękę, trzymaj mnie za serce, trzymaj mnie za wszystko, byle do samego końca.

Wiruje konfetti, ty wyjdziesz, on wejdzie, ja odejdę, to wszystko naprawdę ładnie się ułoży. Już za chwilę. Chwyciłeś, puściłeś, odszedłeś. Odszedłeś, lecz mimo to sprawiłeś, iż *stałam się wewnętrznie lepsza, jakby odświeżona, większa. Nie możesz już całkowicie mnie opuścić, zamieszkałeś w samym centrum mojego wnętrza, żyjesz we mnie. Jeśli nawet zapragnąłeś mnie porzucić, ja będę zawsze przechowywać cię w sobie*[18].

A więc naprawdę już mnie nie chcesz?

A ja mogłabym już nie pragnąć niczego więcej ponad to, co byłbyś gotowy dać. Obiecuję, przyrzekam, bądź, nie idź, przecież to idiotyczne, mamy nawet ten sam kolor oczu, chociaż twoje bardziej szare, jesteśmy stworzeni dla siebie, to wszystko brzmi jak melodramat, ale sam powiedziałeś. Nie chcesz tańczyć, dobrze, nie tańczmy, ale przecież ja jestem zrobiona właśnie po to, aby dawać ci szczęście i rozkosz, przecież lubisz, gdy pochylam się nad tobą, lubisz, gdy szepczę ci do ucha, przecież kochasz mnie. Kocha mnie. Mówił. Mówiłeś. Kochasz być ze mną i we mnie, kochasz, kiedy biorę cię w usta. I nikt nie ma takich epickich ust i okrągłych piersi, i skóry tak aksamitnej. „Masz piękną skórę", mówisz mi, mówiłeś mi, mówił. Przecież daję ci taką rozkosz, że ból. Twoja twarz w bolesnym grymasie, za każdym razem bałam się, że robię ci jakąś krzywdę, że coś cię boli. A tak właśnie wygląda ekstaza. Aż przerażenie i ból. I chcesz tego, powiedz, chcesz przecież. Czy ona ci to daje?

Każdego dnia.

Myślę o tobie każdego dnia.

Nie mogę się pozbierać, wielka dziura w moim sercu, a przecież mam trzydzieści trzy lata, jestem młoda, zdrowa, niebrzydka, inteligentna, zdolna, zabawna, co się ze mną dzieje? Mam rodzinę, pracę, dom, przyjaciół, mogłabym nawet mieć dziecko, gdybym chciała. A wszystko to mało. Wszystko to mało po tobie. Niby jestem, ale właściwie nie istnieję.

Każdego dnia.

Myślę o tobie każdego dnia.

udręka bez ekstazy

52

Zadzwoniła do mnie jej przyjaciółka. Chyba nawet następnego dnia. Następnego dnia po tym, jak Magda wypiła dwie butelki szampana, otworzyła okno w swojej sypialni na dwunastym piętrze i rozpędziła się przez całą długość korytarza.

i nikt nie stanął jej na drodze. nie było nikogo, kto by ją zatrzymał. a dlaczego nie było? mnie nie było, a przecież to ja, to moja... chociaż dlaczego miałbym? żebym... a gdzie był mąż, czemu on, mąż powinien ją zatrzymać, od tego są. mężowie. żeby powstrzymywać pijane żony przed robieniem głupot. ma męża. miała. była; czas przeszły dokonany. Magda. co za idiotyzm, cała ta historia. i ona sama, z tymi najdłuższymi z najdłuższych rzęs i ustami, żadna takich ust. na cholerę teraz myślę o jej ustach, kiedy tu siedzę z tym gościem, sam nazwałem je epickimi, ale usta nie żyją, ona nie-ży-je, zabiła się, rany boskie, ja pierdolę, zabiła się, a mi usta, ale co się mówi w takiej chwili, co się powinno poczuć, co poczułem. co poczułem, skup się, pustkę czy ulgę może, ale jak ulgę. przecież nie powiem, że ulgę. pustkę, chociaż nie powinienem pustki, wszystko się pieprzy, jak mogłem czuć, kiedy to ulgę właśnie czułem. jesteś mężczyzną, a nie żałosnym mięczakiem, weź się w garść. potrafię. i co teraz? nic przecież nie może się zmienić. czy wszystko się właśnie zmieni, ale co, kurwa, wszystko?! przecież to samobójstwo. w żaden sposób nie wpłynie na moje życie, spokojnie, o co chodzi. o co on pyta, absurdalna sytuacja, absurdalna sprawa, samobójstwo. co można powiedzieć o trzydziestotrzyletniej kobiecie, która umarła. nie umarła, zabiła się, ja pierdolę, zabiła się. jakiś, kurwa, film. powiem mu, że była pierdolnięta, co mam powiedzieć, że z nią byłem, wcale nie byłem. byłem. byłeś. samobójstwo. powiem mu, że była inna. inna niż inne. wyjątkowa, długorzęsa…

Tak, wie pan, właśnie stąd się dowiedziałem, od jej przyjaciółki. A skąd mógłbym? Przecież to nie była taka sprawa, aby gazety, a nawet jeśli w telewizji, to ja nie oglądam telewizji. W prasie chyba nie, być może lokalnie, tutaj nie było wzmianki, robię prasówkę codziennie, chociażby ze względów zawodowych przeglądam, przecież bym zauważył. Nie bardzo rozumiem, czy pan sugeruje, że mogłem dowiedzieć się bezpośrednio? Nic pan nie sugeruje, bardzo słusznie.

Nie wiem, skąd przyjaciółka miała mój numer, nie miałem przyjemności poznać, ale zdobyć telefon to nie jest żadna wielka filozofia, prawda, proszę ją spytać, przecież będziecie rozmawiać. Moim zdaniem to z nią powinniście przede wszystkim, a nie ze mną. W jakim celu właściwie ze mną? Skąd ja w kontekście tego samobójstwa. Czy to ja jestem odpowiedzialny, to jakiś nonsens. O czym mogę opowiedzieć, o naszym romansie, o którym już zapewne wiecie wszystko i ze szczegółami? Inaczej by mnie tu nie było, czyż nie? Krótki romans zresztą bardzo, raczej nie powód przecież, żeby z balkonów skakać. Okien, a więc okien, wiem, doskonale wiem, że okien. Opowiem naturalnie o tym romansie, skoro tego właśnie się tu ode mnie oczekuje.

Co poczułem?

Ale kiedy? Gdy się dowiedziałem o jej samobójstwie czy teraz co czuję. Gdy się dowiedziałem, poczułem... nie wiem, nie pamiętam, pewnie zdziwienie. Smutek, oczywiście, na pewno. Rzeczywiście to nie było tak dawno, ale jednak, no nie wiem. Przyjaciółka Magdy zadzwoniła do redakcji, więc dowiedziałem się w biurze i nie bardzo teraz nawet pamiętam, co dokładnie poczułem, lecz tak, zdziwienie, najpewniej zdziwienie. Że w tych czasach takie rzeczy, wiem, to brzmi może trochę głupio, ale pewnie sam pan by poczuł zdziwienie najpierw. Zakładając, że mógłby pan być w takiej sytuacji. Smutek, oczywiście, przecież była wspaniałą dziewczyną, poza tym, że była niezrównoważona emocjonalnie i... no właśnie, ale co ja o niej mógłbym powiedzieć, czego nie dowiecie się od najbliższych? Przepraszam, tak może bez sensu trochę pana pytam, ale jestem zaskoczony tą nagłą koniecznością.

Pierwszy raz znalazłem się w takich okolicznościach i to jeszcze teraz, w związku z Magdą, właśnie teraz, a wie pan, ja przecież właściwie jej nie znałem. Oczywiście, pan nie może tego wiedzieć. To znaczy znałem, a jednak nie znałem, rozumie pan, o co chodzi?

I chcecie na podstawie mojej opowieści szkicować jej profil psychologiczny? To dlatego tutaj jestem? To wydaje się, nie chciałbym nikogo obrazić, zupełnie idiotyczne. Jak miałbym pomóc? Skąd ten pomysł, że ja ją znałem najlepiej, skoro już powiedziałem, że jej w zasadzie nie znałem. Ale co napisała, że jedynie przede mną nie udawała, jedynie przy mnie była sobą, tak, pamiętam, jednak... jest przecież mąż, rozumiem, że jest, tak, nie wyskoczył z nią wspólnie? Przyjaciółka, jedna, druga, matka jest, na co dzień były... czy nie ma pan bardziej odpowiednich ludzi do przepytywania, przecież nie byłem ostatnią osobą, z którą kontaktowała się w swoim życiu czy którą widziała, prawda? Nie byłem.

Mam rozumieć, że te nasze spotkania są półoficjalne? Ale co to właściwie znaczy, proszę mi wyjaśnić. Mogę w takim razie odmówić i nie przyjechać? Nie bardzo rozumiem.

Bardzo bym chciał, jeśli to możliwe, aby było ich mimo wszystko jak najmniej, pan rozumie, to dla mnie bardzo kłopotliwa sprawa. Niekomfortowe jest również to proszenie pana o dyskrecję, ale w tej sytuacji... Jest mi niezręcznie, nie przywykłem do czegoś takiego, jestem pierwszy raz, rozumiem, że bardzo wiele zależy ode mnie. No to świetnie, mam nadzieję, że to pójdzie sprawnie i szybko, nie będę przecież niczego zatajał ani komplikował.

Zresztą nie mam nic do zatajania.

Bardzo proszę, szybko, sprawnie opowiem od początku, czyli odkąd ją poznałem. Padał śnieg, to zupełnie tak jak teraz. Muszę przyznać, że trochę mi też śnieży przed oczami, pewnie ze zmęczenia i z nerwów. Z samolotu do samolotu biegiem i jednak w dużym stresie. Ściągnęliście mnie dość niespodziewanie z tej konferencji. Nie, nie dostanę chyba zawału, proszę się nie martwić, z moim sercem wszystko jeszcze w porządku. Mam nadzieję.

Śnieg padał wtedy, gdy poznałem Magdę, musiało więc to być w zimie, jakoś na początku roku, ale nie pamiętam dokładnej daty. Aczkolwiek mój sekretariat zapewne...

Cóż można powiedzieć o kobiecie, która wyskoczyła z okna. O trzydziestotrzyletniej samobójczyni. No do nieba nie pójdzie, to na pewno. Że była niezrównoważona, egzaltowana i emocjonalnie pieprznięta? Trzeba mieć albo wyjątkowego pierdolca, przepraszam za sformułowanie, albo wyjątkową odwagę, żeby się tak rozpędzić, nie sądzi pan? Myślę, że nie do końca była normalna.

Wyjątkowa była rzeczywiście, pod wieloma względami. To nawet niemal zabawne, że mam opowiadać wszystko tutaj niczym na kozetce u psychoanalityka, a pan będzie się bawił w doktora Junga. Oczywiście, że to nie jest zabawne, tylko raczej kuriozalne. Wcale mnie to nie bawi, ani odrobinę. Nie bardzo nawet wiem, od czego zacząć, mam snuć opowieść... bez sensu, pomijając, że jak już mówiłem, naprawdę to niekomfortowa sytuacja, moja rodzina, moja żona...

Nie pozostawiacie mi zbyt dużego wyboru, jak widzę. Czy też żadnego. Opowiem więc panu tę ckliwą historię, całe to love story od siedmiu boleści, cóż za zbieg okoliczności, w *Love Story* ona też umiera... czytał pan? No nic, dziękuję w każdym razie, że zgodził się pan na nietypową formę tych spotkań. Zawsze idzie pan na rękę tym biedakom, którzy siadają naprzeciwko, czy ta historia się panu po prostu podoba? Ale rzeczywiście będzie mi łatwiej o tym wszystkim opowiadać, jeśli potraktujemy to jako seans z przysłowiowym doktorkiem od psychoanalizy i będę mógł bardziej nieformalnie i czasami ze szczegółami. Które chyba nie są potrzebne, prawda? Kto miałby czas na zabawę detalami typu kolor sukienki czy wielkość dekoltu, przecież to nieistotne. A dla mnie szczegóły zawsze były ważne... Tak więc dziękuję, bo może tego rzeczywiście najbardziej teraz potrzebuję... psychologa. Albo psychiatry już nawet, żeby się z tą sprawą uporać.

Nie będzie pan nawet zadawał pytań... Czyli jednak Jung. Ale mogę nie odwracać się do pana plecami?

Oczywiście, to niebywale przykra sprawa, okoliczności są bolesne, a pan oczekuje, abym co jeszcze powiedział. Oczywiście, że mi przykro, coś mnie w końcu łączyło z Magdą, cokolwiek to było. Nie wiem, co mam powiedzieć.

Moja wersja wydarzeń, moja wersja tej historii, sądzi pan, że będzie kilka wersji? Magdy, moja, przyjaciółki, matki, męża wersja, a kto potem zadecyduje, która była tą prawdziwą? A ile procent prawdy w prawdzie zakładacie? Aż boję się pomyśleć, co by było, gdyby to trwało dłużej; te nasze wzajemne relacje, jak je pan ładnie określa.

Dlatego powiedziałem na początku, że właściwie jej nie znałem. Jak można poznać człowieka po kilkudziesięciu spotkaniach? Naturalnie, że nie pamiętam teraz, ile dokładnie ich było, to jest moim zdaniem nie do ustalenia. Jednak – niewiele, w ciągu tych ośmiu prawie miesięcy naszej znajomości. Magda zapewne prowadziła skrupulatne zapiski, przecież opisywała wszystko i to bardzo dokładnie. Mnie pan raczej chyba nie podejrzewa o prowadzenie pamiętnika.

Tak czy inaczej, musicie już sporo wiedzieć na temat naszych relacji, czy też wiecie wszystko doskonale?, albo też zakładacie, że wszystko, i teraz weryfikujecie...

No dobrze, tak więc moje relacje z Magdą...

Moje relacje z Magdą zaczęły się od tego... nie wiem, na dobrą sprawę, od czego. Po prostu poznałem ją w pracy. Zwróciła moją uwagę, bo była jakaś taka zupełnie inna. Inna niż inne.

Nie była ładna photoshopowo, w oczywisty sposób. Inaczej – zwracała na siebie uwagę, może tak.

Na pewno nie była przeciętna, w zasadzie nic w niej nie było pospolitego. Teraz ją dopiero komplementuję, rychło w czas. Może w pewien sposób jestem jej to winien, nie komplementowałem jej wówczas. Raz może powiedziałem czy dwa, że ma oczy bardzo niebieskie i usta epickie, ale to przecież nie komplement, no w każdym razie nie do końca.

Miała chyba przy tej swojej nieprzeciętności niezbyt wysokie mniemanie o sobie, tak jak się teraz nad tym zastanawiam, nie była pewna siebie. To znaczy była bardzo, ale nie jeśli chodzi o wygląd. Może źle, że jej nie dowartościowywałem, ale co by to pomogło?

Chociaż tego w zasadzie uczą mnie moje kobiety; one wszystkie uwielbiają przecież miłe słowa, które trzeba mówić jak najczęściej, dowartościowywać. Mam na myśli żonę, córkę i przyjaciółkę; tak, mam to szczęście być otoczonym kobietami. Przyjaciółkę w znaczeniu naprawdę przyjaciela, koleżanki.

Wracając do Magdy, na pewno powiedziałem jej, że ma świetne ciało, ono było w ogóle... miała świetne ciało, chociaż powinno się w zasadzie powiedzieć: była świetnym ciałem, przecież ciała się nie ma, tylko się nim jest, prawda? I miała taki zabawny zwyczaj unoszenia brwi podczas słuchania; bardzo mi się podobał, zauroczył mnie tudzież notorycznie zauraczał. Uśmiechała się też pięknie... ale pan wie przecież doskonale, do cholery. Pan wie doskonale, jak Magda wygląda, dlaczego mnie pan... racja, wyglądała.

Wszystko to, co mówię, wydaje mi się trochę głupie, czy wszystkim tak się wydaje, kiedy tu do pana na kozetkę przychodzą? I jeszcze jakiś taki sentymentalny nagle się zrobiłem, kurwa.

Przepraszam.

Po prostu zadziwia mnie i wnerwia ta moja melancholia. W gruncie rzeczy jestem, najoględniej mówiąc, dość cyniczny. A ona jest idiotką. Była. Może gdybym, może gdyby ona, no idiotka, pan nie uważa, że idiotka?

53

Poznałem Magdę... ale to chyba nieistotne, gdzie ją poznałem. Oczywiście, oczywiście to nie ja jestem tutaj od decydowania, co jest ważne. W redakcji, zwyczajnie, weszła do pokoju, czy może to ja wszedłem, a ona tam była, nie pamiętam. Każe mi pan wszystko naraz sobie przypominać, a to już jakiś czas temu przecież, prosi mnie pan, a cóż za różnica. Nie mogę pamiętać wszystkiego.

Przyjmijmy, że wszedłem, a ona zamachała tymi swoimi rzęsami, no ale proszę przyznać poza wszystkim, że ta historia doskonale nadaje się na powieść i nawet niezły scenariusz mógłby z tego powstać, może... no w każdym razie.

Proszę wybaczyć, jeśli będę trochę zbyt może literacko to panu przedstawiał. Często mi to zarzucają. Mężczyźni są przecież prości i nieskomplikowani i powinienem w taki sposób, prawda? Co prawda to Magda bawiła się w literatkę, ja nie mam z tym nic wspólnego. Poza tym, że jestem szefem wydawnictwa, to pan przecież wie. Ale sam pan powiedział, że oczekujecie ode mnie ładnej opowieści. Widzi pan, ze mną jest taki problem, że czasami – niezależnie od tego, jak to teraz zabrzmi – mocniej przemawia przeze mnie kobieca część mojej osobowości. Może dlatego, że otaczają mnie same kobiety, proszę się tak ironicznie nie uśmiechać. Nawet przyjaciółka opieprzyła mnie kiedyś, że liczba przekleństw w mojej opowieści – coś jej jak zwykle przydługiego opowiadałem – nie uczyni mnie bardziej męskim... ale miało być przecież o Magdzie dzisiaj, prawda, a nie o mnie. Ona też mówiła, że bywam tak subtelny i delikatny, że aż kobiecy. Że jestem mężczyzną z kobiecą duszą i kocha to we mnie. Rzeczywiście, żaden ze mnie macho, pewnie to ją też gdzieś tam zauroczyło, moja chłopięco-kobieca wrażliwość, nie wiem po kim i skąd to we mnie. Nie wiem, ale czytał pan: *poziom poezji w poezji nie jest tak duży jak poziom poezji w tym mężczyźnie*, sratatata, jednakowoż. Moja kobiecość w męskości; wyjaśniam to na wstępie, żeby mi pan znów później nie wytknął, że jestem zbyt literacki. Chociaż nie piszę… jak już mówiłem. To, że jestem wydawcą, nie znaczy, że umiem pisać książki. Magda była od pisania. A przynajmniej chciała być.

No w każdym razie wszedłem; wszedłem na pewno, tak, już sobie przypominam, to było pierwsze spotkanie u nas, nowe twarze, wśród nich ona. Zleciliśmy zewnętrznej agencji jakąś tam dużą kampanię i ona była wśród osób, które miały to dla nas z ramienia tej agencji prowadzić. Pisała dla nich jako wolny strzelec czy coś w tym rodzaju. Podczas tego spotkania było chyba zupełnie normalnie, przywitałem wszystkich, ach, nie, coś powiedziałem o tym, że siedzą daleko, tak było, rzeczywiście!

Od tego się zaczęło, rzeczywiście, uwielbiała to wspominać. I ona odezwała się w odpowiedzi jakoś tak zaczepnie czy kokieteryjnie, coś o badaniu pulsu, czy będę im badał puls, tak. Czasami nie można było odróżnić, czy jest zalotna i uwodzicielska, czy bezczelna; cała Magda. Ta jej grzeczność i niegrzeczność, niewinność i grzeszność, nieśmiałość i zalotność – lubiłem tę jej zadziwiającą jedność przeciwieństw.

A co, będzie nam pan badał puls?

Miała granatową sukienkę. Sukienkę pamiętam doskonale. I kolor nitki, którą były szyte jej buty. Szczegóły… Zasadniczo, owszem, dla mnie to też dziwne. Tak… nitka była żółta… a sukienka i ten jej dekolt… pamiętam, że przez całe spotkanie nie mogłem pozbyć się natrętnej myśli o tym, co by się stało, gdybym nagle podszedł i wsunął tam rękę, a może to już było na drugim spotkaniu, wie pan, trochę mi się to wszystko miesza. W każdym razie to i tak pewnie nieistotne. Potem była jakaś wymiana zdań, wymiana uprzejmości, wymiana uścisków dłoni, miała bardzo silny uścisk dłoni, męski.

I cóż, i wystarczyło, wie pan, jak to jest. Jedno spotkanie, rozmowa, czy nie rozmowa nawet. Granatowa sukienka i pełne, duże usta, pan jest wzrokowcem? By tak rzec – tego dnia mnie kupiła. Nagle i niespodziewanie. Wszystkie piękne i fantastyczne rzeczy i sprawy zjawiają się w naszym życiu nagle i niespodziewanie, ale takie miałem poczucie, jakbym właśnie na ten dzień czekał już od dłuższego czasu, robi się ze mnie sentymentalna pierdoła.

Odstawiła dla mnie taki uroczy teatrzyk, gładziła się po szyi, rozwiązywała i zawiązywała szalik, spuszczała wzrok, gdy patrzyłem. Od razu pomyślałem, że to kusicielka, ale to było miłe i schlebiające. Podniecające, jeśli mężczyźnie wypada się do tego otwarcie przyznać i używać infantylnych słów.

A co, będzie nam pan badał puls?

Raczej mi się to nie zdarza, że dziewczyny, kobiety... zwykle to ja... żaden ze mnie Brad Pitt czy inny Clooney, generalnie tabuny nie ustawiają się w kolejce, aczkolwiek Magda... a może byłem tak inny od jej męża, że... dobrze, o mężu później.

Z nią zresztą od początku wszystko było inaczej. Bardziej intelektualnie może, chociaż nasza pierwsza rozmowa nie trwała długo, a właściwie nie wiem, czy de facto zamieniliśmy słowo, ale cała ta magia wokół jej osoby... zaintrygowała mnie ta kobieta. Czy raczej dziewczyna;

właśnie, to też nie było proste do stwierdzenia, ile może mieć lat. Wydawało mi się, że jest młodsza, niż okazała się w rzeczywistości. Ale to nie miało żadnego znaczenia.

I to wystarczyło, ta jej odzywka i przedstawienie, specjalnie dla mnie. Powrót do domu, wie pan, jak to jest, szklanka whiskey, praca, żona, dekolt, praca, żona, oczy, usta, piersi, szalik, druga szklanka whiskey, *a co, będzie nam pan badał puls?*, samo się stało, co mam powiedzieć.

Ale o co właściwie chodzi, mam teraz iść na klęczkach do Częstochowy czy do Watykanu, czy może do pieprzonej Jerozolimy, bo przeze mnie się zabiła? Ale jak przeze mnie? Nigdzie nie będę chodził!

Oczywiście, że najlepiej by było, gdybym zajął się domem, rodziną i pracą, a nie uganiał za dziewczynami w granatowych czy innego koloru sukienkach. Doskonale zdaję sobie z tego sprawę, ale nie zamierzam tego roztrząsać, szczególnie tutaj, proszę wybaczyć. Chyba nie spotykamy się, by analizować moje zachowanie i moją wierność czy niewierność. Pomijając fakt, iż nadal nie do końca rozumiem, po co na tym etapie jestem potrzebny. Czy w ogóle na jakimkolwiek etapie tej sprawy. Czy słucha nas biegły psycholog i analizuje, czy jestem zdolny do wypychania z okien? Tak tylko byłem ciekaw.

Nie robię sobie żartów ani z pana, ani z tej sytuacji, ale proszę przyznać, no jak to brzmi: moja wersja wydarzeń i związku z Magdą? Niepokoi mnie cała ta sprawa, nie mówiąc już o mojej rodzinie, którą zaczynają wkurzać, mówiąc kolokwialnie i wprost, moje częste wyjazdy do Warszawy.

Już sam, cholera, nie wiem, czy ta sprawa bardziej mnie dręczy, czy Magda – wspomnienia o niej oraz mój nagły i dziwny sentymentalizm. Bo pomimo wspomnianej kobiecości w męskości wcale rzewny i tkliwy nie jestem, chociaż, jak mówiłem, żaden ze mnie twardziel, raczej wręcz przeciwnie. Ale na swoje usprawiedliwienie – bardzo lubię szybką jazdę samochodem. No nie, nie w Polsce, oczywiście…

Nie mam wyrzutów sumienia, dlaczego miałbym mieć, chce mi pan coś zasugerować? Jednak dziwne jest takie opowiadanie. Mówić o tym wszystkim w kontekście czasu przeszłego, mówić o Magdzie, wiedząc, że nie żyje, jakoś to we mnie jeszcze nie okrzepło, nie ułożyło się, wie pan, pierwszy raz mam do czynienia ze śmiercią w taki sposób, to chyba na każdego by jakoś wpłynęło. Nigdy nie spotkałem się z samobójstwem, na dobrą sprawę nie wiem, jak to odbierać. Jestem nieco, muszę przyznać, skołowany.

Nawet trochę już zdążyłem wyrzucić Magdę ze swoich myśli i gdyby nie ta sprawa, nie wracałbym tak często do naszego romansu, no a jeszcze teraz, w taki sposób. Może we wspomnieniach, ale raczej miłych w zasadzie. Bo w jakim innym celu?

No w każdym razie coś się zaczyna, coś się kończy, miało się skończyć, dla mnie się skończyło i nie było sensu wracać, po co wracać, nie ma tej, będzie następna, czy nie będzie już może żadnej, czy to ja otworzyłem okno, czy to ja wlałem w nią dwie butelki szampana, czy to ja wreszcie szeptałem jej do ucha, żeby przetrenowała bieganie na krótki dystans?

Czy to w końcu moja wina, że jest, że była egzaltowaną neurotyczką? Przecież de facto nawet jej nie rzuciłem!

Nawet jej nie rzuciłem.

54

– Zadzwoniła po raz drugi, wiesz?

Siedzę z przyjaciółką w barze. Fioletowe stoliki... już gdzieś to czytałem. Palę cygaro, a w grubych szklankach po kostkach lodu rozlewa się kolejna kolejka whiskey. Czy to już KOLEJNA kolejna kolejka...?

– Ta przyjaciółka Magdy? Po co?

– Aby mi oznajmić, że przejęła laptopa swojej tragicznie zmarłej przyjaciółki, której imię za bardzo ją boli, gdy je wymawia, więc go wymawiać nie będzie, i w tymże laptopie w kolorze niebieskim... „ciekawe – dodała z przekąsem – ten laptop w zasadzie jest sza-ro-nie-bie-ski, pan zapewne wie, dlaczego ma taki kolor". Ta jej popierdolona symbolika!

– Nie rozumiem? Spokojnie, nie gorączkuj się tak, a dlaczego ma taki kolor?

– Oczy szaroniebieskie, no wiesz, moje oczy szaroniebieskie...

– Ach, i jej oczy też szaroniebieskie...

– Właśnie... no w każdym razie w tym laptopie znajduje się nasza, znaczy zmarłej tragicznie i moja, korespondencja, i ona pyta, przyjaciółka żywa, co ma z nią zrobić.

– Co jej powiedziałeś?

– Chciałem odpowiedzieć, że może zrobić z nią, co tylko jej się podoba, nawet wyrzucić przez okno... skasować, spalić laptopa, rozbić młotkiem, utopić w Bałtyku, w Odrze albo Nysie!

– Ale nie denerwuj się, to chyba miło, że do ciebie zadzwoniła, prawda? Aby cię spytać, co ma zrobić z listami do ciebie i od ciebie, pomyśl.

– Ale co mi po tych listach! Noż kurwa… po co mnie pyta i głowę zawraca. Tylko problemy stwarza.

– Ale jakie problemy, ty, nie nakręcaj się tak. Słuchaj, a może ona chce cię szantażować?

– Przyjaciółka?

– No nie, Magda. Zza grobu.

Nie ma grobu, myślę.

– Nie ma grobu.

Mówię.

– Jak to nie ma grobu?

Przyjaciółka robi oczy jak spodki czy raczej denka od szklaneczek, w których widać już dno.

Znowu dno.

– Ale przecież już minął jakiś tydzień czy ileś tam… A to można nie mieć grobu w ogóle w Polsce?

minął tydzień. czy ileś tam. w mailach wreszcie święty spokój, jedynie wyciąg z kart kredytowych i obietnice powiększenia tego i tamtego, ale bardziej tego. nie ma grobu, nie chciała grobu, afektowana pod każdym względem i w każdej sprawie, czy tego nie wiedziałem, ależ wiedziałem doskonale, trzeba się było nie angażować aż tak. właśnie JAK, jak bardzo zaangażowany byłem. dlaczego, do cholery, nie mogła brać tego, co dawałem, przecież i tak dawałem wiele! tyle, ile mogłem. to wszystko jakieś zupełnie pojebane. pogrzeb i grób, czy też brak, nawet w tej kwestii egzaltacja. kamień gdzieś czy co tam chciałaś, nie wiem, czy można w Polsce, czy nie można, a co mnie to obchodzi. przyjaciółka swojej zmarłej przyjaciółki poinformowała o braku pogrzebu, zupełnie jakbym miał ochotę… może nawet miałbym, ale raczej trudno byłoby się schować w tłumie. a potem tłumaczenia. żona, mąż, inni. nie chcę, nie chciałem, a zresztą nie było. pozamiatane. dziwne, że można nie mieć pogrzebu.

– Może chce mnie szantażować.

szantażować, ale jak, po co, czym, w jakim celu. że niby: zabiłeś moją przyjaciółkę, to teraz ja ciebie urządzę. zemsta? ale przecież nie zabiłem, do kurwy nędzy, nie zabiłem. sama skoczyła… nie kazałem jej, nie popchnąłem. nawet nie rzuciłem. właściwie. spokojnie, bez egzaltacji; Magda nie chciałaby, żeby ktokolwiek mnie szantażował, nie chciałabyś, Magdo, prawda, to zupełnie nie tak, przecież mówiłaś i robiłaś wszystko, bym czuł się najlepszy, wyjątkowy, nie mogłabyś chcieć… a ja, co ja robiłem, abyś czuła się wyjątkowa, co ci dałem…

– Dałem jej nic. I to wszystko, co miała.

zebrało mi się na niemęskie rozterki, za dużo whiskey.

– Teraz cię nachodzą wyrzuty? Trochę po ptakach, wybacz lotne porównanie. Daj spokój, to nie twoja wina, przerabialiśmy to wielokrotnie, nie zadręczaj się, to bez sensu. Było, minęło, nie ma co. Bardzo tragiczna sprawa w gruncie rzeczy, też nigdy nie spotkałam się z samobójcą, w sensie z samobójstwem, ale musisz wziąć się w garść. Jesteś mężczyzną na stanowisku, masz rodzinę, przyjaciół, proszę cię, ogarnij się, nie baw się w wyrzuty. To niczego nie zmieni. I jakkolwiek idiotycznie to brzmi, szczególnie w moich ustach, bądźże mężczyzną!

– Mężczyzną, tak. Napisałem jej kiedyś, pamiętasz, że stałem się mężczyzną, kiedy tak mnie nazwała…

– Ależ się przez tę historię zrobiłeś sentymentalny! Wiem, że jesteś „moją najstarszą żyjącą przyjaciółką”, ale to ja jestem jednak kobietą, nie zapominaj. Do pionu, do pionu! A poza wszystkim, każdemu by schlebiało bycie niemalże bogiem, prawda? Gdybym była facetem, toby mi to schlebiało. Wiem, że nie jesteś narcyzem, w końcu znamy się te osiemnaście lat, ale taka dziewczyna, wpatrzona i zakochana, i miałoby nie schlebiać, trzeba byłoby być idiotą. Jednak z sentymentami daj sobie, szczególnie teraz, na wstrzymanie. Może nie pijmy więcej, poproszę o rachunek.

– Wiem, że masz rację, ale zebrało mi się, może to ta whiskey rozczula mnie bez sensu. To było miłe, dobrze było czuć się mężczyzną w jej oczach. Nie jestem pewien, czy w oczach własnej żony jestem mężczyzną, wiesz. Jestem mężem i ojcem, to co innego. Zupełnie co innego. Jestem pierdolonym odpowiedzialnym mężem i ojcem... A tu? W sensie tam, z nią... byłem tylko i aż mężczyzną. Takim, któremu się pisze, że warto było na niego czekać trzydzieści trzy lata. No powiedz, jak nie być sentymentalnym? Żebyś widziała, jak mi wtedy biceps urósł, kiedy to czytałem.

– Momenty były, wiem, wiem. Ja w sumie też ją na swój sposób polubiłam. Dawała ci jakąś taką dobrą energię, nie mam pojęcia, jak to określić, mniejsza o to, bo zaczniemy zaraz pisać laudacje! Może szkoda, że nigdy nas nie poznałeś, może by inaczej się to skończyło... przepraszam. No, gdzie ten rachunek?

– Momenty były. Zanim się nie zaplątało, nie stało jakimś udręczeniem i zagmatwaniem.

– No i dobrze, ale teraz koniec cierpień. Jak słowo daję, skosztowałeś, posmakowałeś, podziękuj, że było. Wystarczy. I nie mówię już o tym whiskaczu, którego ci stawiam, znaj mój gest. Och, widzę, że dzisiaj ja muszę być facetem. I tak zbyt długo się w tym babrałeś, po cholerę nadal zaprzątać sobie głowę tą sprawą i tą dziewczyną?

– Tą dziewczyną... Zapalę jeszcze.

i wciąż klik-klak pieprzoną zapalniczką, którą dostałem od niej. paczuszka pachniała Magdą i gazem, niemożliwe połączenie, a jednak, seksowne, klik-klak. powinienem wypierdolić tę zapalniczkę przez okno, najlepiej z dwunastego piętra.

– Albo zeżrą mnie wyrzuty sumienia, albo okażę się skurwysynem i przejdę nad tą sprawą do porządku dziennego.

– Przecież ty jesteś skurwysynem.

55

Dowody rzeczowe. Dowody rzeczowe?

Ale co to za dowody, na co? Stos błyszczących białych kartek, bardzo dobry gatunkowo papier, przyjaciółka musiała, widzę, włożyć sporo wysiłku finansowego w ten kolorowy wydruk. Listy wysłane, listy niewysłane, wiersze, fragmenty pamiętnika, wszystko tu jest, tak? Spuścizna literacka samobójczyni, po co mi pan to pokazuje?

Nie, nie wszystko czytałem. Już widzę, że niektóre z tych rzeczy są dla mnie nowością. Dobrze, oczywiście, że przejrzę. A potem odniosę się do przedstawionych dowodów – jak pan to ładnie określa. Otworzę nawet czerwone wino na to konto, by wczuć się w klimat. A tu nie moglibyśmy czegoś się napić? Byłoby łatwiej, gdybym mógł się napić z panem. Albo bez pana, pan może patrzeć.

Nie, nie pogrywam sobie, ta historia miałaby zapewne szansę popłynąć wreszcie płynnie, płynniej... wcale nie żartuję. A ten wydruk ma pan od przyjaciółki czy ściągnęliście z wirtualnej rzeczywistości? Oczywiście, że postaram się być konkretny, ale chyba to zrozumiałe, że może się nie udać, a najbardziej prawdopodobne, iż nie uda mi się wcale, i proszę nie pytać, czemu tak z góry zakładam.

Wiem, wiem, pan również tak założył, no to świetnie. Ale nie pijemy, tak?

To było pierwsze spotkanie, jak już mówiłem, nic więcej się nie wydarzyło, już to przecież omawialiśmy. Spotkanie miało charakter oficjalny i nie jestem nawet już teraz pewien, czy zamieniliśmy na osobności choć słowo, chyba nie. Później nie mieliśmy żadnego kontaktu. Drugie spotkanie również było oficjalne i również odbyło się u nas. To znaczy u mnie w wydawnictwie.

Tak, flirtowaliśmy podczas tych zebrań. Podczas drugiego bardziej. Ale w końcu flirt to nie zbrodnia, prawda, pan nigdy nie flirtował, nie flirtuje pan? Proszę mi wybaczyć, to nie moja sprawa i nie ja zadaję pytania, nie powinienem być ciekawski, to jednak pan tu jest od tego.

Zważywszy na okoliczności, byłoby lepiej, gdybym prezentował żałobny nastrój, racja, ale w rzeczy samej, proszę powiedzieć, dlaczego? Ja nic nie powinienem.

Próbuję to sobie jakoś wszystko elegancko poukładać i dochodzę do wniosku, że po prostu tak się w moim życiu przytrafiło; znałem młodą kobietę, miałem z nią romans, kobieta się zabiła, koniec opowieści. Podobno co trzydzieści sekund ktoś na świecie odbiera sobie życie. Czy powinienem się obwiniać za jej śmierć? O to w tym wszystkim chodzi?

Ale czy ona w jakikolwiek sposób dała do zrozumienia, że to ja byłem powodem... naprawdę uważacie, że nie miała innych powodów?, jeśli w ogóle miała jakiekolwiek naprawdę poważne, a nie jedynie swoje rozchwianie. Bo mnie się wydaje...

Jeśli w ogóle cokolwiek powinno prowadzić do samobójstwa, to znaczy, proszę mnie nie zrozumieć źle, sam fakt tego samobójstwa wydaje mi się niedorzecznością. Jak można w ogóle wpaść na pomysł, żeby targnąć się na własne życie? Tak, nie mnie to roztrząsać, ale wracając do potencjalnych powodów, ona sama ze sobą nie mogła dojść do porządku, nie umiała się odnaleźć w życiu, była skonfliktowana z ojcem, z przyjaciółkami, nie wiem do końca, nie byłem jej powiernikiem, poza tym alkohol... ona w ogóle popełniała samobójstwo średnio raz w miesiącu... skąd ten pomysł, że ja mógłbym być powodem, zostawiła list pożegnalny, w którym to napisała?

Ona w ogóle taka trochę była, trochę jej nie było. Nie wie pan, o co mi chodzi, może jej przyjaciółka potrafiłaby to lepiej wytłumaczyć. Była według mnie neurotyczką idealną, wpadała ze skrajności w skrajność. Nie dawała sobie rady ze sobą, tak sądzę. Z zewnątrz wydawało się wszystko okay, patrzyło się na nią i wszystko było niby w porządku; zdolna, zabawna, inteligentna, miała poukładane życie, ale wewnątrz... wewnątrz była chyba bardzo odizolowana, osamotniona, zdystansowana.

Było bardzo miło, gdy się spotykaliśmy, najpierw naprawdę, proszę mi wierzyć, było uroczo. A potem nagle ta jej desperacja w każdym liście, i niebywała żałość i smutek, nic, tylko w łeb sobie strzelić. Nie, to nie był alternatywny pomysł, żartuje pan! Przepraszam, nie powinienem tak o zmarłej, ale w końcu po to tu jestem, prawda?

Powinienem czuć się winny?, to by was usatysfakcjonowało, moje poczucie winy? Czy moje przyznanie się.

Byłoby prościej, gdybym się przyznał, prawda? Problem jest tylko taki, że nie mam, proszę pana, do czego.

nie czuję się winny, o co mam się, do kurwy nędzy, obwiniać? przecież to nie moja wina. wina, zawsze jest po stronie wina… jej słowa, dość już. a może jednak się obwiniam.

Nie czuję się winny, bo winny nie jestem. I tej wersji będę się trzymał. W żaden sposób, o ile mi wiadomo, nie przyczyniłem się świadomie do jej śmierci, tak może pan to ładnie zapisać. Owszem, mieliśmy romans, lecz to się chyba nie liczy jako przyczynianie się do samobójczych skoków z okna? A może ona, wie pan, wcale nie chciała się zabić?, była tak teatralna i uwielbiała zwracać na siebie uwagę, być w centrum zainteresowania, może chciała wszystkich jedynie nastraszyć, ale się niefortunnie poślizgnęła? No nie wiem, wypiła tyle, bo myślała, że pijanemu to nic złego się nie stanie, najwyżej trochę się połamie… głupie?

Wszystko przez jej przywiązanie, ono w jakiś sposób ją zrujnowało. Kto tworzy więzy, ten jest zgubiony, ktoś znacznie mądrzejszy już przede mną to powiedział. Mniejsza o to, ona stworzyła więzy, czy też właśnie ich nie stworzyła, lecz za wszelką cenę chciała stworzyć ze mną. Za NAJWYŻSZĄ cenę. Ale czy mogłem to przewidzieć, kiedy z nią flirtowałem?

Jak już mówiłem, miała w sobie to coś, magnetyzm nie do sprecyzowania, którym przyciągała. Po drugim spotkaniu napisała do mnie maila; o, byłem pewien, że napisze! Aby być w stu procentach uczciwy, jedynie po to dałem jej wizytówkę. Nie spodziewałem się, że nastąpi to tak szybko; jeszcze tego samego dnia: *kocham patrzeć, jak patrzysz, czy patrzę*, doskonale pamiętam. Tylko i aż tyle, niewinne niby, no właśnie, mówiłem, taka była Magda, a jednocześnie… kokieteryjnie.

A więc, jak pan widzi, nie ja pierwszy nawiązałem kontakt. Nie zrzucam wszystkiego na nią, być może trochę tak to wygląda, przedstawiam tę sytuację, tak jak to pamiętam, tego przecież oczekujecie. Więc nie ja pierwszy napisałem, nie wiem nawet, czy bym to zrobił. Chyba nie, jestem może zbyt…

Dlatego powtarzam, że to nie była moja inicjatywa.

Co dalej po tym jej mailu?, odpisałem, że to ładny początek, jeśli nie wiersza, to przynajmniej piosenki, tak jakoś.

Flirt mailowy, jakże trywialne, prawda? Wiśniewski ze swoją *Samotnością w sieci* nie opisałby tego lepiej. Ale przyznaję uczciwie, że bardzo mi się to nasze pisanie podobało, bardzo. Chyba nigdy z żadną kobietą nie bawiłem się w takie podchody i może właśnie dlatego, że pierwszy raz miałem okazję w taki sposób… skrzywienie zawodowe może po części? Lubię czytać, a niektóre jej listy były takie pseudoliterackie. Te jej wiersze i listy joyce'owskie, pan zna Joyce'a? Strumienie świadomości… nie czytał pan. Byliśmy nim wspólnie zafascynowani i to jej pisanie momentami go przypominało: bez interpunkcji, ciągami bez przestanku, strumieniami. Podobały mi się te jej strumienie świadomości. Ale to jeszcze nie czyni mnie winnym?

Kocham patrzeć, jak patrzysz, czy patrzę.

Pierwsze spotkanie na gruncie prywatnym? Świetna fraza, grunt prywatny. Dwa czy trzy tygodnie od pierwszego listu, pamiętam, że dość długo pisaliśmy, zanim pojawiła się szansa na randkę; nazywajmy rzeczy po imieniu, randka, nawet w moim wieku można mieć randki… a ile pan ma lat, jeżeli wolno spytać, czterdzieści cztery, jest pan ode mnie o rok młodszy, chadza pan na randki?

Czekałem więc na tę randkę, byłbym hipokrytą, gdybym próbował zaprzeczać. Oczywiście, że czekałem. I byłem coraz bardziej zaintrygowany, zainteresowany. Zauroczony nawet w jakiś sposób, ponieważ to wszystko, co się działo, chociaż nic takiego właściwie się nie działo, właśnie – to najbardziej zdumiewające w całej historii – właściwie nic się nie działo, jedynie ta korespondencja przecież. Ale to wszystko było bardzo przyjemne i ekscytujące, po prostu.

Byłem ciekaw, czy Magda – by się tak wyrazić – na żywo, będzie równie porywająca i interesująca w odbiorze, jak było jej pisanie. Trochę trwała ta nasza wymiana listów, a z listu na list było coraz bardziej namiętnie i śmielej. Z obu stron, przyznaję, ale przecież musicie to doskonale wiedzieć. W tych listach odkrywała się przede mną kobieta inteligentna, oczytana, bardzo poetycka, a mnie, cóż, takie właśnie intrygują... kobiety, z którymi mogę porozmawiać.

56

Aspekt męża? Cóż za fraza, nie wiem, jak to skomentować, jak się do tego odnieść. No mąż był, tak, wiedziałem, ale w jakim kontekście pan pyta, że co on na to? Chyba nie czytała mu naszych listów, to cóż on mógł? Jego jeszcze nie pytaliście? A on w ogóle wie o naszym romansie?

Dowie się, prawda? No nic, może później o tym pomyślę.

Ale nie musi znać mojego nazwiska?

Nie rozmawialiśmy z Magdą o życiu rodzinnym, może odrobinę. Na samym początku w zasadzie dałem jej do zrozumienia, że czuję się odpowiedzialny za swoją rodzinę i nie będę niczego zmieniał. Nie powiem panu dokładnie w jaki sposób. Nie pamiętam. Ale wszystko było w porządku. Prawdę mówiąc, na początku w ogóle nie było sprawy, o czym my mówimy? Nie było tematu, nie było problemu. Nie mogłoby tak zostać?

Nie chciałem niczego zmieniać. Jak już mówiłem, romans jest romansem, a to, że ona… tak, wielokrotnie mówiła, że zostawiłaby całą swoją codzienność, no ale jaki miałem na to wpływ?

W każdym razie początkowo w mailach… wydaje mi się, było jasne, że każde z nas ma rodzinę, nie pamiętam już, w jaki sposób to ustaliliśmy, zabawne, naprawdę nie pamiętam. Napisała kiedyś chyba po prostu o mężu i stąd wiedziałem. A mnie nie trudno przecież znaleźć w Internecie, jeśli się chce; poczciwy wujek Google jest niezastąpiony w tych sprawach. Ulżyło mi nawet, muszę powiedzieć, że ma męża. Pomyślałem, że nie będzie kłopotów. Wie pan, co mam na myśli. Nie wie pan. To czyni sprawy o wiele prostszymi, jeśli… chodziło mi o to, że jest w poważnym stałym związku i nie będzie chciała… rzeczywistość pokazała, że jednak chciała, no tak. Wtedy miałem jeszcze nadzieję, że jej małżeństwo wiele rzeczy ułatwi. Dodatkowo żadne przedstawienia ze zdejmowaniem obrączki i chowaniem gdzie bądź, chociaż tak, rzeczywiście, teraz nie mam, zazwyczaj nie noszę, może znów powinienem. Wprawdzie…

No ale rodzinność, jak mówiłem – to nie było problemem, raczej – można by rzec – podkręcało sytuację. Pamiętam nawet tę jej fraszkę. Wtedy jeszcze wszystko było radosne, fraszkowe, fraszkowate, fraszkoidalne…

Pan ma żonę, ja mam męża,
sytuacja się napręża.
Linka pęknie, smycz się zerwie?
Życie gra nam wciąż na nerwie.

Ja mam męża, pan ma żonę.
Życie jest popierdolone.
Na ten romans nie ma zgody.
Albo będą dwa rozwody!

Muszę przyznać, że gdy patrzę na to z perspektywy czasu, Magda naturalnie okazała się świetną kobietą w rzeczywistości, jednak najbardziej intrygujący był ten czas oczekiwania na pierwsze spotkanie. Zapędzaliśmy się coraz dalej i śmielej w tym naszym pisaniu. Jeszcze było nic, nigdzie, nijak, a jednak coś, a jednak chemia, niebywałe, chemia poprzez pisanie, przydarzyło mi się tak pierwszy raz w życiu i byłem prawdziwie zaskoczony.

Rzeczywiście na początku ustaliliśmy, że będziemy pisać do siebie jedynie listy.

ON: tak, piszmy maile.
esemesy są dla plebsu,
więc tylko gdy będzie sytuacja awaryjna
i niecierpiąca zwłoki.
nie, źle. cały czas jest awaryjna.
gorączka, niezdrowe podniecenie, rozkojarzenie,
ciekawość, chęć i chuć.

Trzeba było na tym poprzestać, lecz mądry jestem po fakcie. Trzeba było na tym skończyć, tym bardziej że to pisanie sprawiało mi niekłamaną przyjemność. Niczym szklaneczka dobrej whiskey.

Kocham patrzeć, jak patrzysz, czy patrzę.

To była przyjemność umysłowa, fizyczna... ale proszę nie kazać tłumaczyć. I tak rozmawiamy o rzeczach wystarczająco osobistych. Wiem doskonale, że w tym celu tutaj... zdaję sobie sprawę z powagi sytuacji. I nie irytuję się, dziwi mnie tylko, jaki to wszystko ma związek ze sprawą. Wiem, wiem, nie ja o tym decyduję.

Dobrze, wróćmy do randki, skoro to takie interesujące. Ilu takich opowieści musi pan wysłuchać tygodniowo?

Jestem tylko facetem, to oczywiste, chciałem ją przelecieć, nie, złe słowo, wróć. Nie znajduję jednakowoż odpowiedniego, aby to określić. Jak by pan to powiedział? Czy pan napisał – przelecieć, czy napisał pan, że czekałem, aby odbyć z nią stosunek seksualny...

Po tych wszystkich mailach wydawało się to oczywiste i proste do wprowadzenia w życie. Plan miałem taki, że wchodzę do hotelu, w którym się umówiliśmy, i już z niego nie wychodzę. Myśli pan, że dlaczego zaproponowałem spotkanie w hotelu, w którym się zatrzymała, a nie w jakiejś restauracji? Ale ona też sama dała mi do zrozumienia, bo napisała do mnie wcześniej z pytaniem, który hotel polecam. Przecież nie jestem idiotą, dlaczego dziewczyna mnie pyta, który hotel jej polecam w swoim, kurwa mać, mieście! No przecież to chyba jasne dlaczego! Wcale nie miałem ochoty iść do żadnej restauracji, po co czas tracić.

A jednak straciliśmy.

Zeszła wtedy do mnie do lobby tego hotelu, który oczywiście poleciłem, w płaszczu, czapkę chyba nawet miała, nieistotne, przyszła ubrana do wyjścia i uścisnęła mi dłoń na powitanie.

– To gdzie mnie pan zabiera na drinka?

Potem odgrywaliśmy sceny niczym z *Casablanki,* długo to trwało, siedzieliśmy w jakimś lokalu z mętnym światłem, rozbierałem ją wzrokiem i prowadziłem najbardziej elokwentną konwersację, na jaką pozwalało mi bezustanne myślenie o seksie. *Aresztujcie podejrzanych. Tych co zawsze.*

dotknij mnie. łagodne oczy. łagodna, łagodna, łagodna dłoń. samotny tu jestem. o. dotknij mnie zaraz, teraz. jakie jest to słowo znane wszystkim ludziom? jestem cichy i samotny tu. i smutny. dotknij mnie, dotknij…[19] *pamiętasz, jak szeptałem to wówczas, Magdo? oboje byliśmy zafascynowani Joyce'em, pamiętasz?*

Iskrzyło. Iskrzyło od samego początku. Te wszystkie przypadkowe dotknięcia, niby stolik nas dzieli, niby daleko, ale kolano w kolano i ręce niby zbiegiem okoliczności… jej przygryzanie warg, zabawa łańcuszkiem. Użyła wszystkich kobiecych sztuczek. Faceci tacy jak ja… znam te sztuczki bardzo dobrze, no a jednak działają.

Trzeba przyznać, że Magda rzeczywiście była w tym niezła. Usta, dłonie, kolano, odsłonięte ramię, prześwitujący sweterek i proszę sobie do tego wyobrazić, że nie miała biustonosza. To mnie absolutnie wytrąciło z równowagi, pana by nie wytrąciło?, każdego by wytrąciło. Z kim to skonsultowała?; „Kochana, na wszelki wypadek nie gol nóg, żeby cię nie poniosło, ale nie zakładaj stanika i pokaż mu, że go nie masz" – myśli pan, że nie znam tego? Znam to doskonale. Urok posiadania przyjaciółki! Jestem wybornie pod tym względem wyedukowany. Czasami, widzi pan, przyjaźń z kobietą ma oprócz naprawdę dobrych stron, fantastyczne strony. Może kiedyś panu o tym opowiem. Nie, proszę nie patrzeć na mnie tak dziwnie, nie pieprzę mojej przyjaciółki, to nie ten rodzaj relacji. To naprawdę jest przyjaźń i trwa już, niech pomyślę, z siedemnaście lat?

Ale przecież nie o mnie i moich przyjaźniach mamy rozmawiać. Próbuję tylko powiedzieć, że doskonale znam te kobiece uwodzicielskie sztuczki. Magda zresztą wydawała mi się kobietą, która gdyby chciała, potrafiłaby uwieść każdego. Ona jakoś tak, wie pan, uwodziła zupełnie mimochodem. Ten jej uroczy uśmiech i spuszczanie wzroku, pisała kiedyś, że niezła jest w tym, i muszę przyznać... tak więc odegrała przede mną ten swój teatrzyk po raz drugi, tyle że tym razem zupełnie prywatnie i na wyłączność.

W kolejnym barze, do którego poszliśmy, chociaż gdy wychodziliśmy z pierwszego, naprawdę miałem nadzieję, że jednak pójdziemy do hotelu... notabene przechodziłem tamtędy kilka dni temu i otworzyli w tym miejscu bar z szampanem, co za ironia. Więc siedzieliśmy na kanapie obok siebie, a ona ocierała się o mnie tym swoim wyraźnym i wyrazistym brakiem biustonosza. Trochę mnie to rozpraszało, delikatnie mówiąc. Chciałem być porządny, nie chciałem być porządny. Grałem porządnego. Prowadziłem niemalże naukową dysputę. Nie chciałem wyjść na faceta, który myśli tylko o jednym. De facto byłem facetem, który myślał tylko o jednym. Ciekawe, o czym ona myślała, jakoś nigdy nie wracaliśmy do tego, chociaż przyznałem kiedyś w żartach, że totalnie zmarnowaliśmy ten wieczór.

Że szampan był za ciepły i za słodki, tak później napisała? Oczywiste, że był za ciepły i za słodki, i to w ogóle nie był szampan, tylko wino musujące. Naprawdę podłe. W drugim barze już nawet musującego nie było, tylko białe i to bez przesady mogę powiedzieć – okropne. Nie, nie piłem. Musiałem wracać samochodem do domu, w dodatku na kolację z żoną i przyjaciółmi. Ale Magda piła, więc

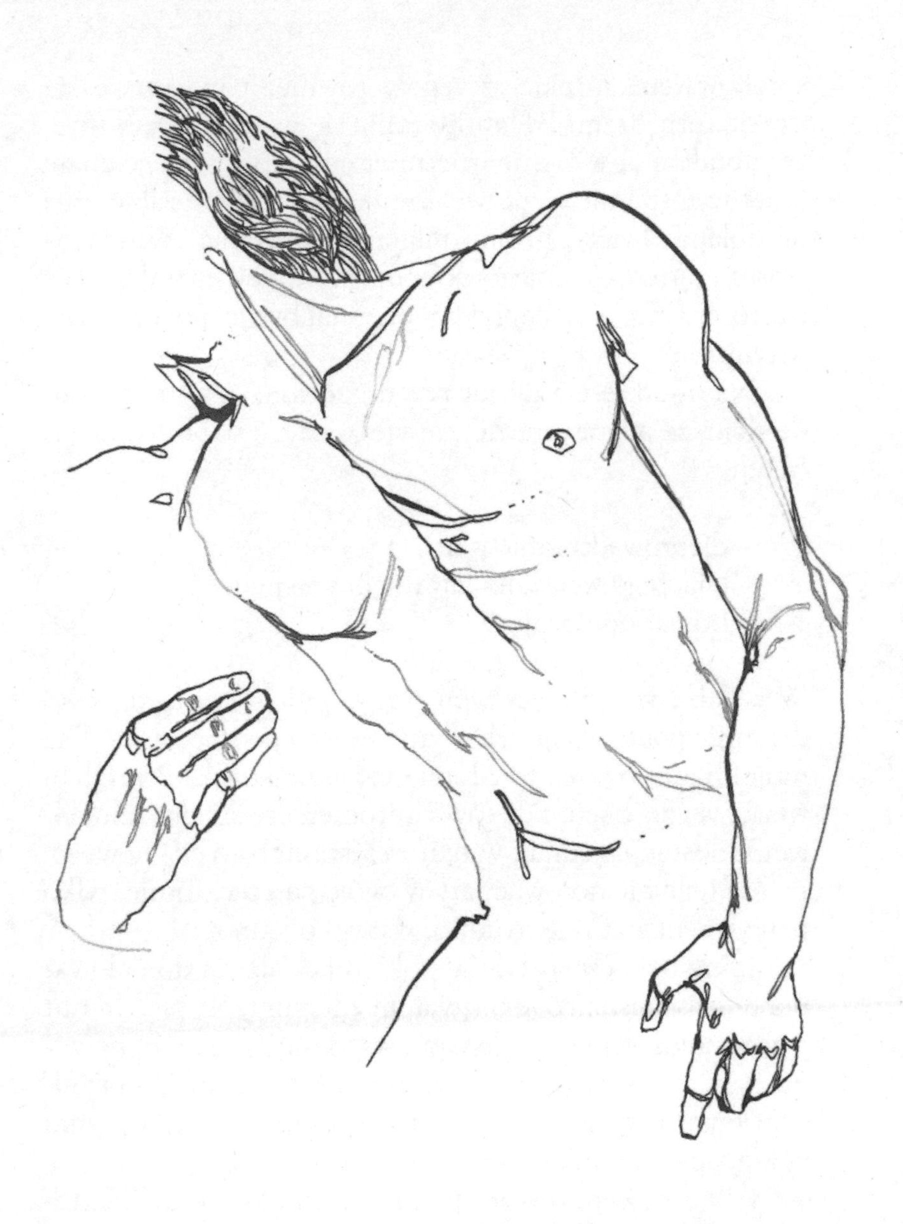

spróbowałem, a takie szczegóły również pana interesują czy się rozpędzam? Być może żaliła się potem rzeczywiście, że zabrałem ją w koszmarne miejsca, oczywiście, że znam świetne restauracje, ale wcale nie planowałem zabierania jej dokądkolwiek. To ona miała mnie zabrać. Windą na szóste piętro do swojego pokoju. W końcu zabrała, i cóż z tego. Szampan za ciepły! Ciepły miał być jej pokój i łóżko w tymże.

Na dwadzieścia minut przed godziną, o której powiedziałem, że muszę wracać, zapytała, czy ją odprowadzę do hotelu.

– Odprowadzi mnie pan?
– Dlaczego wciąż mówimy sobie na pan?
– Bo to podniecające.

W zasadzie wszystko, co wówczas wiązało się z Magdą, było dla mnie podniecające. Dziwnie nowe i podniecające. Dla mnie! Samego mnie to zdumiewa, jednakowoż. Przeżyłem właściwie dość sporo flirtów, zauroczeń czy jakichś tam nawet miłostek, a jednak w tym wszystkim było coś nowego. Proszę tego nie notować, czy w ogóle pan nie notuje, tylko nagrywa, nagrało się, trudno, wszystko jedno.

Jakże ochoczo wtedy w pokoju podała mi do całowania te swoje usta, co je nazwałem epickimi. Na pięć minut przed moim wyjściem. Te usta, wspominam o nich, bo widzi pan… w każdym razie, to również należało do przedstawienia, tak myślę – rozpalić do czerwoności, a potem poklepać po ramieniu, no to dobranoc.

Czy do czegoś doszło; piękne sformułowanie. Nie doszło, jak mogło dojść, skoro musiałem jechać? Dała sobie co prawda zdjąć tę bluzeczkę prześwitującą…

Ale jakiż to wszystko może mieć wpływ na jej wyskok, przepraszam, to niezbyt fortunne słowo. Żaden, to znaczy dla mnie żaden. Naturalnie, być może dla pana ma to związek, proszę mi tylko kiedyś powiedzieć dla ciekawości, jaki.

Tak, jedynie się całowaliśmy, w zasadzie kuriozalna sytuacja: ja rozpalony, Magda częściowo rozebrana i namiętna, w domu wściekła żona, no koszmar. Wyszedłem. Wybiegłem. Wypadłem. Spadłem. Upadłem.

W samochodzie, spóźniony już okrutnie, dostałem od Magdy esemesa: *wróć tu i zerżnij mnie*.

W ten właśnie sposób przeszliśmy na ty.

57

Nie, Magda nie była moją pierwszą kochanką, przyznaję, ale czy moje życie seksualne tudzież intymne naprawdę ma związek z tą sprawą i powinno być przedmiotem naszych rozmów? Chyba jednak nie. Cóż to pozwoli panu ocenić: czy mam parszywy charakter, czy jestem Don Juanem, Casanovą czy też świnią?

Być może tak właśnie jest, że jestem wszystkim. I naprawdę lubię kobiety. Jak mówi moja bardzo młoda, acz mądra córka, po kim ma tę mądrość, doprawdy nie wiem – taki mój charakter, że muszę… pomimo że, pomimo iż.

Pomimo posiadania szczęśliwej rodziny w postaci mądrej córki i wspaniałej żony. Naprawdę mam świetną żonę, przecież pan wierzy, prawda? Odnoszę zresztą wrażenie, że pan mi generalnie wierzy i jest po mojej stronie. A tak naprawdę, czy w tej sprawie są strony?

Nie mam powodu kłamać. To znaczy mam setki powodów, ale wydaje mi się, że pan mimo wszystko wie, że mówię prawdę. Jesteśmy chyba do siebie trochę podobni, prawda? Pan ma żonę?

Córka powiedziała mi kiedyś, że jestem co prawda skurwielem, ale mnie kocha.

– Jesteś co prawda skurwielem, tato, ale jesteś jedynym ojcem, jakiego mam, i nie będę mieć innego. I kocham cię. Rozumiem, że musisz mieć te swoje Galatee, tylko się nie zakochaj! I nie skrzywdź mamy, bo wtedy cię zabiję.

A wie pan, że Galatee były dwie? Jedna ta od Pigmaliona, a druga, co zakochała się w śmiertelniku, którego zabił zazdrosny mąż. Niejaki Polifem... nieważne... mąż Magdy wszakże nie był zazdrosny. Tak, to znaczy, oczywiście, nie wiem tego.

Co do mojej córki, zgadzam się z panem, to niewyobrażalne. Jakim cudem pozwalam dziewiętnastolatce zwracać się w ten sposób do ojca. W końcu jestem jej ojcem. Nie potrafię odpowiedzieć na to pytanie. „Jesteś skurwielem", tak mówi do mnie w każdym razie własne dziecko, dziecko swojej matki, moje dziecko, a ja nie dość, że na to pozwalam, to z pokorą przyjmuję, bo jak mógłbym w takiej sytuacji nie przyjąć? Ta rozmowa wydarzyła się parę miesięcy przed Magdą, przy okazji jakiejś zupełnie nieistotnej sprawy... przed Magdą, jak to dziwnie brzmi.

Tak się tutaj przed panem spowiadam i otwieram, może w paradoksalny sposób będzie to miało jednak na mnie terapeutyczny wpływ. Jeszcze z tego wszystkiego się nawrócę i stanę się wierny. Proszę wybaczyć, być może zachowuję się zbyt swobodnie, nie mam doświadczenia, może powinienem być bardziej powściągliwy, przepraszam. Ale do winy się nie przyznam.

Nie ma żadnej winy.

Gdyby jeszcze żona się tak nie denerwowała i nie musiałbym kłamać... Teraz i wówczas, czy to się kiedyś skończy, oszaleć można. A gdyby jeszcze wstawił pan tu naprawdę wygodną kanapę i Jamesona przyniósł...

Nie, nie powiedziałem córce o Magdzie, proszę nie mieć mnie aż za takiego idiotę, bez przesady, w końcu to moja jednak córka. Oszukiwałem ją tak samo, jak oszukiwałem jej matkę. I jak siebie oszukiwałem, że wcale nie zakochałem się w tej dziewczynie. Moje życie zbudowane na kłamstwie. Taka może z tego wyniknąć konkluzja, prawda? No nie wiem, nie wiem. Nie wiem, czy sam chcę to oceniać, ale na pewno nie kłamię w strategicznych i ważnych sprawach. Zdarza mi się w błahych. Czy Magda była błahą sprawą?

A czy muszę odpowiadać?

Nie planowałem nigdy żadnych romansów. Ale takich rzeczy przecież się nie planuje, takie rzeczy dzieją się same, spotyka się kobietę, pojawia się ta chemia, coś iskrzy, jeden uśmiech czasem... pan nie wie, no tak, pan nie może tego wiedzieć, naturalnie... Przed tym romansem miałem jakieś przelotne flirty, ale raczej bezchemiczne to było i długi czas byłem naprawdę przykładnym mężem swojej żony, skupionym na pracy i rodzinie. Ale cóż ja mówię – zawsze byłem na tym skupiony.

Poznaliśmy się z żoną na uczelni, ona zaczynała, gdy ja kończyłem. Już po trzech miesiącach wzięliśmy ślub, potem pojawiła się córka, właściwie nie wyobrażaliśmy sobie wtedy życia bez siebie. Teraz też nie wyobrażam sobie życia bez niej.

A dlaczego zachowuję się tak, jak się zachowuję... to jedno z trudniejszych pytań, ma pan rację. Rachunek sumienia można zrobić niby w każdym wieku i w każdym czasie. Cóż, seks to dla mnie nie zdrada, gdy w zamiarze jest jedynie seks, a nie nowy partner. Ciało grzeszy i na tym dla mnie grzech się kończy, chyba nie będziemy mnie tu z tego rozliczać?

Dlatego broniłem się przed więzami, które chciała tworzyć Magda, bo to zabija każdy tego typu związek.

Może flirciarz jestem, cóż zrobić, i trochę uwodziciel. Nie wiem, czy z kimkolwiek rozmawiałem o tych sprawach, z przyjaciółką czasem, ale to nie są rzeczy do przegadywania z kobietami. Po cholerę teraz w ogóle z panem o tym rozmawiam! Proszę mnie nie ciągnąć za język i nie wykorzystywać mojego nastroju, ależ pan sprytny.

Z żoną... z żoną to mamy dorosłe już dziecko, a ja jestem mężem i ojcem. Prowadzę naprawdę dobre i poprawne życie, jestem w tym niezły. Ale to nie taka miłość, że aż boli. Nie wiem, czy taka miłość jest w ogóle możliwa. Może dla Magdy rzeczywiście była, nie wiem, nie siedziałem w jej głowie, chociaż pieprzyłem jej mózg podobno, bardzo to piękna fraza, zapamiętam ją do końca życia, niezależnie od wszystkiego.

Czym zresztą jest miłość... ale przecież nie w celach pogawędek filozoficznych tu przychodzę. Może nawet chciałbym tak się zakochać... do bólu, do spazmów. Ale życie jest życiem...

Poza wszystkim, bardziej się chyba już teraz z żoną przyjaźnimy, jakkolwiek to brzmi w tej sytuacji. Ale owszem. Przyzwyczajenie też robi swoje, pan jest jak długo ze swoją żoną?

Niepotrzebnie się usprawiedliwiam. A to, że czasem ja... usłyszałem ostatnio, że jeśli ma się męża, który jest wierny, to znaczy, że ma problemy z prostatą. Bardzo mnie to rozbawiło.

dlaczego w ogóle tłumaczę się przed tym facetem, co się dzieje. te jego podchwytliwe pytania, których właściwie wcale nie zadaje. faza zeznań spontanicznych... pięknym jestem, kurwa, przykładem! a on sprytnie obserwuje i słucha, dobrze słucha, świetny w tym jest. daję się zapędzić w kozi róg. jest bardzo dobry. za chwilę wyciągnie ode mnie przyznanie się do winy. gra ze mną w jakąś ciuciubabkę, a przecież też jestem sprytny. co on mi tu o żądzach, co on może wiedzieć o żądzach, rozciapciały taki w okularkach; on i żądze. gdy w grę wchodzą żądze, odpowiada się wyłącznie przed sobą i nie ma to nic wspólnego z odpowiedzialnością za drugiego człowieka, mam mu to tłumaczyć? ciapuś, co on może wiedzieć...

Chciałem brać, to brałem. Nikomu nic do tego.

A co do Magdy... gdy w grę wchodzą żądze... rzeczywiście pojawiło się też uczucie. Powinienem dodać „niestety". Ale nie miałem wpływu na to, co poczułem. Nie jestem wyrachowany. Czy mężczyźni powinni mieć wpływ na swoje uczucia? Pewnie powinni, no widzi pan, moja kobieca strona wzięła najpewniej górę. Uczucie pojawiło się później, chociaż „później" źle brzmi w całej tej historii, prawda? Nie ma w niej za bardzo czasu na później. To wszystko krótko trwało. Jak długo, to już pan pewnie wie lepiej ode mnie. Cholera, owszem, zakochałem się. Tak.

Ale z żoną przecież jestem i byłem. I jestem szczęśliwy. Wówczas też byłem. Że co, że nie da się tak? Absurd. Oczywiście, że się DA, i nie ja jeden jestem tego przykładem.

Że nie można kochać dwóch osób jednocześnie? Bzdura. Pan wie, że bzdura, i ja wiem, i wszyscy wiedzą. Jezus też kocha nas wszystkich, i jak nie można, skoro można? Żartuję, naturalnie, przepraszam, to niestosowne. Ale ja mogę. Magda mogła. Przecież miotała się i była rozdarta, bo kochała męża i mnie. Na dodatek, tak. Co prawda nie wiem, kto tu był dodatkiem... Tak więc odmieniany przez wszystkie osoby czasownik „móc" świadczy o tym, iż zdecydowanie można.

Wracając do mojej żony. Moja żona ma czterdzieści lat, widział pan zdjęcia, jest naprawdę ładna, ma świetną figurę. To zupełnie nie o to chodzi, naturalnie, chcę tylko podkreślić, że nie mam powodów, aby od niej uciekać. Nie, no oczywiście, wygląd nie jest kluczową sprawą, nie idźmy w tym kierunku, ale jednak. Jest wspaniałą kobietą, rozumiemy się, dotarliśmy się przez te lata, jest naprawdę dobrze. Moja żona to cudowna istota. Reasumując, było dobrze i nie chciałem tego niszczyć. Nie chcę tego niszczyć tym bardziej teraz, pan rozumie. Żona jest wyrozumiała, ale wszystko ma swoje granice, jak mawiała Nałkowska. Ale nie myśli pan chyba, że pozbyłem się Magdy, aby nie psuć sobie relacji małżeńskich.

58

– Słuchaj, to może ty się powinieneś po prostu rozwieść, skoro zacząłeś się tak miotać w tym wszystkim.

Przyjaciółka kolejny raz próbuje ratować moje zdrowie psychiczne.

– Tak, ona by tego pewnie oczekiwała.

– Która „ona"?

– Magda.

– No wiesz, skoro już tak daleko to zaszło…

– Nigdy się nie rozwiodę, już kiedyś o tym rozmawialiśmy. Jestem odpowiedzialny za żonę, za rodzinę. A poza tym po co zmieniać coś, co jest dobre. Mówiliśmy o tym setki razy, analizując moje różne tam takie…

– Setki razy…

– Przed tobą mam się tłumaczyć? Czy ja kogoś krzywdzę? Magda też kocha tego swojego, przynajmniej tak mi się wydaje. Tak tylko mówi, ale mam wrażenie, że gdyby przyszło co do czego i do jakichś poważnych decyzji, to pomimo tego swojego słodziutkiego pieprzenia nie wzięłaby rozwodu. Jestem w zasadzie pewien, że nie wzięłaby i nie zostawiłaby wszystkiego, co z nim ma. To absurd. A zresztą, to nie ma nic do rzeczy, nie zostawię rodziny i koniec dyskusji, nie ma dyskusji.

– Taaak, oboje doskonale wiemy, że dobrze ci. Jak pączuś w maśle, co? Jesteś po prostu wygodnickim uwodzicielskim skurwielem. A na punkcie Magdy to, moim zdaniem, pierdolca dostałeś.

może jest w tym jakaś prawda, skoro wszyscy zaczynają nazywać mnie skurwielem; począwszy od mojej córki, skończywszy na przyjaciółce. brakuje, żeby nazwała mnie tak żona. albo Magda.

Magda nie nazywała mnie ani wygodnickim, ani skurwielem. Właściwie nazywała mnie nijak. Nie pamiętam, abyśmy mówili do siebie po imieniu. Kiedykolwiek. A *wiesz, że ani razu nie powiedziałeś do mnie po imieniu; to pewnie wyższy stopień wtajemniczenia* – czytał pan. Czytał pan? Naturalnie, że pan czytał, to też mnie wkurwia. Słowa, które kiedyś były tylko do jednej osoby, a teraz są do wszystkich. Nienawidzę takiego upubliczniania korespondencji. Słowa, które czytałem tylko ja, teraz czytają wszyscy. No dobrze, nie wszyscy, mam nadzieję, że nie, ale...

ten list o niemówieniu po imieniu... trzeba było zostać nie po imieniu i może byłoby prościej. ale co prościej, co by to, do cholery, zmieniło? nic. zmieniłoby jedynie, gdybym w ogóle się w to wszystko nie pakował. zupełnie jak gdyby to niemówienie po imieniu pomagało się nie zaangażować. nieskutecznie jednakowoż...

ON: całuję cię. bez słów. bardzo mocno. magdo. magdomagdomagdo.

I to był jeden jedyny raz, kiedy powiedziałem do niej po imieniu, czy raczej napisałem, bo rzeczywiście zwracałem się do niej bezosobowo przez cały czas trwania naszej znajomości. Zupełnie bezosobowo. I w listach, i bezpośrednio, osiem miesięcy!, to też sztuka, prawda?!

Być może rzeczywiście to niemówienie po imieniu pomagało się nie zaangażować, chociaż wydaje się to teraz niebywale naiwne. Nie wiem, po co to było, chciałem stworzyć jakieś pozory, że nie za blisko, nie wiem. Istotnie, nigdy nie nazywałem Magdy w ogóle w żaden sposób. To zabawne, bo nie jestem już nawet do końca pewien, czy ona była tak naprawdę Magda czy Magdalena. Nie, ale Magda, prawda? Oficjalnie była Magdą. Krótko. Dwusylabowo. Tak, na pewno. W innym wypadku napisałbym wówczas Magdaleno, nie przepadam za zdrobnieniami.

I tak aż do tego pierwszego fatalnego „kochanie". Rzeczywiście, cała afera się z tym „kochanie" zrobiła. Chociaż to tak rzuciłem z rozpędu, cóż złego w powiedzeniu „kochanie"? Do sekretarki czasami tak mówię, do przyjaciółki mówię i ona od siedemnastu czy osiemnastu lat nie widzi w tym niczego złego. Ale nie będę się usprawiedliwiał. Magda natomiast od razu zrobiła z tego wielkie wydarzenie. Jak to Magda, teatralna. Nigdy więcej tak do niej nie powiedziałem, przestraszyłem się chyba.

ONA: Powiedziałeś do mnie *kochanie* wczoraj przez telefon, powiedziałeś, prawda?

ON: tak, powiedziałem
i niech już się skończy ten weekend
bo nie ma jak dzwonić
a nie mogę pisać
nie umiem
całuję cię
bezgłośnie
i językiem w tobie
bezsłownie
chcę
być

bezsłownie. po co słowa? za dużo słów, wszystkie chcecie tych słów, słowa, słowa, słowa. kochanie też na wyrost, a może nie, powiedziałem, pomyślałem, poczułem, wymknęło się. stos błyszczących białych kartek, bardzo dobry gatunkowo papier, przyjaciółka swojej zmarłej przyjaciółki musiała włożyć sporo wysiłku finansowego w ten bardzo dobry gatunkowo kolorowy wydruk... listy wysłane, listy niewysłane, wiersze, fragmenty pamiętnika. wszystko. spuścizna literacka samobójczyni. otwieram czerwone wino, by wczuć się w klimat. strona po stronie. linijka po linijce. łyk pierwszy, łyk drugi. miałem kochankę w Warszawie. nie miałem tylko farmy w Afryce...

Mniej więcej w tym czasie dotarło do mnie, że – by tak to określić – wpadłem. Zaangażowałem się. Facet w zasadzie szczęśliwy w małżeństwie. Jakie „w zasadzie"?, szczęśliwy i kropka. Z jednej strony brnąłem w tę znajomość, a z drugiej uciekałem. Niekonsekwencja zupełnie nie w moim stylu i taka niemęska, prawda? Dość pokręcona sytuacja. A ona dodatkowo samoukrzyżowała się przede mną. I zaczęła to swoje niespieszne umieranie. Ja, jakby dla kontrastu, wrzuciłem bieg wsteczny. Powinienem na dobrą sprawę turbowsteczny z podtlenkiem azotu.

lot z dwunastego piętra to najbardziej logiczne zakończenie całej tej historii, Magdo. Magdomagdomagdo. ale przecież nie możesz rozpieprzyć mi moich spraw! teraz. właśnie teraz?! tym bardziej że cię już nie ma. mam przyjaciółkę przekupić? ale żeby co, żeby laptopa oddała? spaliła go, utopiła, przecież to nic nie zmieni i tak wszystko mają, wszystko wisi na serwerach, fruwa w przestrzeni wirtualnej, ile rzeczy łączy mnie z tobą, z osobą SAMOBÓJCZYNI. *moja zapalniczka, którą kupiłaś, czy są na niej jeszcze twoje odciski palców? no i co z tego, zaczynam pieprzyć od rzeczy.*

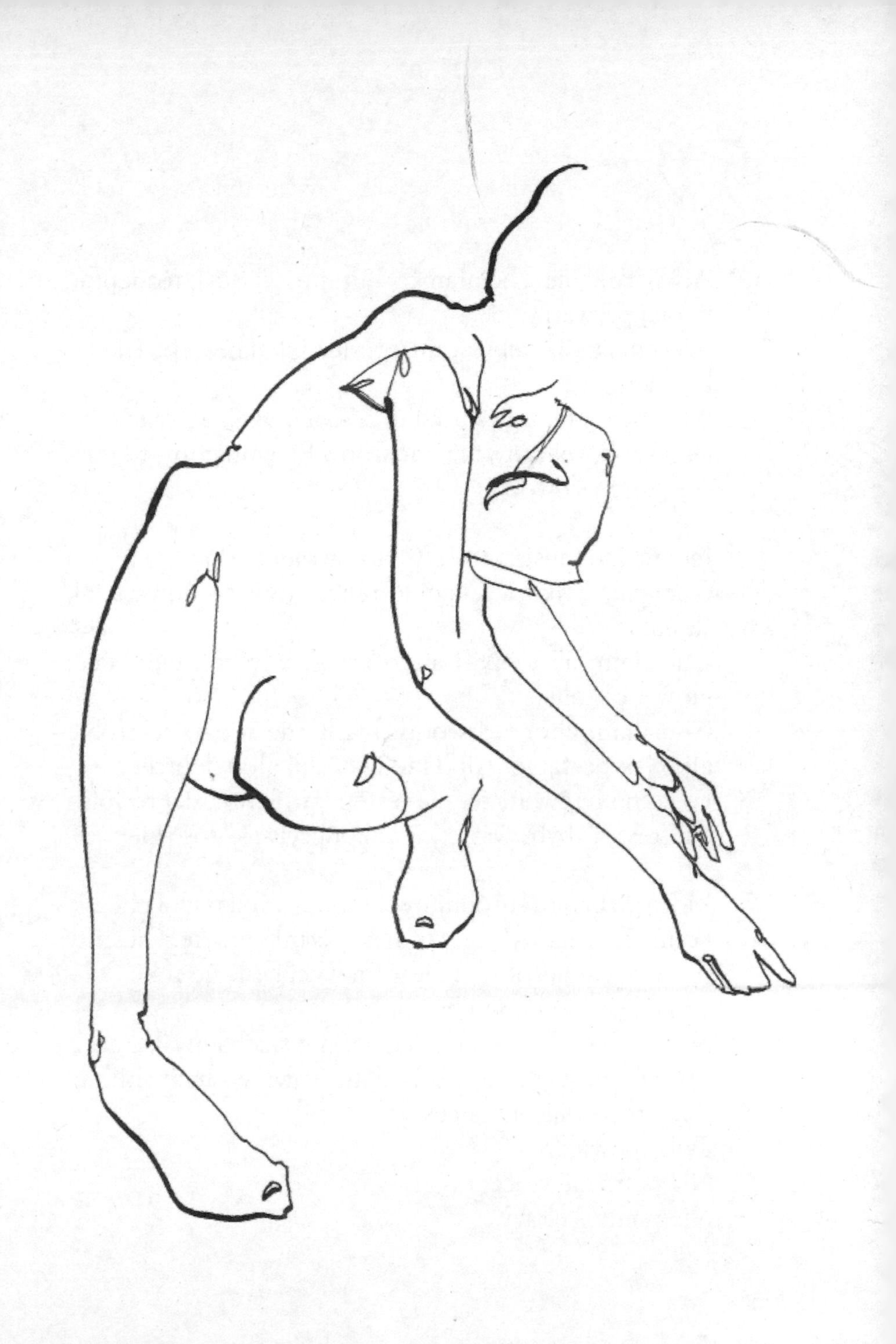

59

ONA: Wcale nie chciałam z butami wejść i rozdeptać twojej prywatności.
Nie chciałam, żebyś czuł presję. Jakąkolwiek. Kiedykolwiek.
Nie chciałam, żebyś myślał, że cokolwiek MUSISZ, że jesteś zobowiązany, przymuszony. Przymuszony, to jeszcze gorsze słowo.

Jedyne, co musisz, to BYĆ dla swojej córki.
Chciałam tylko wyciągnąć rękę, gdy się chowasz jak ślimak.
Chciałam, abyś oparł się o mnie, gdy boli cię palec, głowa, cokolwiek.
Chciałam, abyś zadzwonił, kiedy nie wiesz, co zrobić albo jak postąpić. Albo kiedy ci źle, albo dobrze.
Po co nam rewolucje, nie jestem zwolenniczką rewolucji, zresztą chyba wszystkie zakończyły się dość kiepsko.

Może po prostu spróbujmy się znać, jeżeli nadal chcesz.
Pomilczmy na wybrany temat, pośmiejmy się. Cieszmy się tym, co nas otacza i jest na wyciągnięcie ręki.
Tylko bądź. A co ma być dalej?
Nie trzeba zakładać, co będzie, nie trzeba myśleć co.
Bo tak jak nagle się pojawiłam, równie nagle zniknę, jeżeli tego właśnie chcesz.
Tylko powiedz.
Nie patrz mi w oczy.
Nie podnoś głowy.

Nie musisz.
Po prostu powiedz.
Ale nie ignoruj mnie.

A jeżeli chcesz zobaczyć kawałek mojego świata, wejdź.
Drzwi będą stale otwarte.
I jeśli tylko znajdziesz czas i ochotę, napisz, zadzwoń, znajdziemy uroczą ławeczkę z widokiem, w tym czy w innym mieście. We środę czy jakikolwiek inny dzień.

Proszę zobaczyć, nie chciała wejść z butami w moje życie. Wówczas nie weszła. Wówczas. A teraz nie wchodzi, tylko szturmem się wpierdala! Przepraszam.

Ale przecież trudno byłoby mi przyczynić się do lotów z dwunastego piętra, będąc oddalonym o trzysta kilometrów.

60

To wszystko wydaje się rzeczywiście dość skomplikowane, ma pan rację, byłem wtedy w stolicy, faktycznie, właśnie wtedy. Przecież pan już to wie, ja też to wiem.

Byłem, ale czy to znaczy, że wypychałem w tym czasie kochanki z okien? Byłe kochanki, dodajmy, BYŁE kochanki. Przecież nie miałem powodu, pan doskonale wie, że nie miałem. Magda mnie nigdy nie szantażowała, wiadomo, wiecie to, jakiż mogłem mieć powód, bądźmy wszyscy rozsądni. Życie to nie amerykański film!

Nie wiem, dlaczego nie powiedziałem o tym od razu, dni mi się popieprzyły, coś rzeczywiście musiało mi się pomieszać, nie zanotowałem w głowie, że to wtedy właśnie, ja wiem, że idiotycznie i naiwnie to brzmi, zdaję sobie sprawę z absurdalności tej sytuacji. Nie skojarzyłem dat, pan od razu wszystkie daty kojarzy?, coś się dzieje i natychmiast pan kojarzy, że to się stało dokładnie wtedy, gdy wydarzyło się jakieś inne coś? No nie powiedziałem, ale nie dlatego, że chciałem zataić, umknęło mi to, w tym całym zdenerwowaniu, w tym całym teraz kombinowaniu, przepraszam, co mam jeszcze powiedzieć, przecież to się wyjaśni, prawda, ale nie piszmy scenariusza kolejnego *Fatalnego zauroczenia*! Magda przecież nie była dla mnie żadnym zagrożeniem.

Wtedy…

strzeżcie się westchnienia zranionego serca. powiew z serc uciskanych może zmienić bieg świata…[20] *kto to powiedział? Magdo, zraniłem twoje serce, a ty teraz chcesz zmienić bieg mojego świata? nie możesz mi rozpierdolić małżeństwa, nie zrobiłaś tego za życia, nie możesz tego zrobić pośmiertnie, to jakiś absurd, takie rzeczy się nie dzieją.*

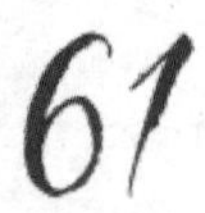

– Jezu, naprawdę byłeś tego dnia w Warszawie, kiedy ona…

– Byłem. Noż kurwa, byłem.

– I dowiedzieli się.

– Dowiedzieli. Oczywiście, że się dowiedzieli, jak mogli SIĘ NIE DOWIEDZIEĆ, tu nie ma nic do ukrycia, byłem i koniec. Nie chciałem tego ukrywać, nie miałem zamiaru...

– Przecież wiedziałeś, że po samobójstwie będzie śledztwo! To procedura, zawsze tak jest! Co ci przyszło do głowy, żeby zataić przyjazd, zidiociałeś zupełnie, mózg ci przeżarło?

– Nie wiem. Nic mi nie przyszło. Nie skojarzyłem dat. Nie ukrywałem tego... musisz mi uwierzyć...

– Jak nie skojarzyłeś dat?! Wiesz, że nie przeklinam, no ale kurwa mać! Poza tym ze mnie nie musisz robić idiotki.

– Nie pomagasz tym sarkazmem, naprawdę nie pomagasz. No nie powiedziałem, kurwa, nie wiem, bo się przestraszyłem głupio na samym początku, że to skieruje na mnie jakieś podejrzenia... bo się zdenerwowałem. A potem już samo jakoś poszło i w to brnąłem, jak idiota, wiem, że jak idiota.

– Przecież teraz cię zamkną.

62

Bardzo chaotyczna ta moja opowieść, wiem, przepraszam, skaczemy z tematu na temat, to znaczy ja skaczę. To przez fakt, że jednak naprawdę jest mi dość niezręcznie. I dodatkowo to zatajenie, czy raczej rzekome zatajenie, rzekome kłamstwo, bo przecież nie skłamałem... Okoliczności do zwierzeń jakoś przestały być sprzyjające.

Okoliczności… cały czas naprawdę nieźle mi się z panem rozmawiało, i jeszcze dodatkowo zgodził się pan na nietypowość tego przesłuchania, idziemy w takie detale… Miło, że się pan na to zgodził i pozwala na zwierzenia. I nawet nie zadaje pytań, tylko słucha. Umie pan słuchać, byłby pan świetnym psychologiem. Odnoszę wrażenie, że pan nie tylko chce rozwikłać sprawę samobójstwa Magdy. Mnie pan chce rozwikłać, prawda? Moje wnętrze i moją duszę. Minął się pan być może z powołaniem jednak i powinien zostać tym Jungiem. Czy psychologia to pana hobby? Rozumiem, że na zadawanie pytań również przyjdzie czas. A zna pan tę anegdotę, że najlepszym odbiorcą zeznań byłby niemy? Ale bardzo to doceniam, naprawdę, niezwykle mi to w tej całej sprawie pomaga. Tylko że teraz, kiedy mam się tłumaczyć na poważnie…

Nie, to naturalnie nie znaczy, że wszystko, co powiedziałem wcześniej, zmyśliłem albo było żartem, pan doskonale wie, że nie było. Jest na to najpewniej potwierdzenie w Magdy mailach czy pamiętniku, czy czymkolwiek napisanym przez nią. Pan wie o tym, dlaczego mnie pan łapie za słówka?, taka praca…

Jest mi niezręcznie, nigdy się przed nikim nie musiałem tłumaczyć, a do tego, jeśli jestem przekonany o swojej niewinności, tak, pan też domniemywa. Kolejne piękne wyrażenie; domniemanie niewinności. Nie satysfakcjonuje mnie to, jednakowoż. Zacieram ślady? Ale jakie ślady? Ślady zabójstwa, ale przecież to było samobójstwo. Żadnych śladów nie zacieram ani nigdy nie chciałem zacierać. Nie zatarłem. Byłem wtedy rzeczywiście, nie wiem już, co mam teraz powiedzieć. Ale to już wyjaśniliśmy, czy też jeszcze nie do końca wyjaśniliśmy…

spokojnie, nikt mi jeszcze niczego nie zarzuca... co sobie wyobrażałeś, idioto, kurwa mać. mętnie się tłumaczę, sam zaraz wszystko spieprzę, ale jak mam się tłumaczyć. kluczę bez sensu, a może mu po prostu powiedzieć prawdę?, że się głupio przestraszyłem na początku, że coś do mnie doprowadzi i dlatego zataiłem, a potem już w to brnąłem... to idiotyczne, sam teraz widzisz, kretynie, jakie to idiotyczne; przestraszyłem się! czego? czego się przestraszyłem i niby co miało do mnie doprowadzić. a i tak doprowadziło i teraz całe to zatajanie jeszcze gorzej, kurwa, co za debil! trzeba to było sprawdzić dokładnie, trzeba to było wcześniej sprawdzić, przygotować się, kurwa!

Byłem w Warszawie, wyjaśniacie to, świetnie, ale moja żona... kiedy ona się dowie o tym wszystkim... Ale nie dowie się, prawda? Czy dowie? Gdyby... pan jej nie powie, obowiązuje was tajemnica?

A jej mąż? To znaczy Magdy mąż. On wie? Czy on wie o tym, że my, że ja... czy on wie o mnie? Ale jak to nie może mi pan tego powiedzieć? Powinienem chyba wiedzieć, czy mam zacząć obawiać się o swoje życie, do cholery. Czy to wiadomo, jak się taki facet może zachować? Ja bym zabił! To znaczy nie, naturalnie. Proszę zapomnieć, że to powiedziałem. Ale jeśli jemu też coś odbije i będzie chciał się zemścić za moje rzekome „przyczynienie się"? A jeśli on też jest psychopatą? Jemu w tej chwili to już chyba wszystko jedno, nie sądzi pan, i tak mu żona wyskoczyła z okna...

Przepraszam.

Mojej żonie natomiast nie jest wszystko jedno.

Odtwarzaliśmy ten feralny dzień godzina po godzinie, minuta po minucie, już mówiłem, byłem w Warszawie, ale co to ma za znaczenie, skoro jej nie widziałem, nie widziałem się z nią, więc cóż to zmienia... jednak sądzę, że przydałoby się, gdyby mój adwokat… przecież musi się znaleźć ktoś, kto to potwierdzi.

Nie stawiacie mi na razie żadnych zarzutów, rozumiem, ale to chyba zrozumiałe, że słowa NA RAZIE nie stanowią dla mnie ani żadnego pocieszenia, ani żadnej gwarancji.

Nie znalazł się nikt, jak to „się nie znalazł"?, miałem spotkania, miałem od samego rana do… szukajcie tych ludzi, tylko czy to się da jakoś bez rozgłosu, rozumie pan… czy ja też mam szukać? Przyjechałem pociągiem. Chyba nie mam już biletu, wyrzucam bilety, nie wiem, jak płaciłem, pewnie kartą, nie pamiętam. To ważne?

No jakże mogę się nie denerwować?, proszę nie żartować, pan by się nie denerwował, gdyby nie mógł potwierdzić… ale musicie mi przecież uwierzyć! Oczywiście, nic nie musicie. Tak, rozumiem, że nikt mi na razie niczego nie zarzuca.

Przecież nie cofnę biegu spraw. Czy to, że się przyznam, cokolwiek teraz zmieni? Jestem zmęczony i mówię już od rzeczy, naturalnie, że nie mam do czego się przyznawać.

A może właśnie ona specjalnie wybrała sobie ten dzień! Nie wiem, widziała mnie gdzieś na dworcu albo w restauracji i specjalnie tego dnia… Denerwuję się, czy możemy na dziś skończyć? Nie cofnę przecież tego, co się wydarzyło. Ona umarła, zabiła się, *quod erat demonstrandum*, nie mogę tego podważyć ani obalić, mogę co najwyżej zamknąć oczy i udawać, że tego nie ma, że to się nie stało, jednak stało się i co mam teraz zrobić?

Mam pójść do żony i powiedzieć jej: „Wiesz, miałem romans przez parę miesięcy z taką tam jedną, ale nie przejmuj się, kochanie, to już skończone, bo ona wyskoczyła przez okno"? To kiczowaty scenariusz kiczowatego filmu.

A nasz romans nie skończył się, BO ona wyskoczyła przez okno, tylko, kurwa mać, ZANIM. Wcześniej niż, wcześniej zanim i co bym miał powiedzieć, jak tłumaczyć, co by to zmieniło oprócz tego, że zraniłbym kobietę, z którą żyję i którą przecież kocham, do cholery. Oczywiście, niepotrzebnie się emocjonuję, nikt nie biegnie, aby ją informować, rozumiem, tylko widzi pan, ja naprawdę jestem szczęśliwy… czy to bardzo żałośnie brzmi?

63

Wracając do męża, naprawdę nie wiem, czy Magda była z nim szczęśliwa, nie mnie oceniać, dlaczego mnie pan pyta o takie rzeczy, a może to on ją wypchnął, do cholery. Nie chciałem słuchać o jej życiu domowym i nie chciałem opowiadać o swoim, to zawsze wszystko psuje. Nie było dla mnie istotne i wcale by mi nie przeszkadzało, gdyby była szczęśliwa, nie byłem zazdrosny. A czemu?, pan myśli, że mógłbym być typem zazdrosnego kochanka i dlatego? To przecież jego bym wypchnął. A potem to już chyba własną żonę. Najlepiej z Wieży Mariackiej, jakiś absurd.

Mieliśmy z Magdą zwyczaj zręcznego omijania tematów rodzinnych, co oczywiście w pewnym momencie stało się – głównie dla niej, kłopotem. Co za tym idzie, naturalnie stało się kłopotem i dla mnie. Bo w pewnej chwili ona usilnie chciała przestać omijać te tematy; klasyka, czyż nie?! A ja nie chciałem słuchać ani o mężu, ani o tym, czy

jesteśmy szczęśliwi, czy nie jesteśmy. I czego oczekujemy, i dlaczego nie zmieniamy, i czy coś przypadkiem nas nie omija, i dlaczego, dlaczego, dlaczego. DLACZEGO?!

Ale co nas omija, nic mnie nie omijało, żadne pociągi Express InterCity ani TGV mnie nie omijały, życie mnie nie omijało, po co mi, do czego było mi to potrzebne?

Znudziło mnie już to wszystko w pewnym momencie. Zniesmaczyło, zmęczyło. Ona była taka dziecinna, niby dorosła, eee. A o mężu musiałem czasami czytać w jej literaturkach, które mi podsyłała, to wystarczało. Pewnie gdyby była rzeczywiście szczęśliwa, nie flirtowałaby. Nie wiem, czy flirtowała z kimś poza mną, uwielbiała kokietować, sama się do tego przyznawała, chociaż to było urocze... tak, trzeba było może częściej rozmawiać o niej z przyjaciółką. Po to w końcu ją mam, ale jakoś nie do końca zawsze się składało. Poza tym ona ma swoje życie, nie może ciągle wysłuchiwać moich smętnych opowieści. Ale może trzeba było raczej od tej drugiej strony, jak pan to ładnie nazywa, od kobiecej.

Magda pisała, że sobie nie radzi w małżeństwie. Że ma dość, że się nie odnajduje. Lecz tyle razy, wie pan, to pisała i mówiła o tym, że coraz mniej zwracałem na to uwagę.

ONA: Co napisać, co napisać.
Że wyję do ciebie bezgłośnie?
Że nie ma dnia i godziny nie ma, żebym o tobie nie myślała?
Że cię przeklinam i wielbię, że cię kocham i nienawidzę, że się miotam, że raz wydaje mi się, że już, że to już, że przeszło, poszło, tyle czasu przecież, a za chwilę nic mi się nie wydaje i tylko mam ochotę rzeczywiście przez okno się mocniej wychylić.

Co mam napisać.
Że raz myślę, że mogę już być nawet twoją koleżanką i pisać sobie z tobą o duperelach od czasu do czasu, zdjęcia oglądać, na Facebooku lubić, bardzo miło, kapitalnie wręcz, normalna rzecz, wartościowi i mądrzy ludzie tak robią, tak potrafią, to tak właśnie się dzieje, ale chwilę później patrzę na twój mail ze służbowego adresu i mam ochotę rozwalić laptopa, a zaraz potem całą resztę. Dostaję histerii już niemal euforycznej. Jeśli może być euforyczna histeria.
W moim przypadku wszystko może być.
Co mam napisać.
Że jest dobrze, chodzę do kina i na spacery, trochę piszę, pływam, na wycieczki jeżdżę, mecze siatkówki nawet oglądam, jem, gotuję, czytam. Nic nie jest dobrze; chwytam się codziennych czynności tak zachłannie i z rozpaczliwością taką, jakbym chciała we wszystkim się zatracić, byle tylko ciebie w tym nie odnaleźć, bo zaboli.
We wszystkim ciebie odnajduję.
Mam pisać o tym, że leżę nocą w łóżku obok niego i bezgłośnie łzy mi płyną, i aż mnie ściska gdzieś w środku, bo myślę, że już nigdy nie będzie mi dobrze? Że nigdy nie będzie mi tak dobrze jak z tobą.
Potem piszę jednak do ciebie te oficjalne z oficjalnego na oficjalny i esemesy nawet i jest tak bardzo do wyrzygania normalnie i przecież tak można i trzeba.
Można i trzeba.
Chociaż nie można.
Ale trzeba. Trzeba, bo przecież nie można inaczej.
Nie radzę sobie kompletnie.

No dobrze, ale właściwie skąd mogę mieć pewność, że nie podrywała innych? Może i podrywała. Z panem nie będę dyskutował, dowody to dowody. Jeśli dowodzą, to... pan tu dowodzi. A jakie są dowody na to, że nie podrywała, była przecież skrajnie amoralna – miała męża, a jednocześnie... tak, kimże ja jestem, aby to oceniać, też jestem skrajnie amoralny.

Jej problem był chyba gdzie indziej; nie do końca w samym mężu i byciu z nim, czy też przy nim. Ona taka trochę Osiecka życiowo była i nie chodzi jedynie o pisanie i o umiłowanie wina.

Wiecznie w jakimś rozdarciu i rozpaczy, ale sama nie do końca potrafiła określić, na czym ta jej rozpacz polega. Z nim chyba nie całkiem było dobrze, tylko raczej wygodnie. A już na pewno nie euforycznie, a tego zdaje się chciała. On jakiś radca prawny czy notariusz? Młody gniewny z teczką i w sportowym autku – tak się o nim wyrażała. Nie chcę oczywiście nikogo krzywdzić swoimi osądami, ale chyba nie był za bardzo oczytany, w kodeksach może jedynie. Kulturalnie, by tak się wyrazić, jej nie zadowalał – rozumie pan, o czym mówię, nie czytał jej wierszy poetów metafizycznych, po prostu. Wolał dyskotekę, ona galerię sztuki, on bardziej na Ibizę, a ona do Lizbony, no jednakowoż.

A może to on ją wypchnął, bo miał dość tych jej egzaltacji i wiecznego teatru?, może nie był taki ślepy i głupi? A może czuł, że jej nie wystarcza, i się wkurwił? Nie, nie próbuję być złośliwy, nie chcę faceta pognębić, przecież go nie znam, zresztą co mi do tego. Podejrzewam jedynie, że mentalnie miałem jej więcej do zaoferowania. Chciała umysłowych fajerwerków, miała mnie, chciała stabilizacji i pieniędzy – był mąż. Tak czy siak było do dupy.

Te jej frazesy, że prawdziwe życie mija nas niczym pociąg, a my nie dajemy mu szansy i marnujemy sekundy, godziny, lata, tkwiąc w czymś, w co nie wierzymy ani tego nie chcemy. Od czasu do czasu pytała mnie, czy nie mam poczucia, że coś tracę, że tracę coś PRAWDZIWEGO. Że niby ona miała być tym czymś prawdziwym?

Nie miałem poczucia.

Co miałem jej powiedzieć? Uwielbiała się tak zapędzać i chciała mnie w to wkręcić. Emocjonowała się tym wszystkim, tak jak pewnie zemocjonowała się w dniu, w którym dodatkowo uwierzyła, że potrafi fruwać.

Wymyśliłem nawet taki fortel, powiedziałem, że zaczęło mi przeszkadzać to, że ma męża, że mnie boli patrzenie na jej rodzinność i tak dalej, że na początku myślałem, że mi to nie będzie przeszkadzać, ale mi przeszkadza, i dlatego się wycofuję i takie tam. No dobrze, dobrze, kłamałem, ale wydawało się, że to rewelacyjny pomysł.

Nie, nic się nie zmieniło.

Nie wiem tak naprawdę dlaczego. Ona była tak uczepiona tego uczucia, to niepojęte… no a ja, ja nie byłem konsekwentny niestety.

Ale czego oczekiwała od codzienności, tańczenia niczym derwisz?, usłyszała to w jakimś romantycznym filmie i się uczepiła, mówiłem, że była dziecinna. Unoszenie się parę centymetrów nad ziemią? Oczekiwała tęczy i spadających gwiazd, a to jedynie w *Baśniach z tysiąca i jednej nocy*. Marzyła o wszechogarniającej miłości, takiej z wyciem do księżyca, ze skowytem, nie sądzę, aby męża kochała właśnie w ten sposób.

Goniła za iluzją i wyobrażeniem, a miała przecież ten swój bezpieczny mały materializm, czy może nawet nieco większy, tę stabilizację. Czy nie tego powinna chcieć?

W jej wieku, w każdym wieku. Miała spokój, pewność jutra i przyszłości, sama o tym mówiła. Czego oczekiwała?, że nagle mąż, mecenas, o właśnie, miał kancelarię przecież, stanie się szalonym ekscentrykiem, który będzie dawał jej emocjonalne odloty, cytował z pamięci wiersze Przybosia i Świetlickiego, pisał do niej płomienne listy i traktował życie, tak jakby każda chwila miała być tą ostatnią?

Ja to robiłem, przynajmniej częściowo, bo mnie to bawiło i wciągnęło. Może również potrzebowałem czegoś takiego. Poza sprawdzeniem się w roli podrywacza... żartuję. Jednak potrzebowałem przez chwilę, na chwilę. A nie na zawsze i póki śmierć nas nie rozłączy. Źle to teraz brzmi, rzeczywiście.

Poza wszystkim, nie miałem z nią codzienności i życiowych kłopotów – wie pan, o co chodzi: wynoszenie śmieci, dziecko do przedszkola, pranie koszul, taka prawda, moja wygrana, byłem wygrany. Ja dawałem jej emocje, a on dawał jej pieniądze...

Ale było coś jeszcze, Magda marzyła, by żyć z kimś, kogo mogłaby podziwiać, kto by jej imponował, kogo mogłaby słuchać, postawić na piedestale, w kogo byłaby wpatrzona. Ona potrzebowała uwielbiać.

A on, nie wiem, czy potrafił, czy mógł jej to dać, i tu tkwił największy zapewne problem. Ile on w ogóle ma lat?, w jej wieku jest chyba, trzydzieści siedem, no właśnie. Kino i szybkie samochody, dyskoteki i tłum wrzeszczących znajomych to jakoś nie do końca był jej świat, takie odnosiłem wrażenie.

A u mnie cicho, artystycznie, sam pan wie, jak jest, inaczej, nawet miasto ma taki klimat. Więcej kultury, więcej tego, za czym tęskniła. I wszystko wolniej. Więcej czasu na podziwianie nieba.

Widać bardzo potrzebowała swojego Przybory, aby wymieniać z nim listy na wyczerpanym papierze. I w jakiś sposób go we mnie odnalazła. A kiedy go straciła…

byłaś bardzo zagubiona, to dziwne, myślałem… sama nie wiedziałaś, czego chcesz, prawda? a przecież na początku wydawałaś się silną. silną, wyjątkową i tajemniczą. jaka byłaś naprawdę…? czy rzeczywiście cię nie znałem? ja też?

Jaka była?, pyta pan, jaka była według mnie? Była seksowna i odważna, taka gorącokrwista, egzaltowana oczywiście i pozbawiona skrupułów, mam wrażenie, okropnie samolubna i egoistyczna, już mówiłem kiedyś, była dziewczęca i niewinna, a jednocześnie kobieca, zalotna i bezczelnie kokieteryjna; te przeciwieństwa w niej zawładnęły moimi myślami i uległem jej urokowi. Chociaż jestem przecież nie najmłodszy i nie najbardziej naiwny, dałem się wciągnąć i chciałem tego, naturalnie, że chciałem. Chciałem, aby była cała moja. Myślałem o niej, cholera, codziennie. To znaczy na początku, zanim, nie wiem zanim „kiedy". Na początku.

myślałem bez przerwy, chociaż to w tobie była egzaltacja tymi wielkimi słowami, ale myślałem, przecież wiesz. o twoim zapachu, ustach i języku, o twoich okrągłych piersiach, o twojej aksamitnej skórze. ta chemia, elektryczność, naładowanie podkręcane przez nasze szeptane pisanie, ale wszystko w głowie siedzi przecież, wszystko w głowie, genialny seks też z mózgu się bierze… chemia nas rozsadzała, prawda?, nigdy wcześniej nie zdarzyło mi się… ta chemia, która przekracza granice, która nie wie, co to granice… ale jakie to ma teraz znaczenie?

Czy się zakochałem? Tak.

Tak, powiedziałem jej, że ją kocham, przecież pan to wie doskonale. To było na tak zwanym wyjeździe służbowym. Pan wie, jak wyglądają wyjazdy służbowe... Pamiętam go bardzo dokładnie, właśnie przez tę deklarację najbardziej. Rzeczywiście któregoś wieczoru popłynąłem o jeden kieliszek za daleko.

ON: całuję znad whisky, a właściwie whiskey. siedzę w barze z pięknym widokiem na hurtownię dachówek i blach falistych oraz niefalistych.
dopijam, idę spać. jutro wracam. koniec tych służbowych integracji i dezintegracji...

ONA: Wracaj ostrożnie.
I kochaj mnie, kochaj.
Pierdolić to, że nie wolno!!!!!

ON: kocham cię

To był zapewne błąd. Po takich wyznaniach nic już nie jest takie samo i tylko procent oczekiwania w oczekiwaniu wzrasta. Teraz przyszło mi zapłacić za te wyznania. Zawsze bałem się wielkich słów, one w końcu czynią nas nieszczęśliwymi.

Tak, cholera, gdyby nie pieprzone wielkie słowa, gdyby nie to wszystko, gdyby tak daleko się to nie posunęło, gdybym ja nie, to ona może nie. I nie byłoby mnie tutaj. Oszczędziłbym sobie wielu stresów. Zacząłem pić herbatki na uspokojenie, to jakaś paranoja. Nie chcę pana urazić, ale nie zaliczam się do miłośników pogawędek z prokuratorem, mimo że u pana bardziej niczym u psychologa. Ta sytuacja jest jednak bardzo nieprzyjemna. Przepraszam. Jest jeszcze moja żona, która nie jest idiotką. Wszystko mi, proszę pana, zaczyna powolutku przeciekać przez palce, rozłazić się. Powoli przestaję to ogarniać i kontrolować, to mnie wkurwia najbardziej. Ogarniałem swoje życie perfekcyjnie, mając kochankę, żonę, pracę, i wszystko. A teraz kochanka zrobiła skok, a ja przestałem ogarniać!

Później byłem już, wie pan, zmęczony. A ona mi jeszcze pisała, że jestem karą za jej grzechy i grzeszki, nie chciałem być nigdy karą dla nikogo. A potem... Kiedy to POTEM się stało, nawet nie zauważyłem, nie potrafię podać konkretnych dat, proszę nie mieć mnie za cyborga, na litość boską, nie mogę przecież pamiętać wszystkiego, oszalałbym wtedy, dzięki bogu za sklerozę.

Ale stało się też i to, że zacząłem wpadać w jakieś nieznane mi dotychczas stany lękowe. Siedziałem na przykład z żoną przed komputerem i nie mogłem się skupić, cały czas myślałem, czy ona zaraz przypadkiem do mnie nie napisze i wiadomość wyskoczy niczym diabełek z pudełka. A sam pan wie, jak to jest w rodzinie – wspólny komputer w pokoju... skasowałem czat internetowy, na wszelki wypadek przestałem upubliczniać profil na Facebooku, samego mnie wkurwiały te szczeniackie i niedorzeczne zachowania, ale nic nie mogłem na to poradzić, całkowicie straciłem komfort psychiczny.

Zabierałem już nawet telefon do łazienki, bo bałem się, że wyśle esemesa, z którego się w razie czego nie wytłumaczę, że zadzwoni o dziwnej porze. Nie, nigdy tego nie zrobiła, ale to nie przeszkadzało mi myśleć o tym i to mnie dręczyło, wściekało.

Zawsze starałem się unikać podobnych odczuć i takiego uwiązania. Nie jestem przecież jakimś tam przerażonym chłopaczkiem i wszystkie te koszmary związane z posiadaniem dziewczyny na boku, najoględniej mówiąc, zawsze były mi obce. A tu nagle wplątałem się w takie coś. Klasyka gatunku. Sam się wkopałem, kolokwialnie mówiąc. Ale nie wypchnąłem jej przecież ze strachu. To znaczy w ogóle jej nie wypchnąłem!

Byłoby bez wątpienia dla nas obojga znacznie prościej, gdyby chodziło wyłącznie o fizyczną fascynację, niewątpliwie. Ale to jednak najbardziej był umysł. Niestety. Tak sądzę. A Magda tak chłonęła wszystko, o czym jej opowiadałem. To było miłe, urocze, naprawdę i bardzo schlebiające, przecież pan to na pewno potrafi zrozumieć. I kiedy napisała mi ten list, że pieprzę jej mózg… właśnie, żadna z kobiet nie potrafiła w taki sposób pisać o mnie, o tym, co nas łączy; to było unikatowe, to jest unikatowe. Ale to nasze bezcelowe przeznaczenie… to nie miało najmniejszych szans na przetrwanie, nie rozumiem, jak ona mogła tego nie rozumieć. Naprawdę nadal tego nie pojmuję.

Ten list o pieprzeniu mózgu chciałem nawet szpileczką nad biurkiem przyczepić. Był naprawdę jednym z najpiękniejszych, jakie kiedykolwiek dostałem. Taka właśnie była Magda i moja nią fascynacja. Stałem się na nią zachłanny, chciałem, żeby do mnie pisała, tak się porobiło.

Fizyczność, tak, naturalnie też, słynna wspólna noc, rzeczywiście jedyna, w dodatku podobno strasznie chrapałem… no trudno. Więcej nocy nie było, to wszystko nie było takie proste, w końcu też oboje mamy rodziny. Mieliśmy. Mamy…

Ta jedyna wspólna noc, opisana przez nią przecież tak skrupulatnie, przeglądaliśmy na poprzednim spotkaniu, więc znów widzę te obrazki; *spadnę gdzieś na dno, w noc czarną i ciemną, ty – razem ze mną tam spadniesz…*

pończochy, szpilki, butelka szampana. Od szampana się wszystko zaczęło, na szampanie się skończyło, jakie to ironiczne. I kiedy czekałem na nią w pokoju, a ona stanęła w jasnym prostokącie drzwi, jak prezent... Chyba to nawet wtedy powiedziałem. Właściwe słowa na właściwym miejscu, we właściwym czasie. Owszem, jestem bardzo sprawny językowo...

Ale wówczas w istocie tak czułem, że jest prezentem, i w dodatku wcale nie zasłużyłem na uczucie, którym mnie obdarzyła. Przecież czułem, co ona czuje – jakkolwiek banalnie to brzmi. Kurwa mać, ja naprawdę nie potrafię odpowiedzieć na pytanie, dlaczego ta kobieta wyskoczyła z okna. Gdybym miał na to patent, to już na początku bym panu obwieścił. Ale to nie było przeze mnie, przecież ja ją, do cholery, uszczęśliwiałem! Mało jest dowodów na to we wszystkich listach, mailach, wierszach, mało tam jest dowodów?

Dobrze, rzeczywiście, z drugiej strony bałem się tego jej bezwarunkowego zaangażowania, ale nie do tego stopnia, nie do tego stopnia... naprawdę potrzebowałbym się teraz napić. Może być nawet ciepły szampan.

– Człowiek czuje się jednocześnie wywyższony, na piedestale, ale i przerażony tym ogromem uczucia.

– Człowiek? Ty się czujesz.

– Ależ mądra jesteś, no ja się czuję, oczywiście.

– Oj, w końcu jestem kobietą, a jak wiadomo, jesteśmy od was mądrzejsze. Chociaż ta cała Magda... No mniejsza o to, i co z tym dalej zrobisz?

– Nic.

– Nic?

– Nic.

– Lubisz być na piedestale.

– A ty byś nie lubiła?

– Ja jestem na piedestale dla mojego męża.

– No to masz odpowiedź.

– I seks, co?

– Taaak, seks...

65

Tak, seks był bardzo dobry. O seksie też? Ale w jakim celu? Mam panu opowiedzieć ile razy, gdzie i na czym? Polubić się polubiliśmy, lecz proszę mnie na takie zwierzenia nawet nie namawiać. A co to w ogóle zmienia, nasze relacje z Magdą nie polegały jedynie na chodzeniu do łóżka. Nie na seksie się to wszystko między nami opierało, i ona tak czuła, i ja tak czułem przecież, a pan doskonale o tym wie. Chociaż tak, seks był rzeczywiście bardzo, bardzo...

I taki prosty.

Co przez to rozumiem?, prosto było go dostawać; Magda chciała i to aż od niej biło, więc... ale chyba nie o opisy scen erotycznych wam chodzi, to może być jedynie bonusik, proszę się tak groźnie nie marszczyć. I tak przecież opowiadam panu piękną i ckliwą historyjkę miłosną. Zresztą, nie opisuję niczego, o czym pan nie wie. W końcu ona wszystko już panu opisała i to zapewne jeszcze bardziej literacko. Chociaż ostatnio mam wrażenie, że bardziej melodramatycznie niż ja tutaj już się nie da. Nooo, nie panu, oczywiście opisała, ale poniekąd.

A jeśli chodzi o łóżko, to istotnie dobraliśmy się świetnie i Magda była wspaniała. Moim zdaniem zresztą nie ma ludzi dobrych czy niedobrych w łóżku, są tylko albo źle dobrani, albo sobą znużeni, a my nie mieliśmy czasu, aby się sobą znużyć, to oczywiste. Z nią było po prostu inaczej. Wszystko inaczej. Całowałem ją inaczej, kochałem inaczej. Zachłannie. Bezwstydnie. Jakoś tak rozpustnie i wariacko. Ona chciała wchłonąć mnie całego, nie wiem, czy pan rozumie, ale nie będę tłumaczył. Jakoś zwyczajnie nie potrafiłem z tego zrezygnować, nie chciałem. I to wszystko było takie nieskomplikowane, gdy z nią byłem.

Początkowo nawet nie zastanawiałem się nad tym, czy na nią ma to jakiś naprawdę głębszy wpływ. Że gdy kończy się czas, który spędzamy razem, ona cierpi. Gdy byłem z nią, myślałem jedynie o rzeczach pięknych i mówiłem o rzeczach pięknych. Tego też przecież ode mnie oczekiwała, wszystkie tego oczekują. Nie, to nie była siła rozpędu, chociaż rzeczywiście, później może już tak?

Ja, widzi pan, cieszyłem się, że ją mam jakoś tam na swój sposób. Chociaż nie miałem; miewać, a nie mieć... I gdyby tylko ona potrafiła cieszyć się z tego samego, mogłoby to może jeszcze nadal trwać, kto wie, no ale nie! Musiała – jak to baba! A przecież tłumaczyłem.

Ale do czego mam się jeszcze przyznać, że miałem to jej świetne ciało tak często, jak chciałem, i że mnie to zwyczajnie w pewnym momencie przestało kręcić? Znudziłem się tą oczywistością i tym, że mogłem ją mieć zawsze i wszędzie. Tak mocno i za każdym razem to pokazywała. Nie było już czego zdobywać, nic na to nie poradzę, wie pan, jak to jest; gonić króliczka, banał, ale wiele w tym prawdy, jesteśmy mimo wszystko myśliwymi. I nawet jeśli jest we mnie nieco kobiecości, to nadal jestem jednak facetem.

A z początku zdarzało mi się nawet, proszę sobie wyobrazić, chodzić z idiotycznym uśmiechem na twarzy, niczym pijany. Bo początkowo rzeczywiście to było… gonienie króliczka i wszystko radosne, trochę pijane.

Tak, skoro pan pyta o pijaństwo, to upijaliśmy się czasem, głównie szampanem, jak to żałośnie teraz wygląda, biorąc pod uwagę, że wiem, w jaki sposób się zabiła. Ironia i teatralność jakaś we wszystkim, nawet to sobie wyreżyserowała.

A butelki wyrzuciła czy zostawiła na parapecie?, znak tajemny do mnie, ha, nie, to wcale nie jest śmieszne.

A tak lubiłem tego szampana…

szampan… nasz ulubiony ma orzechowy posmak, jak jej skóra… jak twoja skóra, Magdo. lubiłem twoje smaki. musiałaś to wszystko tak cholernie skomplikować? a przecież te pierwsze dni z tobą to były dni smaków… posmaków i przedsmaków. byliśmy dobrani perfekcyjnie, prawda? być może lepiej się nie da. wariowałem wtedy na punkcie kochania się z tobą. tak. chciałem kochać cię całe noce, bez wytchnienia, niegrzecznie. miałem wiele kochanek, z którymi robiłem różne rzeczy, ale nigdy w takiej esencji, nigdy tak. i to było piękne, a ty musiałaś to zepsuć, cholera, kiedy byłem naprawdę szczęśliwy i spełniony… dlaczego musiałaś to spieprzyć? wtedy wydawało mi się, że świat leży u moich stóp. cóż z tego, że frazes, kiedy tak właśnie było. te twoje oczy i płonące policzki, kiedy się kochaliśmy, śnisz mi się teraz, jak mi się nigdy nie śniłaś, bez sensu wszystko... to prawda, miałem na to ochotę nieustannie, na ciebie, na podniecanie cię, na twoje ciało, na twój szybki oddech, na twój krzyk, gdy kończysz, chciałem po tobie błądzić, lizać cię i gryźć, i pieścić najdelikatniej, i tulić, i rżnąć nieprzytomnie, rozkładać ci nogi, pieścić twoje sutki, szeptać do uszka, że cię pożądam, czemu, do cholery, teraz o tym myślę, na ziemię, w rzeczywistość, idioto. idioto. dlaczego tak to wszystko pokomplikowałaś, dziewczyno?!

Zamyśliłem się, pan pytał o alkohol.

Czy nadużywała... ale pan mnie o co pyta, czy była alkoholiczką? Moim zdaniem sporo piła, ale co znaczy sporo, co znaczy trochę. Pisała: *piję, piję, upijam się winem, przepraszam, powinnam upijać się tylko tobą*. Czy butelka wina wieczorem to dużo? Czy codziennie, nie wiem, przecież z nią nie mieszkałem.

Piliśmy, ale nigdy jakoś specjalnie dużo. A czy potem, gdy wychodziłem z pokoju, a ona zaczynała to swoje umieranie... Wiem tyle co pan, teraz może już nawet mniej. Upijała się czasem przy mnie, była jednak wtedy raczej rozkoszna i słodka, a nie w nastroju samobójczym. A czy w domu wyłącznie na smutno i tragicznie, to... przykro mi, mogę jedynie wnioskować z jej listów. Najpierw piła, żeby móc funkcjonować w domowej rzeczywistości, a potem, żeby się ze mnie wyleczyć, to pan chce usłyszeć, bardzo proszę. Radosny nałóg stał się nałogiem śmiertelnym.

Piła, myślę, żeby znieczulić ten swój nieustający ból rozdarcia, ale to tylko moje spekulacje, domniemania... ileż musiała w siebie wlać, aby ten ból zażegnać?, zaplątana

w celebrowanie cierpienia, może i celebrowała to cierpienie kolejnymi butelkami, skąd mam wiedzieć? Poszukam sonetu, który napisała na ten temat. Alkoholowy. Myślałem nawet swego czasu, żeby go gdzieś opublikować, podobał mi się, był taki bluźnierczy. Znajdę go. Miał chyba tytuł *modlitwa alkoholiczki.* I nawet był niezły.

a kiedy przyjdziesz do mnie we śnie
tak jak mówiłeś, obiecałeś
słowo się wtedy stanie ciałem
codziennie proszę, panie weź mnie!

czy ja naprawdę jestem winna,
czy może winne jest to wino,
że chcę tak twoją być dziewczyną
tak, właśnie ja, nie żadna inna

wino już winnie w moim ciele,
które ci daję w pełnej wierze
znów pijąc twoją krew w kościele.

weź mnie do siebie panie, proszę
ileż mam wypić w twej ofierze
przecież codziennie modły wznoszę!

66

Człowiek władzy ginie od władzy, człowiek pieniędzy od pieniędzy, poddany od służenia, rozpustnik od rozpusty[21], ładne, prawda? Magda była według mnie człowiekiem marzeń i zginęła od marzeń. Ona po prostu żyła, wie pan, marzeniami. Mrzonkami. Mąż albo nie zauważał, albo nie chciał zauważać, a potem, potem.

A być może skoczyła, bo wiał halny, ten nasz słynny wiatr południowy wiejący bardzo źle. Gdy halny wieje, to dzieją się różne rzeczy. Ma pan rację, halny nie wieje w Warszawie…

A może rzeczywiście spowodowałem w niej to zatracenie i ból? Te jej pytania, gdy się nieco oddaliłem, czy będzie tak, jak było, czy jeszcze kiedyś będzie, jak było, czemu mnie nie ma, czemu nie piszę, dlaczego się nie odzywam, dlaczego jestem okrojony. Ukrojony jestem, kurwa! Być może to moja wina. Przynajmniej częściowo, bo przecież miała też inne problemy, prawda? Czytał pan notatki, niemożliwe, żeby pisała wyłącznie o mnie, to jakiś absurd. Rozumiem, że się zakochała, ale przecież, na boga, jej życie nie mogło kręcić się wyłącznie wokół mnie. To niepojęte zresztą, jak młoda, wykształcona, inteligentna kobieta może aż tak zatracić się w uczuciu, i to w takim czasie! Znaliśmy się przecież tak krótko. A ona się rzeczywiście zatraciła, nie była normalna, już mówiłem, że nie była normalna, strasznie mi przykro tak mówić o niej teraz, lecz sam pan widzi.

W dzisiejszych czasach, pan to pojmuje, wiem, brzmi to może tak, jakbym był starcem, ale kobiety już nie tracą tak głowy dla facetów! To nie jest powieść Tołstoja. Kto popełnia samobójstwo z powodu zakochania? Przecież to niemożliwe po prostu, niepojęte!

Ta jej ofiarność, uległość i egzaltacja! To mnie w pewien sposób początkowo zachwycało, szczególnie że dotyczyło mnie. Ale później chciała widzieć w sobie jednocześnie Emmę Bovary i Annę Kareninę, a to już trochę nie ten czas, nie te dekoracje. W największym mieście w tym kraju! Może... proszę mnie źle nie zrozumieć, ale może gdyby to była prosta dziewucha ze wsi, która naoglądała się seriali i poznała księcia z bajki, co się zabawił i ją rzucił, ale Magda? Magda nie była dziewuchą ze wsi. Poza tym ja jej wcale nie rzuciłem...

Proszę mi wierzyć, naprawdę nie chciałem, aby robiło się między nami tak poważnie, pytająco i wyczekująco, zupełnie nie tego oczekiwałem, a wchodząc w związek, zawsze mamy jakieś oczekiwania, prawda? Jakikolwiek związek. Przecież między nami to też w jakimś sensie był związek. Związek niezwiązek.

Oczekiwałem przyjemności, zabawy, uniesień. I wszystko było okay, do czasu. Trudno mi powiedzieć do kiedy, ale nagle ta jej rozpacz i oczekiwania zaczęły mnie uwierać i wręcz drażnić. Miałem już potem wyłącznie wyrzuty sumienia, żadnej przyjemności. Ileż można? Jakby to był jakiś upadek, a ona ekscytowała się tym upadkiem, pisała o tym, upajała się nieszczęściem. Upadek! A tu, kurwa żeż, po prostu zakochała się w mężczyźnie z rodziną. Ale wiedziała o tym od samego początku, nie wabiłem jej podstępnie, nie kręciłem, nie kłamałem, niczego nie ukrywałem, wszystkie karty na stole, weszliśmy w romans i tyle, ona przecież też miała męża, którego kochała. ROMANS! Magda chyba zatraciła się do tego stopnia, że zapomniała, co to w ogóle znaczy. Marzyła o ułożeniu sobie ze mną życia.

A ja mam życie już ułożone.

Lecz to jeszcze nie powód do morderstwa przecież.

To wyglądało tak… najpierw dzwoniła, przyjeżdżała, była. Otwierała mi drzwi do swojego pokoju hotelowego i były jej roześmiane oczy, namiętne usta i wszystko było. A potem taadaam!, niczym fuga Beethovena, porażający smutek i łzy. Nie lubię bardzo, kiedy kobiety płaczą. Stawała się odległa, zamyślona. Widziałem, że się męczy, a nie chciałem tego widzieć. Nie chciałem, żeby to w ogóle miało miejsce. Nie jestem złym facetem. I po cholerę mi takie cyrki? Próbowałem tłumaczyć, że możemy się miewać, a nie mieć, i że i tak powinniśmy się z tego cieszyć. Ale ona coraz częściej była, nie wiem jak to określić, jedynie wyczekująca. Te jej aluzje, aluzyjki, pytania, oczy wielkie, a w nich dwa ogromne znaki zapytania. Na początku to mi schlebiało, było nawet zabawne. Ale potem jej listy i te frazy w nich, stały się zupełnie nie do zniesienia. Wydawała się uroczo dziewczęca, kiedy zapowiadała, że rzuci dla mnie wszystko, ale, o dziwo – mówiła serio! *Zerwij pęta; odepchnij niewolę nikczemną; odważ się i jedź ze mną, odważ się być ze mną*[22], pisała do mnie. Ale jaką niewolę?, jakie pęta?, jaką nikczemną?, jakie, kurwa mać, odważ się?!

Podczas każdego spotkania zaczynała się rozmowa na ten temat… że oddałaby wszystko, że uciekłaby, że chciałaby, czy ja też bym chciał… niczym nastolatka, a nie trzydziestoletnia kobieta!

67

– To po cholerę wciąż utrzymujesz tę znajomość? Ten niezwiązek, jak to ładnie nazywasz.

– Nie chcę tracić z nią kontaktu. Ludzie, którzy w jakiś sposób byli ze sobą blisko, nie powinni udawać, że się nie znają, to idiotyczne.

– Chcesz zostać jej przyjacielem? Czy jak to sobie wyobrażasz? To dopiero jest idiotyczne. Już masz jedną przyjaciółkę: mnie. Żarcik oczywiście, nie jestem zazdrosna, ale świetnie wiem, jak to działa, kiedy facet mówi „zostańmy przyjaciółmi", no błagam cię! Nie osłabiaj mnie.

– Ależ nie powiedziałem jej tak! Nie wiem, czy Magda potrafiłaby się ze mną przyjaźnić. Ona traktuje to jako absolut, chce wszystko albo nic. Tylko nagle to WSZYSTKO stało się przeszkodą...

– A ty, gdy tylko pojawi się przeszkoda, unikasz podejmowania jakichkolwiek działań. Taki z ciebie pantofelek.

– Co takiego?

– Pantofelek, robaczek, trzeba było na biologii uważać. Jakakolwiek przeszkoda wywołuje w nim wstrząs, więc odwraca się na pięcie i płynie szybciutko, szybciutko w przeciwnym kierunku, udając, że wcale nie ma przeszkody.

– Pantofelek i pięta...

– No mniejsza o to. I zakodowane ma ten pantofelek, że obiekt, który wywołał u niego wstrząs, będzie pozostawał w tym samym miejscu, więc należy je omijać. Bardzo szerokim łukiem. Ty omijasz problem obiektu zakochanej do szaleństwa kobiety.

– Ten obiekt nie pozostaje w tym samym miejscu, moja droga. Ten obiekt chce się zbliżać. Ten obiekt się zbliża w zastraszającym tempie.

– A ty tego nie chcesz, prawda?

– Nie wiem, nie tak. Nie w ten sposób. Ona to wszystko komplikuje. I uważałem na biologii, pantofelek nie jest robaczkiem. I raczej już nigdy nie będzie... Chciałbym z Magdą prościej jakoś, wiesz. Aczkolwiek przyjemność nigdy nie jest prosta, prawda?

68

Kiedy dokładnie zaczęło się psuć między nami? To na tyle ważne, że ponownie mam spróbować określić czasowo? Wie pan, jak już mówiłem, to nie stało się z dnia na dzień. Może to był właśnie problem, w tym sedno. Może powinno być ostre cięcie, koniec, a nie takie zawoalowane ucieczki, które, muszę przyznać teraz ze wstydem, wyczyniałem. Jak gówniarz, jak sztubak, bez sensu. Powinienem być mądrzejszy i przewidzieć, że ona w tym swoim zatraceniu może nie tyle, że nie zrozumie, ale że nie będzie chciała zrozumieć.

Pamiętam przykładowo taki jeden dość upalny dzień, byliśmy w jej hotelu, ona radosna i śliczna w tej swojej radości, naprawdę, do tego świetny seks, wszystko idealnie. Założyła potem białą sukienkę; taki obrusik śmieszny... to zdumiewające, z jaką precyzją pamiętam, w co była ubrana. Już kolejny raz. I tak jedynie w tej sukience, bez bielizny,

poszła do baru po szampana i espresso. No uroczy obrazek, proszę przyznać.

Chłodzeni niechłodzącym wiatrakiem piliśmy te bąbelki... aż nagle ona wypala z tymi swoimi oczekiwaniami, czego, dlaczego, po co i tak dalej... a było niemal idealnie...

– Czego ty ode mnie chcesz? Czego właściwie oczekujesz, kim ja właściwie dla ciebie jestem? Nikim, prawda?

– Gdybym tak myślał, nie byłoby mnie tu. Nie byłoby nas tu...

– Bo oboje wiemy, że to nie czas jest problemem. W sensie brak czasu... bo gdy się naprawdę chce...

– Tak, to można na głowie stanąć.

Naturalnie, niepotrzebnie przytaknąłem. Niepotrzebnie dokończyłem to zdanie. Miałem wtedy ochotę powiedzieć „dziękuję, do widzenia", wstać i wyjść. To był rewelacyjny dzień, a ona tak go spierdoliła.

Kim ja właściwie dla ciebie jestem? Nikim, prawda?

I byłem tam z nią, mimo wszystkich reglamentacji, milczeń wcześniejszych, niepisań, którymi próbowałem dać do zrozumienia, że powinno się skończyć to, co zaczęło być jednym wielkim wyczekującym znakiem zapytania w jej oczach. I byłem tam z nią, ale uczciwie przyznam, że nie było mnie. To znaczy byłem, ale wyłącznie fizycznie.

Ale co miałem jej powiedzieć, co na dobrą sprawę miałem powiedzieć dziewczynie w białym obrusiku i bez majtek?!

Kim ja właściwie dla ciebie jestem? Nikim, prawda?

Może i nawet chciałem przyznać wprost, że nic już nie czuję i nie będzie żadnych NAS. Nie wyszło. Szczególnie że nie do końca przecież było tak, że nic już nie czułem. To skomplikowane. Trochę się tłumaczę, ale czuję, że powinienem, bo to wszystko nie jest takie jednoznaczne.

Tak, nie ma dla mnie wytłumaczenia w gruncie rzeczy, ma pan rację. Trochę chciałem, trochę nie chciałem, sytuacja idiotyczna. Nie zachowałem się jak facet, przerosło mnie to, byłem zmęczony, nie w formie.

I zawisło nad nami niedopowiedziane i niewyjaśnione. Wie pan, jak to czasami bywa. Gdy się czegoś do końca nie powie i niby nie wraca do tego, ale to cały czas wisi nad nami. Wisi jak mgła, jak smog, który nie chce się rozwiać, tylko gęstnieje i gęstnieje.

Gęstniało.

Jej oczekiwania mnie przerosły. Może nawet trochę bolały. Ale to tak właśnie jest; nawet jeśli wiesz, że coś zmierza ku końcowi, to zadajesz sobie pytanie, czy aby na pewno podjąłeś właściwą decyzję. Myśli pan, że to moje niezdecydowanie miało jakiś wpływ na to, co zrobiła? Ale jaki?

Niby ciągle dawałem jej to, czego chciała; chciała szampana, miała szampana, chciała mnie, miała mnie. Tak, ma pan rację – przestało chodzić o fizyczność, zresztą nigdy wyłącznie o nią nie chodziło. Wtedy już nie pisałem, nie dzwoniłem. Sporadycznie, ale wciąż spotykaliśmy się, przychodziłem, byłem, rozmawialiśmy, kochaliśmy się…

Oczywiście, że to nie czas był problemem czy przeszkodą. Bo gdy się chce, to można na głowie stanąć, a jeśli się nie chce, to się nie staje, proste. I ja nie stawałem.

I w taksówce wówczas rękę ścisnąłem jej znacząco, pamiętam, na pożegnanie, chciałem jej nawet powiedzieć: „Trzymaj się, jestem z tobą, będzie dobrze". Wydawało mi się, że kobiety potrafią wyczuć takie rzeczy, że nie trzeba wiele mówić, nie trzeba ostatecznych słów, nie trzeba dopowiadać, bo one mają tę swoją intuicję.

Przecież nie mogłem powiedzieć „zostańmy przyjaciółmi", to najbardziej idiotyczne zdanie, jakie mogłoby paść w takiej chwili, sam pan rozumie. Przyjaciółka by mnie za to zabiła. Spytałem jeszcze wtedy, pamiętam, o jej plany weekendowe, ale chciałem uciekać, uciekać.

Kim ja właściwie dla ciebie jestem? Nikim, prawda?

Ona sama, wie pan, sama zepsuła ten romans, bo chciała, żeby trwał wiecznie. ZAWSZE to jest straszne słowo. Takie słowa i oczekiwania potrafią wszystko spieprzyć.

nie zadzwoniłem potem, nie dałem znaku życia. nie było esemesa, maila, telefonu. telefonu… nie wykasowałem jej numeru. dlaczego. a jej telefon? skoczyła z telefonem? roztrzaskał się? skoczyła bez? wykasowała wiadomości, jakie esemesy tam miała?, czy pisaliśmy ostatnio? trzeba było wcale nie pisać, miałem rację, trzeba było nie pisać. a jako kto byłem wpisany w kontaktach?, dlaczego nigdy o to nie zapytałem?, nie sprawdziłem. paranoja, paranoja. kiedy ostatni raz dzwoniłem? kiedy rozmawialiśmy? jak się okazało – niezbyt wystarczająco ostatnio… o czym rozmawialiśmy? czy to się nagrało?, zawiesiło?, fruwa gdzieś w przestrzeni?, jasne, że fruwa, czy to może być dowód? dowód na co?, idioto, na co?! na to, że mieliśmy romans, czy na to, że zabiła się przeze mnie, ale jak przeze mnie? czego się boisz? czego się boję?

69

Oszalał pan, ale że niby kiedy płakałem!? Ona tak panu powiedziała?, napisała?, że płakałem? Ale że z tej wielkiej niby miłości? Ja płakałem? Kiedy?! Żartuje pan ze mnie? Że gdy wyznawałem, to płakałem? Czy ja wyglądam na takiego, co szlocha?, przecież to jakiś absurd jest. Tak, sam się przyznałem, sporo we mnie pierwiastka kobiecego i moja opowieść też o tym zapewne świadczy, ale bez przesady, no, bez przesady. Skąd pan to w ogóle wyciągnął, że płakałem, to urojenia. Nie mówię, że pana urojenia, no ale oszalał pan, ja płakałem? I przez to jej się wydawało, że też bym chciał z nią uciekać, tak? Wariactwo. Chore wariactwo.

70

Po tym dniu wypełnionym znakami zapytania i „kim ja dla ciebie jestem? Nikim, prawda?" rzeczywiście nie zadzwoniłem, nie dałem w ogóle żadnego znaku życia przez długi czas. Szczerze? Nie chciało mi się. Miałem milion innych spraw na głowie.

A ona tak, oczywiście. Ona pisała.

ONA: Czemu milczysz?

A przecież wielokrotnie zostawiałam otwartą furtkę.

Do każdego rozwiązania.
Kiedy jesteśmy razem, jest cudownie; szampańsko, radośnie, miłośnie, ckliwie, zachłannie, kolorowo, szumiąco, kwitnąco i wszędzie motyle.
A potem drzwi się zamykają i jakby świat nagle się kończył, a zaczynał się bezświat, nieświat, bo nie zaświat nawet.
Jak to traktować? Jak z tym funkcjonować?
Ustalone już, że miewać, a nie mieć, i jak modlitwa na pamięć, i nawet jeśli pragnę czegoś więcej, to nie pokazuję i nie pokażę. Nie pokażę, obiecuję, obiecałam. Sobie, tobie, nam.
A ty teraz milczysz.
Tak szybko się zakochałeś i szybko się odkochałeś, myk-myk. Może tak, tylko czemu wprost mi tego nie powiesz, że już mnie nie chcesz?
Bo seks ze mną jest aż tak dobry? Niemożliwe, znajdziesz sobie lepszy albo już znalazłeś; wszystko jedno. Zresztą seksu też już właściwie nie ma, więc. Poza tym seks wydawał się boskim, ale jednak dodatkiem do magii, która się działa.
Że chcesz być elegancki i nie obcesowo i wprost? No to właśnie, cholera, jesteś absolutnie nieelegancki!
Nie masz do czynienia z niewrażliwym debilem; ja nie jestem betonowym słupem, coś myślę i czuję i niepewność, i niemożność zrozumienia jeszcze gorsze są od wiedzy, chociażby takiej, że nic już i nijak.
Bo się łudzę, że jeszcze coś jakoś gdzieś, czekam, sprawdzam pocztę dziesięć razy, sto, sto tysięcy razy... i po cholerę? Po to, aby kolejny raz boleśnie się rozczarować. A za każdym razem jest coraz boleśniej.
Tylko dlaczego? Co zrobiłam nie tak, co?!

Może po prostu każ mi odejść, tak będzie najprościej.
I będzie tak – bardzo późno w nocy lub jutro napiszesz do mnie, że co słychać, że nie pisałeś, bo padłeś zmęczony, bo rodzinny byłeś, bo cośtamcośtam, a co u pani.
I wtedy już nie wiem sama, chyba nóż wezmę pierwszy raz w życiu, nie bojąc się bólu.
I zapiszę to teraz, aby było wiadomo, że przewidziałam tę czy tę sytuację, i pójdę spać, by setny raz nie kliknąć F5 i nie czytać już więcej tych maili, które sama wysłałam i na które nie było odpowiedzi.

No i widzi pan, bezświat, kurwa.

Faktycznie, miała odrobinę racji, ale żeby nóż od razu?! Co tu wyjaśniać? Coś odpisałem oczywiście, żeby ją uspokoić.

ON: chciałabyś, abym kazał ci odejść?, nie mogę przecież kazać ci odejść, bo nie mam takiej władzy, a poza tym tak się nie robi, to zrzuca odpowiedzialność na jedną tylko stronę. a to powinna być wspólna decyzja.

Naprawdę nie było oczywiste, że próbuję stworzyć barierę, mur, ścianę, cholera, z drutem kolczastym? Co miałem jej napisać: „tak, odejdź"? Nie mogłem, kto tak pisze?, kto w ten sposób takie sprawy załatwia?, na pewno nie ja.

Wydawało mi się, że wszystko jakoś się ułoży, a tu nagle ona znów łupnia listem! Że skoczy, że się na latarni zawinie, że nóż... nie potrafiła łagodnie i normalnie, wszystko zawsze było ostateczne, ta egzaltacja... czy to nie jest najlepsze wytłumaczenie, że nie musiałem jej wcale wypychać z okna? Wystarczyło, że byłem. Nie, nie TAM, nie wtedy, przecież pan wie, że mnie tam nie było, w przenośni byłem...

I cóż więcej tłumaczyć? Kocham żonę i córkę, *Pan jest moim pasterzem, nie brak mi niczego*... jestem spełniony. Miałem z tego wszystkiego rezygnować, w imię czego? Gdy czasami potrzebuję więcej, to po prostu biorę. Może i jestem tym Don Juanem, bardzo proszę, jeśli pan sobie życzy. On raczej słabo chyba skończył co prawda... z Magdą dałem się ponieść i teraz sam ponoszę tego konsekwencje, no właśnie.

Nie próbuję się wytłumaczyć z jej śmierci, nie wiem, trochę być może, ale to się w głowie nie mieści, jak mogła pisać do mnie, że nie będzie pokazywać tego, że pragnie znacznie więcej, niż jej daję, skoro de facto nieustannie pokazywała! Ciągle chciała więcej. Nie musiała tego nawet mówić. Chciała więcej, oferując wszystko, a ja nie mogłem po prostu tego odwzajemnić. Nie chciałem tego odwzajemnić. Oferowała wszystko i nieświadomie, czy może świadomie, osaczała mnie tym. Sobą, listami, wierszami, prezentami. Na dobrą sprawę nie wiem, czy od żony dostałem tyle prezentów co od Magdy.

Tak, te prezenty też nieustannie. To stało się w pewnym momencie krępujące. Czułem się zakłopotany; czekoladki, zapalniczki, książki, miśki, nawet miśki, idiotyczne, nie sądzi pan, dla mnie miśki. Te prezenty mnie w zasadzie upokarzały, nie wiem, jak by to ująć inaczej. I, naturalnie, czułem się zobowiązany. Zobowiązany, aby być.

Niektórych nie chciałem przyjąć, lecz to się tak nie da, sam pan wie. Zawsze nadzwyczaj silnie nalegała, więc ustępowałem oczywiście, utwierdzając się tym w przekonaniu, że w niepojęty sposób po prostu nie umiem się od niej uwolnić, a ona jest właściwie... despotyczna i zaborcza. Ale proszę mnie źle nie zrozumieć, nie uwolniłem się od niej, wypychając ją z okna, niechże pan tak na mnie nie patrzy.

Nie wiem, co jeszcze dostałem, proszę pozwolić mi się skupić. Zegarek. Bardzo ładny, więc chyba już do końca życia będzie mi tykał Magdą na ręku, szkoda się pozbyć.

Przysłała nawet kiedyś ten list z załącznikiem.

ONA: Wyjeżdżam jutro na krótkie wakacje.

A po wakacjach...

Po wakacjach będzie pewnie znów bezskuteczne F5; już zdarłam cały klawisz w laptopie. Ale, ale. Mam dla ciebie coś.

Nie grymasząc za bardzo, że się nie odzywasz, lub grymasząc, jeśli wolisz, przesyłam ci symboliczny, jak się okazuje, prezencik. Mogę, jeśli sobie życzysz, obiecać, że będzie ostatni. Bo to chyba już aż głupio.

Jak widać, nie jestem dobra ani w byciu odrzucaną, ani odrzuconą, ani żadną inną.

To ponoć dość freudowskie, gdyż koszula jest figurą dotyku.

Figura dotyku ładnie brzmi.

Nie wiem, co chciałam osiągnąć tym freudowskim prezentem. Chciałam przylegać do twojego nagiego ciała.

Chciałam. Tak wiele chciałam.

Zbyt wiele.

Kupiłam tę koszulę, bo wyobraziłam sobie ciebie w niej i to wyobrażenie mi się spodobało. Ona jest taka twoja; mam nadzieję, że się polubicie.

Powinnam coś jeszcze dodać, coś napisać, ale wszystko wydaje mi się zbyt banalne.

Po prostu dziękuję ci.

Za to wszystko, za co wiesz.

I tylko ty…
I już tak będzie. Zawsze.

Koszula w rzeczy samej bardzo ładna jest. Biała i rozmiar dobry. Markowa. Jeszcze nie założyłem. Figura dotyku… Freud, jak widać, miał duży wpływ na nasze wzajemne relacje. A Magdę to już na pewno wziąłby na kozetkę… może szkoda, że nie miał tej szansy, w obecnych czasach prawie każdy ma swojego doktora House'a, może gdyby miała doktora House'a… ale koszula, no sam pan widzi, koszula!

W zasadzie nie kupuję sobie ubrań, nie cierpię chodzić po sklepach, żona kupuje, a tu nagle wyskakuję z koszulą. Ale co, miałem wyrzucić na śmietnik koszulę, która do tego wszystkiego naprawdę mi się podoba? Oddać jej miałem, odesłać, tylko na jaki adres? O właśnie! Nawet nie miałem nigdy jej adresu, ona mojego chyba też nie. Freudowski prezent przyszedł na adres redakcji, dzięki bogu, że nie mam wścibskiej sekretarki.

No właśnie, nie miałem jej adresu, więc chociażby dlatego nie mogłem być u niej wówczas. Wówczas kiedy…

71

I jeszcze ta nieszczęsna grupa krwi… tak wiele nas łączyło, paradoksalnie więcej może nawet niż z żoną. Stąd te moje wszystkie teksty o puzzlach i dopasowaniu. Rzeczywiście, to ironiczne, że tyle łączyło mnie z tą moją pisareczką Galateą, jak się kiedyś nazwała, a może to ja ją tak nazwałem, aby jej nie nazywać nijak? Czy rzeczywiście stworzyłem ją od nowa? Wierzy pan w takie bzdury? A może to nie bzdury, może w jakiś sposób jednak... zmęczony jestem.

No i nawet grupa krwi, nie wiem, dlaczego jej powiedziałem, że też mam zero. Mam A Rh minus.

– A widział pan jej tatuaż? – pyta mnie przez telefon przyjaciółka Magdy.

– Jaki znowu tatuaż?

– Aha. – Znaczące aha, w którym słyszę wyrzut. – Znaczy nie widział pan. Parę tygodni temu wytatuowała sobie na łopatce... To miał być, zdaje się, prezent... dla pana... prześlę panu zdjęcie.

– Nie trzeba, wie pani.

– Trzeba.

Przyjaciółka swojej zmarłej przyjaciółki przysłała.

Plecy Magdy.

Zdjęcie pleców Magdy. Widział pan, oczywiście, musiał pan widzieć...

– Wytatuowała się, wyobrażasz sobie?

– Twoja córka czy twoja żona?

– Magda. Jakiś czas temu. Nawet nie wiedziałem. Nie zdążyłem.

– Gdzie? I co? Ładne? A skąd wiesz teraz?

– Przyjaciółka przesłała zdjęcie. Na lewej łopatce zeroerhaplus wplecione w męczennicę.

– W co wplecione?

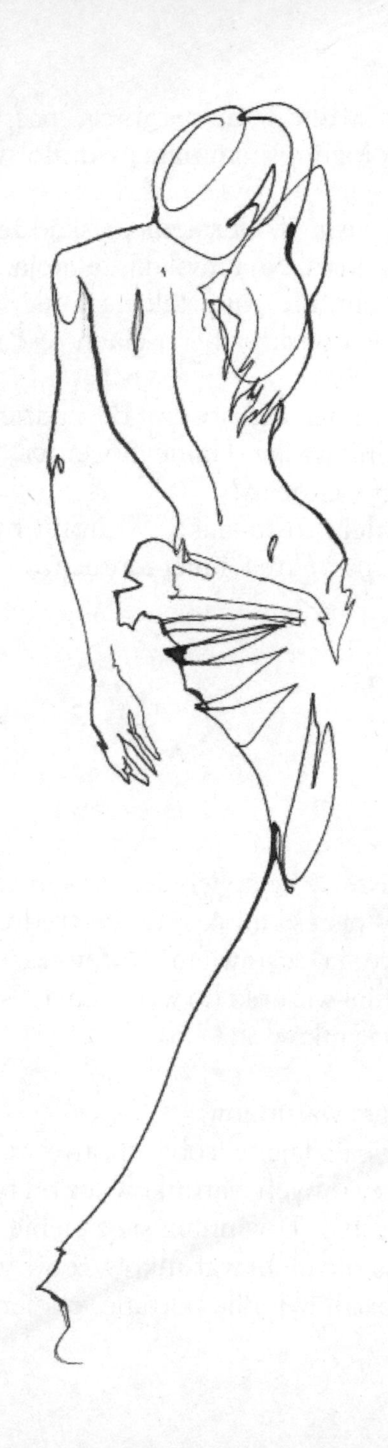

– W taką roślinę, męczennicę, passiflorę, ktoś tu ostatnio o biologii wspominał, mądralo. Co za ironia – męczennica.

– No tak, *passio* to cierpienie, a skąd zeroerhaplus?

– Jej grupa krwi. No i myślała, że moja. Nie wiem, czemu ją oszukałem, nie patrz tak na mnie, głupota, wiem, a ta męczennica w dużych ilościach jest halucynogenna ponoć, wiesz?

– Słabe to, z tym oszustwem. Beznadziejne. I po cholerę? No dobra, nieważne. Halucynogenna… nie może być, pokażesz? Ładny chociaż?

– Skasowałem, oszalałaś?! W ironii była jednak rzeczywiście najlepsza; krew i męczennica…

72

ON: że nie piszę… rzeczywiście, czasem tak mam, szczególnie gdy piszesz mi coś, na co trudno odpowiedzieć bez wyciszenia. zostawiam to wówczas na później, gdy już będę miał warunki do wyciszenia. ostatnio nie mam w ogóle warunków.

ONA: Nie masz warunków.
Oboje chyba zdajemy sobie sprawę, że nie masz tych, tamtych czy innych warunków już od tygodni. Właściwie, cóż zrobić? Powinnam się z ciebie wyleczyć, napisać ci, że ja nie mam warunków, żebyś w ogóle do mnie dzwonił, pisał, był. Nie potrafię, cholera.

Kiedy się zepsuło?, dlaczego?, może dlatego, że ukrzyżowali Chrystusa w wieku trzydziestu trzech lat i ja w wieku trzydziestu trzech, powód taki sam dobry jak każdy inny.
Może się odkochałeś, może przestraszyłeś mojego zaangażowania, może dlatego, że jesteś bardzo rozważny i rozsądny.
To może głębokie jest jak morze. A nawet ocean.
Chwytam się niczym tonący brzytwy tych miłych słówek, gestów i paru chwil, w których byliśmy razem i jednak namiętnie i miłośnie nawet, czy to tylko ja chciałam widzieć, że tak było?
Ale teraz to już nie brzytwa, tylko piła łańcuchowa, w dodatku łańcuch zardzewiały, żeby było BARDZIEJ.
Co jakiś czas patrzę w lustro i mówię do siebie: „opanuj się, daj spokój, odpuść, nie pisz, nie odświeżaj, nie wysyłaj, nie czekaj, nie dręcz, miej godność czy jakieś tam resztki przynajmniej". Jak oboje wiemy – nic z tego nie wynika.
Przyznam uczciwie, iż nie bardzo rozumiem twoje postępowanie, czy raczej jego brak. I chociażbym bardzo chciała sobie wytłumaczyć, to nie potrafię. Niby uświadamiasz mi, że między nami nic. Ale.
Zawsze to pieprzone malutkie „ale" w postaci dodatku do listu: „całuję cię". Albo ewidentnego wkurzenia z twojej strony, że wyjeżdżam „na", zanim ty wrócisz „z".
Wydaje ci się, że mnie zranisz, gdy powiesz wprost: „moje uczucie się skończyło"?
Czy jednak chciałbyś, aby ta znajomość tliła się ognikiem, i gdy się spotkamy, to masz nadzieję na pożar, galop krwi, moje usta i moje boskie ciało pod twoim ciałem?

Bo widzisz; jeśli powinnam zrozumieć, że mam się wreszcie zamknąć, przestać dawać ci dowody uwielbienia i mieć nadzieję na cokolwiek – to, cholera, nie zrozumiałam.
Czy też może rozumiem, ale przez to twoje małe „ale" od czasu do czasu – nie dotarło.
Przepraszam, nie umiem nic poradzić na to, że zakochałam się jak nigdy przedtem i sądzę, że nigdy potem się nie zakocham, bo to ponadludzkie i niemożliwe, aby przytrafiało się człowiekowi częściej niż raz w życiu, jeśli w ogóle.
Widocznie tak działasz na kobiety. Zakochują się w tobie bez pamięci i nie potrafią uwolnić. Tak więc ja nie uwolniłam się i tylko raz jest lepiej, raz gorzej. Generalnie gorzej.

Nie ma dnia. Rozumiesz? Nie ma dnia, żebym o tobie nie myślała.
Nie ma tak naprawdę godziny!

Oglądam zapierające dech krajobrazy i marzę o tym, aby oglądać je z tobą, zwiedzam piękne miejsca i pragnę ci je pokazać, kupuję jedwabną sukienkę, wyglądam w niej pięknie, musisz wiedzieć, i marzę, abyś mnie w niej zobaczył, i szlocham, że mnie w niej nie zobaczysz. Czytam wspaniałą powieść i chcę ci ją zaraz opowiedzieć, podarować. Wszystko, wszystko, co robię… cokolwiek robię…

Nie wiem, czy byłoby łatwiej, gdybyś wprost powiedział, że między nami absolutnie koniec. Przez chwilę na pewno trudniej. Ale przynajmniej jasno do

wiadomości i może potem jakoś. Nie pierwsze na świecie złamane serce i nie ostatnie. Gdyby nie to, nie powstałoby tyle książek i filmów.
Już pisałam, nie musisz patrzeć mi w oczy, nie musisz nawet mówić, możesz napisać, jeśli mam oczy zbyt ładne. Ale nie baw się mną, tak jak się bawisz.
Kochałabym sobie ciebie nadal, ale przynajmniej bez złudzeń, że jeszcze mnie przytulisz, rozpalisz, dotkniesz, pocałujesz, będziesz. Platonicznie się to nazywa, prawda?

Powiedz, czego ty chcesz? Bo czego ja chcę, to jest absolutnie jasne. Nasz związek wkroczył już w ten etap, że mam prawo o to zapytać. I mam prawo uzyskać odpowiedź.
Kochanka, koleżanka, znajoma? Kim mogę być dla ciebie?
Nie wiem, czy można bardziej się przed mężczyzną poniżyć, niż zadać mu takie pytanie i w napięciu czekać na odpowiedź, ale nie wytrzymuję stanu niepewności, w którym miotam się od tak dawna. Będę wszystkim, tylko powiedz. Na razie bowiem ulegam i ulegam bez końca, w sposób dla mnie samej niepojęty, a moim głównym uczuciem jest tęsknota. Nie mam od niej chwili wytchnienia. I wciąż mam wrażenie, że jestem petentem.
Unikasz odpisywania na takie listy, czy też w zasadzie nie odpisujesz na nie po prostu, traktując je jak niebyłe. Proszę, nie tym razem.

Kiedyś powiedziałeś: „jest cudownie i wspaniale, kiedy jesteśmy razem, kiedy się kochamy, rozmawiamy".

A potem, gdy ja zaczynam cierpieć i oczekiwać, ty się zamykasz, jak ślimak chowasz się. Tak, pamiętam. Lecz to nie jest wyjaśnienie. Czego ty chcesz?
Chcesz, żeby było tak jak na samym początku? Trudno mi w to uwierzyć, biorąc pod uwagę to, jaki jesteś oschły i oziębły w swoich listach. Pod warunkiem że one w ogóle następują.
Daj mi jasno do zrozumienia, że chcesz iść swoją drogą. Dobrze, chcesz iść, idź, ja muszę pójść swoją, pójdę. Powiedz tylko słowo. I w ten sposób zamknie się jeszcze jedna z setek historii o niefortunnych związkach między mężczyzną a kobietą.
Ja nie mam siły i chęci tego kończyć.
Nie chcę kończyć.
Ty chcesz?

Na koniec cytat z Rotha, on tak ładnie mówi wszystko, co chcę ci powiedzieć. Ponieważ nie masz czasu na czytanie książek, więc ci go tu przepisuję:

– (...) *nie chcę namawiać cię na ryzyko – a wiem, że to jest ryzyko. Dla każdego z nas, mówiąc szczerze. Ja też czuję, że idę na ryzyko. Inne, oczywiście, niż w twoim przypadku. Ale najgorsze byłoby teraz, gdybyś się ode mnie odsunął. Nie zniosłabym tego. Oczywiście zniosę, jeśli trzeba będzie, ale co do ryzyka – już zostało podjęte. Już w nim tkwimy. Za późno jest, żeby bronić się ucieczką.*

– *Mówisz mi, że nie chcesz się wycofywać, chociaż to właśnie należałoby zrobić?*

– *Bynajmniej. Ja ciebie pragnę, zrozum. Uwierzyłam, że jesteś mój. Nie odsuwaj się ode mnie. Uwielbiam to, co robimy, i nie chcę przestać. Nic innego nie mam do powiedzenia. Tylko to, że spróbuję, jeżeli ty spróbujesz. To już nie jest przelotny romansik*[23].

Dalej nie będę cię męczyć. Ani Rothem, ani sobą.

Ale odpisz, proszę. Nie ignoruj tego listu. To dla mnie ważne. Najważniejsze.

tak, tak, pisz mi takie rzeczy, Magdo, szczególnie gdy deszcz leje i ta jesień nie może być już bardziej przygnębiająca. czytam i otwiera mi się wewnątrz jakaś otchłań, a może nawet czeluść, a najpewniej taka woda, w której nie mogę dosięgnąć dna i się topię. nie mogę wprost napisać, bo co mam ci wprost powiedzieć, że mnie zmęczyła powaga sytuacji?! że ty mnie zmęczyłaś? że ty za bardzo?

Ona, widzi pan, naprawdę sądziła, że mamy szansę stworzyć razem coś nowego. No proszę spojrzeć, ten cytat, „jeżeli nam się nie uda". A co nam się miało udać, do cholery?! Uwierzyła, że jestem jej. Oczekiwała, że rozwiodę się z żoną, ona rozwiedzie się z mężem, nie wiem, przeprowadzi się do mnie i będziemy nową szczęśliwą rodziną!

Te jej obiecanki cacanki, „nie będę cię już męczyć"... Kiedy męczy mnie nieustająco i wtedy, i teraz, i jak długo jeszcze? Kolejne kilka miesięcy czy kilka lat? Czy do końca życia będę zapalał cygaro, wkładał koszulę, owijał się szalikiem od niej i wyjmował zza szafy książkę, którą dla mnie napisała. Nigdy się od tej kobiety nie uwolnię. Czy do końca życia będzie mnie dręczyć wyrzutami sumienia, chociaż przecież niczego złego nie zrobiłem, prawda?

Kim ja właściwie dla ciebie jestem? Nikim, prawda?

73

Tak, napisała dla mnie książkę. Uwierzy pan? Dostałem zeszyt, w którym na czerpanym papierze przepisała wszystkie swoje wiersze i kilka tekstów prozą. Do mnie, o mnie, na mnie, przeze mnie. Ręcznie, oczywiście. Wzruszające i rozczulające, nie będę ukrywał. Osaczenie w wersji de luxe. Myślałem swego czasu nawet, żeby wyrzucić, ale jakoś nie miałem serca, poza tym to jest naprawdę ładnie zrobione. No i niesłychanie rozbrajające, może kiedyś wnukom pokażę. Tak, ma pan rację, jej też nie miałem serca wyrzucić, właśnie.

A gdyby przyszli przeszukać mieszkanie, czy to jest jakiś dowód, ten zeszycik? Chociaż niby dlaczego mieliby przeszukiwać mieszkanie, czego mogliby szukać w moim mieszkaniu? W końcu nie wytatuowała sobie na łopatce: skaczę z powodu...

Przyniosę tę książeczkę, naturalnie, nie mam powodu jej ukrywać, skoro i tak rozmawiamy, skoro wszystko zaszło tak daleko. Nie mam powodu czegokolwiek przed panem ukrywać. Niczego zresztą nie ukrywam, pan wie o tym, prawda, wierzy mi pan?

Kim ja właściwie dla ciebie jestem? Nikim, prawda?

Książeczka książeczką, rozczulenie rozczuleniem, ale ja po prostu nie widziałem dla niej już miejsca w swojej przyszłości. Myślałem, że będzie lepiej, jeśli przestaniemy się widywać, co i tak ze względu na pracę było jeszcze przez chwilę konieczne. Zastanawiam się, czego tak naprawdę Magda oczekiwała wówczas od przyszłości. Myślę, że ona sama tego nie wiedziała, tylko po prostu jej się wydawało.

I myśląc o naszej potencjalnej wspólnej przyszłości, po prostu sama się nakręcała. Ale gdyby przyszło co do czego, trzeba by podjąć jakieś strategiczne, by tak rzec, decyzje; nie zostawiłaby tego bezpiecznego świata, w którym żyła. Wydaje mi się, że to było tylko takie jej słodkie pieprzenie, „rzucę dla ciebie wszystko". W gruncie rzeczy byłem przekonany, że niczego nie rzuciłaby, nie miałaby odwagi.

Pomyliłem się.

A przed każdym kolejnym spotkaniem doskonale wiedziałem, co nastąpi; słowa, słowa, nawet jeśli niewypowiedziane. Słowa oraz analizowanie, czego nie powiedziałem, czego nie napisałem, rozliczanie godzin ze mną, rozliczanie godzin beze mnie, co zrobiłem, czego nie zrobiłem, czemu, dlaczego. Natarczywe pytania. Nawet jeśli niezadane. I nawet jeśli nie padnie żadna aluzja, żaden wyrzut...

Pozwoli pan, że zapalę, z tego wszystkiego przerzuciłem się z cygar na papierosy, nie mogłem palić kilku cygar dziennie, to by mnie wykończyło szybciej niż cała ta sprawa.

Już nigdzie nie można palić, dobrze, że tu, dzięki pana uprzejmości, mogę bezkarnie. Jeszcze teraz przy tych stresach! Niedługo nie będzie można we własnym domu, bo przeszkadza. Mam taką sąsiadkę. Wychodzę rano na balkon, żeby zapalić, a ona wówczas ostentacyjnie trzaska oknami nade mną, coś mamrocząc, najpewniej życzy mi śmierci... tak, to właśnie ta zapalniczka od Magdy. Zapalniczka robiąca klik-klak, obok zegarka, który wie pan, co robi... przepraszam, to nieco dziecinne, ale przy niej czasami zachowywałem się trochę jak dziecko. Ale wie pan, jak to jest, nastał w pewnym momencie koniec wyskoków i wygłupów; rodzina, dom, wydawnictwo, odpowiedzialność – to zobowiązuje. A Magda miała w sobie tyle energii, entuzjazmu i takiej prostej dziecięcej jeszcze radości, którą zarażała.

ONA: Wywróciłeś mój świat do góry nogami. Pojawiłeś się i nagle zrozumiałam, że to, jak zawsze chciałam żyć i myśleć, to jest właśnie dobre. Dzięki tobie to się stało – wszystko i nagle. Dzięki tobie już wiem na pewno, że małe rzeczy są najważniejsze. Jak myślisz, czy to dlatego, że nas łączą jedynie małe rzeczy i sprawy?; takie jak twoja mała zmarszczka na czole, kiedy patrzysz na mnie, gdy głośno piję szampana przez słomkę?
Cieszyć się najdrobniejszymi sprawami to była zawsze moja filozofia, ale dopiero bycie z tobą pokazało mi, że tak trzeba i tak jest właściwie. Nigdy ze sobą nie byliśmy, masz rację, ale w jakiś sposób jednak.
Poznanie ciebie uwolniło mnie z tej złotej klatki. Bardzo wygodnie i mięciutko w niej było, ma przepiękne złote pręciki i nawet złotą huśtawkę, żebym się bardzo nie nudziła. Jednak klatka to klatka, nawet kiedy bawić się w niej brylancikami.
Dusiłam się z braku przestrzeni, nie mając nawet świadomości, że się duszę, mamiona bogactwem i dobrobytem. Nie zauważyłam, kiedy mój świat i moje ja przestały być ważne, moje sprawy przestały się liczyć. Małe rzeczy przestały być istotne, bo ważne były wielkie sprawy mojego męża, wielkie pieniądze, inwestycje, akcje, samochody, metki, marki, złoto, złoto, złoto! A to przecież my jesteśmy zrobieni ze złota, kochanie! I wiem, że myślisz i czujesz tak samo, prawda? Bo ty jesteś ja. A on jest… on jest inny, nie mój, chociaż mój właśnie.
On – pięciogwiazdkowy hotel, a ja – niebo nad głową. I bez gwiazd może być nawet, ale przy nim było mi jakoś wstyd i nie wypadało. I zasłonił mi to niebo, przestałam je zauważać, dopiero ty pokazałeś mi plejady

i teraz wstyd mi przed samą sobą, że mogłam o tym zapomnieć. Przez niego zapomniałam, chociaż przecież tak pięknie jest i brylantowo i zaczynałam już myśleć nawet, że dzięki niemu.
Ja chcę bosymi stopami po piasku i deszcz na nagiej skórze, a nie szpileczki od Louboutina. Chcę jedną stokrotkę, a nie bukiet stu róż. Życie to bezcenne drobiazgi i ty to rozumiesz. Nie gniewaj się, proszę, przecież nie chodzi o porównania, nie ma porównań, bo nie wiem, czy to źle – tak jak on chce. To inaczej.
Ale w czym tak naprawdę jest miłość? W tym, że kupi mi kolejny bardzo markowy zegarek, kolczyki od Tiffany'ego, zabierze na wystawną kolację do najdroższej restauracji? W tym właśnie? W tym, że da mi pieniądze, żebym sobie coś kupiła, ale co mam kupić – radość, czułość? On myśli, że chcę, by na mojej szyi wisiały perły czy naszyjnik z brylantów, a ja w dupie mam te jego brylanty, to tylko dodatki, piękne i wspaniałe, lecz nie mieszka w nich miłość.
Ty rozumiesz. Wiesz, że uczucie mieszka w spojrzeniu, które nic nie kosztuje, w dotyku dłoni, w słowie, w tym, że pogłaszczesz mnie po policzku i przyniesiesz koniczynkę, chociaż nigdy nie dałeś mi nawet pokrzywy ani żadnego innego zielska.
Nie jestem niewdzięczna, doceniam wszystko to, co mi daje, i nawet tę złotą klatkę potrafiłam pokochać, przecież wiesz.
Ale już dość, proszę, zabierz mnie z niej teraz, już otworzyłeś przecież drzwiczki, dlaczego więc chcesz zatrzasnąć je z powrotem?!
Chcę z tobą cieszyć się pąkami na drzewie, jakimś pięknym zdaniem, chmurami, moim rumieńcem, koncertem

fortepianowym Czajkowskiego, niech będzie pierwszy, tym, że rozgotujemy makaron, że wiatr szumi w sosnach, biała czekolada smakuje wybornie, a hejnalista pomachał trąbką i wyszło słońce. W tym zamknięte jest piękno i uczucie. W spojrzeniu, którym mnie obdarzasz znad stolika w obskurnym pubie, w którym żarówka niemal spala mi włosy, a musujące wino udające szampana jest za ciepłe i za słodkie, w wierszu, który napisałeś tylko dla mnie, w tej twojej zmarszczce na czole, w słowach, które dla mnie wymyśliłeś, i w twojej łzie, gdy dedykujesz mi piosenkę, to ona jest ze złota, ta łza. Przecież to wszystko nie było kłamstwem, nie mogło być, powiedz, nie mogło! Przecież to takie proste. Chodź ze mną.
Ale ty doskonale to wszystko wiesz. Ma być może rację moja przyjaciółka pierwsza, która mówi, że potrafię docenić najmniejsze sprawy dlatego właśnie, że nie brakuje mi pieniędzy. Może to i prawda, ale wiesz, gdybyś tylko…
Dla nas, dla ciebie zrezygnowałabym ze wszystkiego, ze wszystkiego, rozumiesz? Zabierz mnie z tej klatki.
Proszę.

No właśnie, umiała żyć chwilą i myślała, że dam się temu porwać. Mówiła, że *kto tak umie żyć bieżącą chwilą i kto tak przyjaźnie i troskliwie potrafi doceniać każdy przydrożny kwiatek, każdy – choćby najdrobniejszy – zabawny moment, temu życie już nic złego zrobić nie może*[24]. Naiwna mała dziewczynka; przecież to mrzonki, obaj o tym dobrze wiemy. Myślę, że ona również to wiedziała.

Ale takie jej zachowanie było na swój sposób bardzo rozczulające. Za wszelką cenę chciała mi pokazać, że nie jestem za stary na bieganie nago po deszczu i pikniki na trawie, na radość z pełni księżyca, czerwonego wina i gotowanie tego makaronu… na beztroskę. Nie, no oczywiście, że nie biegaliśmy nago po deszczu, chociaż może i szkoda. Ja się w ogóle nie nadaję do biegania, czy wyglądam panu na sportowca, bieganie kojarzy mi się wyłącznie z zadyszką. Najpewniej dostałbym zadyszki po minucie, a zadyszki to już prawie Zaduszki.

Jednak rzeczywiście, jeśli chodzi o tę radosną niefrasobliwość, jakoś mi w tym moim odpowiedzialnym świecie taka beztroska i radość, zwykła radość z niczego, uniknęła. Szybko stałem się głową rodziny, szefem wydawnictwa i gdzieś tę beztroskę tam po drodze… Chciałbym umieć bardziej się wszystkim cieszyć.

I odnajdywałem to, wie pan, przy Magdzie, nawet nie biegając. Może dlatego tak mnie ten jej świat wchłonął. Bo to mi się podobało. Chociaż nie było odpowiedzialne. Było w rzeczy samej bardzo naiwne.

Ale to chyba nie jest bardzo istotne w sprawie, prawda?, chciałbym opowiedzieć panu o wszystkim i nie potrafię skupić się na jednej rzeczy, jeśli chodzi o Magdę, bo ona była właśnie taka, wie pan, absorbująca wszechstronnie.

Ale pan to jakoś wszystko ładnie uporządkuje, prawda?

Mój list… tak, bo w końcu odpisałem na ten, którego miałem nie ignorować. Miała rację oczywiście, uciekałem, ale sam pan już widzi dlaczego.

ON: masz zupełną rację, że uciekam, lecz nie z powodu strachu przed zaangażowaniem i nie z rozsądku, chociaż powinienem być rozsądny. ktoś powinien.
być może uciekam z prostej obawy przed stanięciem pod ścianą, z obawy przed pytaniem: co dalej? bo czy u nas może być jakieś dalej?

cóż mogę ci zaproponować? bardzo, bardzo niewiele, i to tylko zostawia niedosyt, który boli. świadomość tego mnie blokuje.
do tego nieustannie mam poczucie, że robię ci krzywdę i że cię wykorzystuję, bo ty dajesz więcej, proponujesz wszystko. a ja nie mogę tego odwzajemnić.
piszesz, że nasza znajomość się tli – bardzo ładne słowo. tylko że ona się nie tli, ale płonie żywym ogniem; nie umiemy oboje tak, aby się tliło, dlatego raz pali się rozkosznie, innym razem boleśnie, zależnie od bycia. czy damy tak radę? wątpię, coraz bardziej.
przepraszam, że cię ranię.
wiem, że ranię cię teraz. wolałbym z tobą rozmawiać o czymś innym, o czymś przyjemnym, nienawidzę trudnych rozmów, wiesz doskonale.

74

– Nie wiem, co robić. Uciekam. Spierdalam.

– No uciekasz, mój drogi, bo się odkochałeś. A może nigdy nie kochałeś, tylko uwodziciel jesteś, sensu super – uwodziciel, czapki z głów, jak to się po francusku mówi, absolutny szacunek.

– Magda mi wyrzuca, że przecież od dawna zostawia mi furtki otwarte, żebym powiedział wprost „do widzenia" bez „do jutra". A że ja się chowam, że uciekam chyłkiem… No i co ja mam teraz, jak mam postąpić, jak twardziel, czy raczej szowinistyczna świnia, olać ją zupełnie? Czego ona oczekuje, czego wy, kobiety, kurwa, chcecie? Będzie szantażować mnie teraz emocjonalnie?

– Ale że co, że nie jesteś wcale twardzielem ani szowinistyczną świnią, tak? No to dlaczego jesteś miękki dla niej, czy może miałki? Może gdzieś tam wewnętrznie ty po prostu się jej boisz i obawiasz się, żeby coś się nie zesrało, więc tak na mięciutko, żeby się zmęczyło i samo odeszło, żeby nie wywołać agresji. Bo to niebezpieczne.

– Agresji?

– Widząc, jak się teraz męczysz, myślę: „na co mu to było?" i strasznie ci współczuję. Ale może tak naprawdę, i dla ciebie, i dla niej to dobrze, że włożyłeś rękę w ognisko? Nie na dzisiaj, ale na pojutrze?

– No, żebym cię za to mentorstwo nie przeklął, ale że niby dla mnie zbawienne? Że co, że się teraz wreszcie zajmę rodziną, bo się poparzyłem? Ty się nawróciłaś, czy jak? A dla niej jak niby zbawienne? Przecież jej nie znasz. Ani realiów, w sensie jej realiów.

– I znów jej bronisz. To niereformowalne. Ty jesteś niereformowalny. No więc ona jest ofiarą. Taką wiesz, antylopą. A ty jesteś lwem, a nie świnią.

– Lwem, bardzo zabawne.

– No i pytanie, czy antylopa chce lub może postraszyć lwa?

– Przy mojej przewadze emocjonalnej... lew może antylopę wpierdolić bez względu na to, co sobie tutaj ładnie wymyślisz.

75

Rzeczywiście, odpisałem w taki sposób, aby w zasadzie nie odpisać, ma pan rację. Odpowiedziałem tak, by nic nie odpowiedzieć. Taka była jednakowoż moja strategia i liczyłem na to, że prędzej czy później zadziała. Tylko to prędzej jakoś fatalnie nie chciało wcale nadejść, a ona przeciągała ten romans na siłę, skazując na tortury i siebie, i mnie.

Nie chciałem jej ranić. Wydawało mi się, że jeśli będę wycofywał się łagodnie i delikatnie, na mięciutko – jak określała to moja przyjaciółka... w końcu odpuści. Czy to nie działa w ten sposób i moje myślenie było raczej godne pożałowania? Nie wiem, nie znam kobiet, jak widać. Poza tym, nie ukrywajmy, że inaczej niż delikatnie w moim przypadku byłoby bardzo ryzykownie. Mam na myśli zranione, porzucone kobiety, dysponujące listami, mailami, esemesami... rozumie pan... co taka kobieta mogłaby zrobić przy użyciu TAKIEJ broni... Zbyt dużo – wydawało mi się zawsze, mogłem ryzykować, gdybym jakoś gwałtownie, to nie w moim stylu. Dlatego chciałem jak najdelikatniej. W tym przypadku niestety moja strategia zawiodła.

Czy miłość naprawdę może być tak silna?, trochę nie jestem w stanie uwierzyć w taką egzaltację. W dziurę w sercu, na którą nie ma siły, aby się zabliźniła. Rzeczywiście, być może patrzę na to lekko z politowaniem i zbyt ironicznie, ale żeby serce pękało i żeby nie potrafić sobie wytłumaczyć, że jeśli nie, to nie? Nie wiem, może my inaczej to wszystko traktujemy, a ja mimo wszystko jestem prostym facetem.

Jednakowoż Magda z tym swoim zachowaniem wydawała się śmieszna i nieco żałosna. Przecież do tego wszystkiego miała kochającego męża, dom, swoje środowisko, życie, swój świat, do cholery, dlaczego więc tak desperacko uczepiła się mojego?!

Potrafiła, wie pan, znienacka napisać mi „kocham cię" albo „moje ciało tęskni za tobą". Miłe, gdyby nie to, że się przejadło. Nie odpisywałem lub wysyłałem tylko uśmieszek. Pewnie ją to bolało, tak sądzę. Uciekałem, uciekałem i kłamałem. Gdy byłem w Warszawie, a ona o tym wiedziała, pisałem, że nie mogę się spotkać, bo jestem z żoną albo córką. Kłamałem, żeby mieć spokój. Kiedy pisała, że przyjeżdża, odpisywałem często z dużym opóźnieniem, że jestem przykładowo u dentysty. Naiwne nieco, przyznaję, ale nic innego nie byłem w stanie wymyślić.

Tak, i na końcu moich problemów, czy też może na początku, było jej pisanie. Fakt, iż bawiła się w literatkę. To zrobił się dla mnie nagle naprawdę duży problem. Przyznam szczerze, że się przestraszyłem, chociaż to może nie najwłaściwsze słowo, że ona tę całą naszą historię, która się wydarzyła, a także tę, która się nie wydarzyła, opisze. Opisywała namiętnie, przecież to, co tu leży przed nami, jest najlepszym dowodem. A pan by nie miał takich myśli gdzieś tam z tyłu głowy? Zakładając, że w ogóle mógłby pan być w podobnej sytuacji... A, nie mógłby pan, tak.

Już widziałem te opowiadanka, w których ze szczegółami... i różni ludzie potem... przecież nie byliśmy jedynymi osobami, które wiedziały o naszej zażyłości. Te jej przyjaciółki, jakieś inne koleżanki na pewno, nie wiem, ale nie chciałem, aby czytały o tym gdzie, jak, ile razy. O tym, w jaki sposób ją traktowałem, to chyba, kurwa, zrozumiałe, że nie chciałem i nie chcę być pożywką dla literatury!

76

– Kończysz tę znajomość czy nie? Dokąd to w ogóle zmierza, w jakim kierunku? Bo widzę, że chyba w żadnym, a jeśli w jakimś, to moim zdaniem zdecydowanie w złym. Żebyś wiedział, wkurzyłam się. Na ciebie, bo ona może i jest nienormalna, ale ty?

– Co ty nagle, poczułaś solidarność jajników?

– Żadną solidarność, tylko zaczynam się martwić o przyjaciela. Szary się robisz, odpalasz jednego od drugiego, do czego to prowadzi? Dziewczyna dziewczyną, ale już chyba najwyższy czas to definitywnie zakończyć, nie sądzisz?

– A miałabyś pomysł jak? Tylko żeby delikatnie, sama mówiłaś, że na mięciutko najlepiej. Co mam jej powiedzieć? Wymyśl coś, jesteś kobietą! Nieinwazyjnie, kurwa. Już nie wiem, co robić, nie mam patentu.

– Wiesz, myślę, że też straciłam patent na tłumaczenie ciebie i tego, dlaczego postępujesz jak idiota. Niby ją rzucasz, a ciągle się z nią widujesz, niby nie kochasz, ale majtki zdejmujesz, niby nie chcesz, ale chcesz albo sam nie wiesz, czy chcesz i czego. Może ona rzeczywiście za bardzo, nie wiem, nigdy aż tak nie umierałam dla faceta, ale chyba nie targały mną takie namiętności, bo za mocno po ziemi chodzę, może szkoda. Może to cię przeraża. Coś pewnie jest na rzeczy z tym jej pisaniem, którego się boisz. Też bym się pewnie bała. I myślę, że może to dlatego ją rzucasz, ale pojęcia nie mam, czy na pewno. Przerosło mnie to. Mnie najbardziej pasowałeś jako ten Don Juan galicyjski, co szybko kocha, a potem piorunem się odkochuje, a czy literatura faktu tak zwana ci w tym pomogła, jak mówią, chuj wie, chociaż nie przeklinam, ale już po dwunastej, to można… bawi cię to?

77

Nie, już mnie to nie bawiło, byłem zmęczony i wkurwiony.

Jednak wyłączając ignorowanie jej smętnych listów, esemesów i zaczepek – nie wiedziałem, co robić. Na to też się wkurwiałem. Niech pan sobie nie myśli, że jestem pierdoła i nie potrafię postępować z kobietami; potrafię. I nie jestem pierdoła. Zawsze się udawało. Ale z nią mi jakoś zwyczajnie… nie szło, no nie szło mi to wycofywanie się.

I później, kiedy się widzieliśmy… tak, po tych listach, w końcu się spotkaliśmy jeden raz czy drugi, pamiętam, że nawet kiedy leżała przede mną w samych majtkach, notabene bardzo ładnych, starałem się pokazać jej, aaa, nie wiem już sam, co się starałem pokazać. Teraz również się staram i nie wychodzi.

Chciałem być obojętny, nieobecny, chociaż naturalnie jako facet pragnąłem jej, naprawdę była seksowną kobietą i… już to panu chyba wszystko opowiadałem. Nie znajdywałem tych słów, które chciała słyszeć, czułości, namiętności takiej jak kiedyś i nawet nie jestem pewien, czy to było z premedytacją i przemyślane, czy po prostu naprawdę byłem zmęczony. Ona, naturalnie, stała się wtedy dwa razy bardziej czuła i dwa razy mocniej kochająca. W deklaracjach oczywiście. I miała w oczach coraz większe oczekiwanie, chociaż to wszystko musiało ją przecież upokarzać.

A mnie nie opuszczało przeświadczenie, że gdy tylko wyjdę, to najpierw będzie się chciała ciąć lub wieszać, co już było dla mnie wystarczająco przykre, a chwilę później opisze to, co się wydarzyło, a także to, co się nie wydarzyło, i opublikuje, naturalnie. A potem... świat nie jest duży, jest kurewsko malutki, sam pan wie.

Przyniosłem nawet list, który napisała do mnie właśnie po tym spotkaniu. Niestety nie ma na nim daty, a na pewno nie ma go w komputerze, bo napisała go odręcznie. Zachowałem go gdzieś między książkami, tak jak i tę książeczkę, którą dla mnie zrobiła. Świetnie się złożyło. Tak, ma pan rację, zachowałem w zasadzie wszystko, co od niej dostałem. Być może nie powinienem, ale z drugiej strony, co by to zmieniło, gdybym wyrzucił?

A wie pan, że ja ani razu nie dałem jej nawet kwiatów? Głupiego kwiatka nigdy.

ONA: Było filmowo.

Czasem w ogóle wydaje mi się, że moje życie to film, czy to słowa Felliniego? To jest jakby obok mnie; poczucie, że kamera gdzieś, a czerwone światełko wciąż. No tak, oczywiście, trochę kreacji zawsze we mnie; było też, kiedy czekałam na ciebie na dworcu. Brzuch wciągnięty, pupa wypięta, głowa uniesiona wysoko, włosy rozpuszczone, pierś do przodu. Nadchodzisz, niby cię nie widzę, oczywiście, że cię widzę. Stoję tyłem, wyglądam naprawdę seksownie i kiedy się powoli odwracam, robi to na tobie wrażenie, musi zrobić, nie kochasz mnie już, ale jesteś przecież tylko facetem, nie możesz nie zwrócić uwagi.

Zwracasz oczywiście.

Rozstanie, zerwanie, pożegnanie. Romans był, romans się skończył, przyjechałam do ciebie, żeby. No właśnie, żeby co? Niedopowiedzenia przywiodły mnie tutaj, ukochany, do miasta, gdzie cię poznałam, gdzie mnie uwiodłeś, gdzie cię pokochałam, gdzie mnie porzucasz, Anna Karenina od siedmiu boleści, pociągiem oczywiście.
Dlaczego to zwykle kobiety robią ten pierwszy krok ku ostateczności, nie rozumiem, nie stać was na to, boicie się? Że się potniemy, pod pociąg (sic!) rzucimy? Macie odwagę poderwać, uwieść, omotać, ale nie macie odwagi nas rzucić? Mój krok w ostateczność, mój krok na platformę dworca.

Teraz ty, twój krok. Miejsce i czas akcji: hotel, wieczór.

Wchodzisz, pachniesz, ogarniasz, wypełniasz przestrzeń, brak mi tchu. Ale nie mogę przecież wyjść na zdesperowaną dziewczynę marzącą jedynie, abyś wziął ją w ramiona, rzucił na łóżko i zerwał z niej ubranie. Jestem zdesperowaną dziewczyną, marzącą jedynie, abyś wziął mnie w ramiona, rzucił na łóżko i zerwał ze mnie ubranie. Przed oczami wyłącznie sceny namiętnego seksu. Takiego jak kiedyś; twoje ciało, moje usta, moje ciało, twoje dłonie, ty we mnie, o niczym innym nie mogę myśleć. Przed zaśnięciem, po zaśnięciu, po obudzeniu, w trakcie snu, na jawie, bez przerwy. Bądź dzielna, mówię sobie.
Patrzę na ciebie, słucham cię, rozmawiamy o pierdołach, myślę o twoich dłoniach rozpinających moje

dżinsy, coś mi opowiadasz, a przecież oboje doskonale wiemy, po co tu jesteś, nie mamy czasu na gierki, musisz niebawem wyjść, rozbieraj mnie, kochaj, bądź ze mną blisko, najbliżej, we mnie, patrzę na twoje usta, które coś mówią; te słowa zupełnie nieważne i tylko te usta namiętne, oczy, ręce, przestań być już grzecznym chłopcem, do cholery, zobacz, jaką mam gładką skórę, dotknij mnie, niech będzie jak dawniej, przecież jesteśmy jak puzzle, stworzeni dla siebie, dlaczego nic nie robisz?! Przecież kochasz moje boskie ciało, sam mówiłeś, jesteśmy tak dopasowani, że bardziej się nie da, sam mówiłeś, bardziej się nie da. Mówiłeś.
I nagle do mnie dociera.
Ty nie chcesz.
Nie chcesz nic robić.
To takie proste, Boże, jakie to proste!
Patrzę na ciebie wielkimi oczami. To koniec, prawda? Nie wierzę, że te słowa wychodzą z moich ust, ale w końcu po to przyjechałam, ostatnie słowa, pociąg, platforma dworca, ostateczność, krok, uśmiecham się, a łzy same.
Mówię, że przepraszam, że wcale nie chcę płakać, że się postaram... „Płacz", mówisz; no właśnie – niczego nie muszę przed tobą udawać, niczego grać, mogę być zwyczajną mną. A przecież jesteś miłością mojego życia; jesteś tym jedynym, oddałabym za i dla ciebie wszystko, życie bym oddała, a ty właśnie ze mną zrywasz, w tej chwili.
Coś tłumaczysz, że myślałeś, że to i tamto; że moje życie, że twoje życie... co ty, do cholery, mówisz, przecież gotowa jestem rzucić dla ciebie i to, i tamto! Przedtem, teraz, jutro, zawsze, ale powiedz tylko

słowo… A ty, że nie możesz, bo moja i twoja codzienność, bzdura. Wymówka jest słaba, ale nie musisz tłumaczyć. Jesteśmy dorośli, coś było, coś się skończyło, pocałuj mnie teraz.
Perfekcyjny pocałunek, nikt nie całuje jak ty, nienawidzę cię, czemu robisz to tak idealnie? Rzucasz mnie przecież, a ja gotowa jestem żebrać o te pocałunki codziennie, pod twoimi stopami kłaść się i błagać. Nikt nigdy tak… twój język bezbłędny, twoje wargi stworzone do całowania, do całowania mnie, sam mówiłeś… i że mam usta epickie… przecież ja to wszystko, tak mówiłeś.

„Pomyślałem, że nie będziemy się kochać, bo jak będę potem wychodził, to będzie bardziej bolało".
Ach, więc pomyślałeś. O wszystkim pomyślałeś. Ja też pomyślałam i dlatego kupiłam bardzo seksowną bieliznę. Tak mocno cię pragnę. Namiętność. Dziwne słowo, zupełnie niezależne.
Nie wiem już sama, czy chcę, żebyś mnie teraz kochał, przytulał, pieprzył, zabił.
Moje łzy na twoich włosach, policzkach, między moimi piersiami. Głaszczesz mnie i pytasz, co się stało, jak to: co się stało?, wiesz co, zostawiasz mnie, to jest pożegnanie, ostatni raz, kiedy trzymasz mnie prawie nagą w ramionach. Wdycham twój zapach, chcę się nim odurzyć, otruć, udusić.
Płaczę, a ty całujesz mój brzuch. „Ależ ty pachniesz…" – mówisz, kładąc głowę na koronkowych majteczkach specjalnie dla ciebie kupionych. Ale przecież już nie chcesz zapachu mojego ciała. Niczego już ode mnie nie chcesz.

W tym momencie wiem, że to koniec. Całujesz mnie, ale nie ma cię tu. Zupełnie cię nie ma, czuję to.
I choć tak bardzo chcę ciebie poczuć... nie chcę w ten sposób tego pamiętać! Nie chcę pożegnalnego prezentu w postaci seksu z nieobecnym. Chcę, żeby porwała nas namiętność, taka jak kiedyś, twój jęk, rozkosz... nie widzę w tobie tej namiętności. Nie ma jej. To straszne.

Popłaczę sobie jeszcze chwilę, dobrze? Jednak źle, że nie użyłam wodoodpornego tuszu, a specjalnie kupiłam i to najdroższy, jaki był w sklepie, to zadziwiające, o jakich rzeczach myśli się w takiej chwili. Przecież mnie rzucasz, boli jak jasna cholera, mam wrażenie, że serce mi pęknie, a myślę o rozmazującym się tuszu. I o tym, że jestem rozpalona, że jednocześnie nienawidzę cię i szaleńczo pragnę. Że jestem zła. Że kocham. Będzie bardziej bolało, pieprzę to, już nie może bardziej, nie rozumiesz?!

Całujesz mnie mocno w usta i tak samo ty, jak i ja wiemy w tej właśnie sekundzie, że to jest ten pocałunek. Ostatni.
Tak, idź już, po co to przeciągać?, nie mogę się tu krzyżować przed tobą, muszę być twarda. Zakładasz koszulę, bardzo ci w niej do twarzy, w głowie huczy mi Bach, a może Mahler, ładnie się to wszystko komponuje, dobra scena. Nigdy jeszcze tak przekonująco nie udał ci się taki smutek, kochanie.

Tylu rzeczy ci nie powiedziałam, w tylu sukienkach ci się nie pokazałam; w niektórych wyglądam naprawdę pięknie... dlaczego nie chcesz zobaczyć? Tylu piosenek

nie posłuchaliśmy, na tylu spacerach nie byliśmy… czy można miłość mierzyć w dniach, w godzinach? Kilka miesięcy, jedna noc wspólna, nic.
Nic, za mało, musi wystarczyć, nie wystarczy, do cholery, nie wystarczy!
Dziękuję. Dziękuję?
Wychodzisz.
Wyszedłeś.
Patrzę z niedowierzaniem w swoje odbicie. Więc to tak wygląda, kiedy opuszcza cię największa i najpiękniejsza miłość twojego życia. Tak się wygląda.
Patrzę w lustro z bardzo bliska, tusz się jednak nie rozmazał.
Patrzę sobie w oczy z powątpiewaniem – i to już?, pytam głośno. Po wszystkim? Nie wiem, czy płakać, czy iść pod prysznic i stać tam całą noc, zapalić, opróżnić minibarek, skoczyć z balkonu, iść do baru, poderwać kogoś – wszystko przelatuje mi przez głowę, kiedy tak stoję z szeroko otwartymi oczami przed lustrem w ślicznych koronkowych majteczkach kupionych specjalnie dla ciebie, których ze mnie nie zdjąłeś.

Mówisz zaraz potem przez telefon, gdy dzwonię do ciebie, udając, że wcale do ciebie nie dzwonię, idiotka; że jestem śliczna, że bielizna piękna i że wyglądałam jak super laska, gdy na ciebie czekałam. Tak, przedstawienie się opłacało. Kręcenie loków przez godzinę, buty na obcasie i niewygodne obcisłe spodnie dla tych kilku sekund… teraz to już bez znaczenia. Ale przynajmniej zapamiętasz mnie w ładnym obrazku. Coś bełkoczę niezrozumiale, dobrze, że przerywa rozmowę, mój bełkot przechodzi w szloch, dobrze, że tego nie słyszysz.

Nie robię nic.
Nie zmywam tuszu.
Zaparzam miętę.
Wchodzę pod kołdrę.
Nie myślę.
Twój zapach wszędzie. Jeszcze.
Nic już nie myślę.
Dotykam się. Wciąż bardzo cię pragnę.

Nie ma cię. Nigdy cię już nie będzie. Jakie to proste.

Szlocham.
Nie ma mnie, skończyłam się właśnie. Ja.

No właśnie ładne, mówiłem. Pisareczka. I jak tu wyrzucać. Jednocześnie, i jak nie uciekać? Jeszcze dodatkowo przed oczami stawał mi obrazek jej koleżanek, które z wypiekami na twarzy czytają, w jaki sposób ją pieprzę i ile ma orgazmów! Chciałbym, aby pan zrozumiał, dlaczego przestraszyłem się bycia bohaterem literackim.

Tak, ten wieczór istotnie nie był tym ostatnim, chociaż teoretycznie to było przecież rozstanie, prawda, ona to tak odebrała, tak więc trzeba było już więcej nie…

To ze mnie taki mięczak, no a poza tym miałem do niej jakąś słabość, kurwa, sam już nie wiem.

Oczywiście, że nie bolałoby mnie bardziej, gdybym wówczas poszedł z nią jednak do łóżka, bzdura, żadne bardziej. Ale ją zapewne tak, dlatego to powiedziałem, dlatego wyszedłem. Chociaż i tak były jakieś łzy, a wie pan, jak to jest, takie przedstawienia kobiet, do których już się nic nie czuje… naturalnie, to nie było do końca tak, że NIC nie czułem, ale rozumie pan, co chcę powiedzieć.

Takie przedstawienia i łzy – stają się po prostu śmieszne i żałosne. Ale czy gdybym ją za przeproszeniem puknął, to nie wyskoczyłaby z okna? Przecież to idiotyczne, sądzi pan, że to naprawdę miało jakiś wpływ... przecież nie chodziło jedynie o seks, nigdy.

dlaczego wtedy nie rozebrałem cię do końca... chciałem i nie chciałem. ale ty wiesz, że bardziej dla ciebie bym to zrobił... czułaś to, prawda? nie chciałaś litości i nie chciałaś na odpieprz się. ja też nie. nie zasługiwałaś na to. mimo wszystko. mimo wszystko co, idioto?! ale czy to by coś zmieniło? czy to spotkanie było kluczowe? nasze spotkania zawsze niosły z sobą pewne ryzyko, miałem jednak nadzieję, że znajdziemy w sobie siłę, aby mu sprostać.
dlaczego nie znalazłaś?

To upublicznianie naszej znajomości zaczęło mi bardzo przeszkadzać. Oraz fakt, że nie miałem na to absolutnie żadnego wpływu. Koleżanka ta, koleżanka śma, koleżanka owa. A ja później spotykam te koleżanki na ulicy... to nie było komfortowe, to nie było bezpieczne, żadne nie było.

Najpierw były jedynie wiersze. A po jakimś czasie listy adresowane do mnie i tylko do mnie, podejrzanie zaczęły być bardziej literackie niż... Od lat siedzę w branży, wiem, czym to pachnie. Mam co tydzień na biurku redakcyjnym takie literaturki z prośbą o przeczytanie, wydanie, zerknięcie, opinię, pomoc.

Chciała pisać pamiętnik, niechby sobie pisała pamiętnik, ale zaczęła nas opisywać tak szczegółowo i jednoznacznie w tych swoich opowiadaniach, komu jeszcze dawała je do przeczytania? Marzyła o tym, aby być pisarką, w porządku, tylko dlaczego, kurwa mać, moim kosztem?!

Że nie miała obaw o swoje środowisko, to mnie naprawdę nie obchodziło, bo to absolutnie jej sprawa. Tymczasem zacząłem mieć obawy o moje środowisko oraz wspólnych znajomych, których z racji pracy mieliśmy kilku. Może kilkunastu.

Przyznaję, to był powód. Po co komplikacje, domysły. Nie chcę nawet myśleć, co z tego mogło wyniknąć, nic dobrego, no i jak widać.

Nawet nie do końca chodziło o to, że ktoś by się dowiedział, coś by się wydało. Nie sądzę, że jej pisanie mogło do tego doprowadzić. Chociaż pewnie trochę też o to chodziło, ale rzecz głównie w tym, że znam ludzi i spotykam się z osobami, które wiedzą, wiedziały o nas, i proszę sobie wyobrazić, że czytają o ognistym seksie i o tym, co ja jej robię, gdzie, ile razy oraz na czym!

No to przestało być zabawne!

Moje miasto to nie Nowy Jork, tu nie można zniknąć, rozmyć się, rozpłynąć we mgle, wszyscy się znają, wszyscy o wszystkich wszystko wiedzą, a nawet jeśli nie, to się domyślają, a nawet jeśli i to nie, to i tak trzeba uważać, mam żonę, rodzinę, oczywiste, że jakoś tam poczułem się zagrożony. Gdyby w redakcji... gdyby wybuchł skandal, wyobraża pan sobie, jaki wybuchłby skandal, gdyby moja żona, gdyby ludzie... nawet nie chcę o tym myśleć.

Ale też bez przesady, nie aż tak, by wypychać kobietę z okna, to nie jest Woody Allen i *Wszystko gra*; notabene świetny film, widział pan? Scarlett Johansson ze swoimi ustami, no właśnie, nie wiem, co mam z tymi ustami, fetysz jakiś, w każdym razie nie, nie zabiłem Magdy, aby uzyskać tym dla siebie święty spokój. To znaczy w ogóle jej nie zabiłem.

Tak naprawdę teraz dopiero poczułem się prawdziwie zagrożony, gdy mnie tu ciągacie, pytacie, węszycie, wnikacie. Nie ma co węszyć, i tak nic nie wywęszycie, bo nic nie ma do wywęszenia. Tylko zamieszanie się zrobiło, tak bardzo niepotrzebne.

78

Nie, o cięciu i wieszaniu, o którym tyle razy wspominała, nie myślałem poważnie. Wtedy przynajmniej, bo teraz wiem, że rzeczywiście była zdolna do wszystkiego. Wychodzi na to, że to jednak wszystko jest moja wina. Ale może nie będę chwilowo się nad tym zastanawiał.

Magda, gdy była ze mną, nie sprawiała wrażenia aż takiej desperatki. W ogóle gdy była ze mną, nie sprawiała wrażenia desperatki. Nie nachodziła mnie w pracy, nie atakowała w Internecie, nie napastowała telefonicznie, nie robiła niespodziewanych nalotów. Ale potrafi pan sobie wyobrazić, że w pewnym momencie zacząłem o tym ciągle myśleć?

Raz rzeczywiście przyjechała bez zapowiedzi, że niby niespodzianka. Tak, wtedy mało się kawą nie oblałem, kiedy zobaczyłem, jak schodzi ze schodów u mnie w pracy.

przyjechała. niespodzianka. mówiła, że wsiadając do pociągu, nie była pewna, czy dobrze robi. a raczej była pewna, że nie. rzeczywiście… założyła sukienkę i nowe buty, które niemiłosiernie obtarły jej stopy. z kokardkami. i przyjechała. a ja nie zauważyłem wtedy tych jej kokardek, skandal.

A gdyby mnie w redakcji nie było, a gdybym się nie ucieszył, a gdybym nie miał czasu, a gdybym? Byłem, miałem, chociaż nie miałem, ucieszyłem się, chociaż się wkurwiłem. No nie robi się takich rzeczy, w naszej, że się tak wyrażę, sytuacji. Owszem, to był niby pierwszy raz, na szczęście jedyny. Poczułem się przyparty, a nie lubię tak, tak samo jak nie znoszę, kiedy ktoś mi mówi, co powinienem odczuwać, a ona to wszystko właśnie tak elegancko...

Ale wtedy wyglądałem naturalnie na zadowolonego, w końcu zrobiła trzysta kilometrów, nie jestem przecież chamem, żeby strzelać focha w takiej chwili. Lecz zdaje sobie pan sprawę, ile kombinacji później musiałem wykonać, aby jakoś z twarzą wyjść z tego zamieszania?

Zabrałem ją na mrożoną kawę z lodami i miętą; świetnie to pamiętam, bo jacyś znajomi nas widzieli i potem głupio mi docinali, ale mniejsza już o to. Magda zresztą chyba również ten dzień gdzieś opisała, prawda, i tę kawę z miętą? No sam pan widzi!

Na obiad też ją wziąłem wtedy, chociaż na szybko, ale wziąłem. Musiałem co prawda solidnie się nagimnastykować, żeby mógł on dojść do skutku, dokładnie nie pamiętam, ale miałem naprawdę dużo spraw tego dnia. Musiałem gęsto się tłumaczyć, nienawidziłem tego dnia, tego obiadu, tego wszystkiego. Nie, Magdy nie nienawidziłem, dlaczego pan tak... Czy pan insynuuje... to świetnie, że nie.

Tak więc ten niespodziewany przyjazd. Zupełnie nierozsądny. Tym bardziej że to już wszystko schyłkowe było.

A potem pożegnanie w przelocie, nie wiedziała, czy może mnie pocałować, czy nie, aż ją skręcało, staliśmy na najbardziej zatłoczonej ulicy, pocałowała w końcu, no oczywiście, nieporadnie to wyszło zupełnie, mam nadzieję, że akurat wtedy nikt nas nie widział, scenka z marnego filmu.

To był ostatni raz, kiedy ją widziałem.

I to był ostatni raz...

Teraz dopiero sobie to uświadomiłem. Ten pocałunek... to był ostatni pocałunek, to był ostatni raz, rzeczywiście... ten jej niespodziewany przyjazd był ostatnim.

Pobiegła do pociągu, a ja poczułem, że wszystko jest naprawdę nie tak jak trzeba. Ona nie tak jak trzeba, rzeczywistość i ja sam w tym wszystkim nie tak. Nie chciałem przecież się z nią żegnać w taki sposób, ale jak miałem się pożegnać? I co miałem powiedzieć, że się cieszę, chociaż się nie cieszę? Żeby nie robiła więcej niespodzianek?

TAKIEJ niespodzianki rzeczywiście już nie zrobiła...

Wie pan, ja cały czas chciałem, żeby była tajemnicza, nieoczywista, niedostępna. Żeby była odległa. Najbardziej podniecało mnie to, że jest odległa.

A ona była odległa przez chwilę.

Musiałem wciąż kłamać, a nie chciałem już bardziej się plątać, to się stało jednym wielkim zagmatwaniem, a miało być wszak przyjemnością. I ona podana na tacy. To było dalekie od przyjemności. Oczywiście, bez histerii, ale byłem nie w porządku wobec wszystkich, również wobec niej i czułem się z tym niedobrze. Może dlatego następnym razem poszedłem z nią do łóżka. Może z litości? Było fatalnie. Ale zaraz, to nie było następnym razem, bo się po tym jej przyjeździe niespodziewanym przecież nie widzieliśmy, coś mi się jednak nie ułożyło chronologicznie.

Jestem pewien, że jej przyjazd i to pożegnanie w biegu na ulicy to był ostatni raz, jestem pewien. A ten fatalny raz, do którego nawiązałem, musiał wydarzyć się wcześniej. Proszę mi pozwolić na spokojnie to jakoś chronologicznie poukładać, jeśli chronologia ma znaczenie.

Tak, to było wówczas, kiedy leżała przede mną w samej bieliźnie, mówiłem już chyba o tym. Zdecydowanie było to wcześniej, tak, jestem pewien.

Kończyła się też nasza współpraca z agencją, dla której pracowała, więc rzeczywiście miał być już spokój, miało nie być pretekstów do przyjazdów. Coś kiedyś wspomniała, że może zatrudniłbym ją w wydawnictwie, aż mnie ciarki przeszły, szczerze mówiąc…

Samobójstwo jednak nie przyszło mi do głowy. Mimo że wiedziałem o jej rozchwianiu emocjonalnym. Pisała o wannach i latarniach, ale któż przywiązuje wagę do takich fraz? Szczególnie jeśli powtarzane są tak często. Nie ignorowałbym tego, gdybym miał podejrzenie, że naprawdę może sobie coś zrobić. Gdy ktoś chce popełnić samobójstwo, do cholery jasnej, to tyle o tym nie gada! A ona chyba bardziej, wtedy przynajmniej, chciała zwrócić na siebie uwagę.

Nie była do końca normalna, sam pan widzi, w jej świecie nie było stabilizacji. To w niej samej nie było harmonii, popadała ze stanów euforycznych w depresyjne, i przy mnie, i w domu przy mężu, co dopiero on musiał przeżywać… teraz tak o tym myślę, przecież nie mógł nie widzieć, że coś jest nie tak. Albo też ona świetnie przed nim grała, wspominałem, że była szalenie teatralna, mniejsza o to. W każdym razie wiadomo, co mogła zrobić, jak nią taka psychoza miłości owładnęła?

Nie szukaj pretekstu.

I jak widać, zrobiła… Teraz za to robi właśnie to, czego faktycznie się bałem; wkracza w moje życie bardziej, niż kiedy w nim fizycznie była obecna.

opowiadam mu ckliwą, banalną historyjkę miłosną, po pros niskogatunkowe pieprzone romansidło, to brzmi żałośnie, przecież czuję, jak to niebywale żałośnie brzmi. a wiarygodnie? ale przecież to wszystko prawda. ile procent? ile procent prawdy w prawdzie... dlaczego w ogóle siedzę tu przed nim i wymyślam te ballady i romanse, tę spowiedź jakąś pojebaną snuję przed gościem, po jaką cholerę, to wszystko jest kompletną pomyłką, nie powinno mnie tu być. nie powinno mnie tu, kurwa, być.

79

– Widzi pan, panie prokuratorze, od samego początku miałem jednak dobre przeczucie, że jest kwestią czasu, zanim cała ta sprawa wyjdzie na jaw. Za daleko już wszystko zaszło.

– Ale sam pan zdecydował, że powie małżonce, my przecież panu obiecaliśmy, że tego nie zrobimy.

– No a co by pan zrobił na moim miejscu? Powiedziałem, taaak. Już wcześniej przecież panu mówiłem, że moja żona nie jest głupia i coś tam czuje, coś podejrzewa. Nigdy tak często nie jeździłem do Warszawy. Zaczęła w końcu przypuszczać, że mam romans, więc... zabawne?

– Niezbyt. Co pan teraz planuje?

– Nie wiem, chwilowo niczego nie planuję, to całkiem nowa sytuacja. Mieszkam w hotelu. Mam nadzieję, że również chwilowo. W tym samym, w którym mieszkała Magda, gdy przyjeżdżała...

– O, co za ironia!

– Cóż za ironia, prawda? Rzeczywiście Magda w ironii była najlepsza, miałem rację. Nawet, kurwa, pośmiertnie…

– Radzi pan sobie?

– Ja sobie radzę. Bardziej mnie zajmuje, czy żona sobie radzi. Ależ się porobiło. A to wszystko przecież nie jej wina. Jestem jednak skurwiel.

– Pan wybaczy, ale nie będziemy tego teraz oceniać. No a co z pana mądrą córką? Jak się odnajduje w państwa nowej sytuacji?

– Wyjechała na szczęście studiować do Anglii. Szczęśliwie się złożyło. Nie uczestniczy w tych naszych przepychankach. Chociaż to właściwie nie są przepychanki, to jest nawet gorsze. W zasadzie nie wiadomo, o co chodzi, czy bardziej o przeszłość, czy o teraźniejszość, w sensie kłamstwa, nie wiem. Chciałbym, żeby ta sprawa się wreszcie zakończyła, niech mnie aresztują.

– Nie mamy podstaw. Na razie.

– Na razie… sam pan słyszy, jak świetnie to brzmi, prawda? Niech mnie aresztują i skażą za coś, czego nie zrobiłem. Bo przecież to zrobiłem, to znaczy nie to… ale rozpierdoliłem życie dwóm kobietom.

– Nie chcę być nieuprzejmy, ale sądzę, że przynajmniej dwóm.

– Tak, może ma pan słuszność, przynajmniej dwóm. Ale czasami trzeba zrobić coś niewybaczalnego, aby iść dalej, prawda?

– Idźmy dalej więc. Spędziliśmy tu razem ładnych parę godzin przy tej pana bajeczce, może czas na prawdziwą męską rozmowę. Mam świetny koniak, lubi pan koniak? Czy tylko Jameson bez lodu? Podwójny…?

– Lubię koniak. Wreszcie się pan zlitował, naturaln
jeśli możemy, to dobra okazja, napijmy się. Wypijmy naj
pierw zdrowie Magdy.

– Aby zażegnać ból po stracie czy ból…?

– A czy ja, panie prokuratorze, coś straciłem?

– Chciałbym teraz w takim razie usłyszeć sto procent prawdy w prawdzie.

koniec

spis treści

Spis wierszy

cytaty

1 Adam Zagajewski, *W cudzym pięknie*, Wydawnictwo a5, Kraków 2007.
2 Max Frisch, *Stiller*, Czytelnik, Warszawa 1976.
3 Philip Roth, *Oszustwo*, Czytelnik, Warszawa 2007.
4 Max Frisch, *Stiller*, Czytelnik, Warszawa 1976.
5 John Donne, *Gorączka*, [w:] *Antologia angielskiej poezji metafizycznej XVII stulecia*, Wydawnictwo a5, Kraków 2009.
6 John Donne, *Spadek*, [w:] *Antologia angielskiej poezji metafizycznej XVII stulecia*, Wydawnictwo a5, Kraków 2009.
7 Tadeusz Kijański, *Zapiski Psubrata Wałkonia*, Krajowa Agencja Wydawnicza, Warszawa 1993.
8 Bernard Schlink, *Lektor*, MUZA SA, Warszawa 2009.
9 Anaïs Nin, *Dziennik Anaïs Nin 1931–1934. Tom 1*, Zysk i S-ka Wydawnictwo, Poznań 2004.
10 święty Augustyn, *O nauce chrześcijańskiej. Sprostowania*, Akademia Teologii Katolickiej, Warszawa 1979.
11 Edward Stachura, *Dzienniki. Zeszyty podróżne 1*, Wydawnictwo Iskry, Warszawa 2010.
12 Adam Zagajewski, *Lekka przesada*, Wydawnictwo a5, Kraków 2007.
13 Jacek Bocheński, *Tabu*, Czytelnik, Warszawa 1971.
14 Marcel Proust, *W poszukiwaniu straconego czasu*, Państwowy Instytut Wydawniczy, Warszawa 1974.
15 Edward Stachura, *Dzienniki. Zeszyty podróżne 1*, Wydawnictwo Iskry, Warszawa 2010.
16 Adam Zagajewski, *Lekka przesada*, Wydawnictwo a5, Kraków 2007.
17 Antoni Libera, *Madame*, Wydawnictwo Znak, Kraków 2010.
18 Adam Zagajewski, *W cudzym pięknie*, Wydawnictwo a5, Kraków 2007.
19 James Joyce, *Ulisses*, Wydawnictwo Znak, Kraków 2013.
20 Sadi z Szirazu, *Gulistan to jest Ogród różany*, Wydawnictwo Armoryka, Sandomierz 2011.
21 Herman Hesse, *Wilk stepowy*, Państwowy Instytut Wydawniczy, Warszawa 1999.
22 Jean Baptiste Racine, *Fedra*, Państwowy Instytut Wydawniczy, Warszawa 1978.
23 Philip Roth, *Upokorzenie*, Czytelnik, Warszawa 2010.
24 Herman Hesse, *Wilk stepowy*, Państwowy Instytut Wydawniczy, Warszawa 1999.

Ilustracje na okładce i w książce
Anna Halarewicz

Projekt graficzny
Agata Plewicka

Redakcja i korekta
Redaktornia.com

Skład i łamanie
Akant

MELANŻ

ul. Rajskich Ptaków 50, 02-816 Warszawa
+48 664 402 402
wydawnictwo@genczelewska.pl
www.genczelewska.pl

Wydanie I
Warszawa 2013

ISBN 978-83-928029-4-5